云中岳武侠精品

独步武林系列

# 莽野龙翔

（上）

台湾 云中岳 著

太白文艺出版社

**图书在版编目（CIP）数据**

独步武林/云中岳著．—西安：太白文艺出版社，
2003．

（云中岳武侠精品）

Ⅰ．独… Ⅱ．云… Ⅲ．侠义小说—中国—当代
Ⅳ．I247．5

中国版本图书馆 CIP 数据核字（2003）第 126526 号

独步武林系列

荒　野　龙　翔　（上中下）

作者：云中岳　　　组稿：钮琦　　　责任编辑：范胜震

出版发行：太白文艺出版社
社　　址：西安北大街 131 号
印　　刷：中牟华书印务有限公司
经　　销：新华书店
开　　本：850×1168　1/32
印　　张：150
字　　数：3000 千字
版　　次：2004 年 2 月第 1 版　　2004 年 2 月第 1 次印刷

ISBN 7 - 80680 - 153 - 7/I·069　（全 12 册）定价：240.00 元

# 写 在 前 面

二十世纪六十年代，台湾与香港的武侠小说，自式微遭递断层期，奋然蜕变以新面目崛起。正当跃然苗壮期间，文坛随即出现不同的声音。批评与赞誉各趋极端，因而掀起所谓武侠小说论战风潮。当时，似乎真正执笔的武侠小说作者诸先进，并没积极挺身而出，为自己的作品辩护，默默地为这片园地耕耘。

笔者当年枵腹从公，与文坛并无渊源，意识中仅感觉出，反对与批评的声浪中，某些人士似乎曾以文坛大师胡适先生对武侠小说几句讽刺性的话作蓝本，口诛笔伐作了极为严苛的批判，似欠公允。

笔者读史囫囵吞枣，不甚求解。但对古春秋游侠，颇心向往之，太史公并没摒弃这些侠而为之立传。这些渊源于墨家的游侠豪客历史，一度曾经光芒万丈，比东方日本的武士早一千年；比西方的剑客早两千年；比美洲的西部英雄早三千年；源远流长，任由他们淹没在变化有如沧海桑田的历史洪流中，实在有点可惜。

无可讳言，历史无情，适者生存。这一阶级的豪客们，不得不接受自然发展率的无情淘汰，自晚唐以降，便已日渐式微，黯然退出历史舞台。终极则变；明清两代，又复以多彩多姿的面目出现，可惜已非本来面目，蜕变为品流复杂的三教九流江湖人士，在光怪陆离的环境中挣扎图存。但笔者仍然相信，其中仍有一些人，依然保持有古春秋豪侠的精神与风骨，默默地存在于市井中，受到市井小民的尊敬，甚至崇拜。

　　小说有千百种，良窳互见各有千秋，好坏都有其存在的环境背景，问题是读者能否明智地抉择取舍。往昔男不许看《水浒》，女不许看《西厢》，避免败坏人心的时代，已经一去不复回，读者有权欣赏与探索哪些作品值得品味。因此，武侠小说论战，触动笔者内心深处，对古春秋豪侠的向往情怀，觉得该写下一些逝去了的脉络与传承，供读者于茶余饭后，意念飞驰在遥远的岁月涓流中，舒解因生活而产生的紧张情绪。

　　写作动机十分单纯，念生意动想到就写，秉一枝秃笔，写下一系列自认为主题不算歧异的作品。此期间，幸而苛责的声音，并不比谬赞的声浪高，聊可告慰，十分感谢读者的支持与鼓励，让作品得以流传。

　　笔者的作品散处海内外刊行，自小短篇至百万字长篇，先后在报章杂志刊载，显得杂乱无章，以致伪书充斥坊间，读者与笔者同蒙其害，确有整理统筹发行的必要。

　　承蒙太白文艺出版社诸君抬爱，慨允以云中岳新武侠小说全集名义，作有系统地发行，深感荣幸。今后，读者将不再受伪书所愚弄，可窥云中岳作品全貌。特向太白文艺出版社诸君，鼎力支持全集发行的盛情，致上衷诚谢忱。

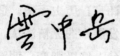

2004 年元月于台湾台中市寓所

# 内容提要

　　神龙浪子因乡里遭劫，兄弟折损，决心追查祸首顺天王下落。大焚九华精舍，两人不期而遇。由于事出意料，追踪报仇心切，反为冷魅冷梅所算，落入顺天王门徒魔剑姬庄主手中。

　　由于浪子搅散了魔邪大会，破坏了宁王胁追群豪谋反夺位大计，宁王府以李天师为首，包括浊世狂客率领的大小罗天杀手等众多高手，在解押浪子途中堵截劫夺，必欲得之甘心。由于大闹九华，香海宫主、九现云龙、千幻剑等黑白诸豪脱出魔掌，皆对浪子感恩戴德，竟为效力，三方展开了夺龙大战，浪子乃伺机脱身。

　　不料刚离虎口，又遭灵狐所算，身中奇毒，命系旦夕……浪子继续追查，紧跟毒无常不放，夜探瑞桑庄……结果，和谈破裂，被化装为杨总管的顺天王偷袭，浪子避开天王轮回掌，复遭灵狐所化装成傅依依的断魂血琵琶的魔音迷击。……浪子顺藤摸瓜，深入茅山，生擒人质，刺杀狂客，涤荡外围；毙伤翻天王、真假灵狐等，斩断天王臂膀；胁迫敬天教主散弃联盟，揭露天王藏身之所，终于在天坛与天王一决，浪子与冷魔，一对仇敌也终成情侣。

　　书中黑道白道、官家爪牙、宁王鹰犬……迷魂高手，使毒专家，职业杀手，形形色色，纷纷出笼，紧张惊险，光怪陆离，有声有色，煞是热闹非凡。读来如睹美景，如品佳肴，堪称休闲中良伴。

# 目　　录

# 第一章　乌江斗霸

　　四月天,太阳晒在身上暖洋洋,官道上奔忙的旅客,一个个精神抖擞,正是赶路的好时光。路旁三家村前的小食店,未牌时分显得冷清清,不是打尖的时光,往来的旅客除了停下来喝口水之外,别无所求。

　　因此,两个店伙计显得懒洋洋无精打采。

　　小伙计闲得无聊,伸手擦了擦酒坛子上的灰尘,拍拍手转头向北望,突然叫"嗨! 好雄壮的客官,歇歇啦! 喝碗酒赶赶乏提神,等会儿上路保证精神些。"

　　北面来的客官大踏步进入帖前的凉棚,"砰"的一声将大包裹往桌上一放,再放下长布卷,伸腿勾出一张长凳,大马金刀地坐下说:"小伙计,给你这么一说,真把在下的酒虫儿引出来了。来三五壶酒,切几味下酒菜,要快。"

　　这位客官不但雄壮,而且一表人才,粗眉大眼,鼻直口方,脸颊透着红红的健康色彩,留着剪得短短的八字胡。

　　年轻、雄壮、英姿、精力充沛、手长脚长。

　　他那双明亮的大眼中,流露出精明、机警、灵活的神色,但并不凌厉,嘴角经常流露一丝笑意。

　　因此令人觉得他和蔼可亲,是个很好说话的人。

　　穿的是青直缀,像个庄稼汉。

　　小店伙计含笑张罗,先送来了茶水和汗巾。

　　酒菜是现成的,一盘卤肉,一碟豆干,一碟炸龙芽豆,再加一碟五香笋丝便够了。

酒当然是先上一壶,小伙计替他斟上一碗酒。

年轻人一口便干了半碗酒,泰然自若地嚼着卤肉,向退至一旁的小店伙招手,含笑问:"伙计,你这里是何处地面?"

小伙计哈腰笑答:"小地方,小杨村。"

他呵呵笑,信口说:"你也姓杨?"

小店伙点头道:"是的,咱们这里三家全姓杨。"

"三家人也叫村?"他笑问。

小伙计呲牙咧嘴笑,说:"客官,你可别看小了敝村,当年这里还是乌江县北面的大镇呢。"

他指指西面两里外的一座小土山说:"对,看了那面的乱坟山,便知道七八成了。"

小土山全是白杨树,荆棘丛生,但仍可看到不少坟墓,断碑残碣颇为注目,一片荒凉。

一群老鸦在山头哇哇叫,追逐着一头盘旋林梢的苍鹰。

"客官的意思……"小店伙计不解地问。

"呵呵!那儿躺着千儿八百个去世的好人,总不会是从你这三家村抬出去的吧?"他调侃着说。

"客官取笑了。"小伙计讪讪地说。

他喝了一口酒笑道:"小哥,别见怪,开玩笑的,我这人百无禁忌。说真的,这里是乌江县地面?"

小店伙计直摇头,说:"乌江县已经撤掉百余年啦,目下这里乃是江浦县地,南面七八里便是和州地面了。"

"哦!就到了和州?"

"不,和州还有五十里左右,那是和州的乌江镇。"

他哦了一声,点头道:"原来是西楚霸王无颜见江东父老,自己砍下脑袋来的地方。"

"对,正是这地方。客官经过时,可到镇南三里地的霸王庙去瞻仰瞻仰。"

"我会去的,谁会错过呢?世人皆以成败论英雄,这是不公平的。"他喃喃自语,突然抓起酒壶,咕噜噜干了一壶酒,叫:"取大瓮来。"

店伙一惊,狐疑地叫:"客官……"

他虎目倏张,问:"你打算不卖酒?"

店伙一惊,急急入店,喃喃地嘀咕:"这位客官发起威来,眼神好慑人,大概是个令人害怕的活霸王。"

不久,送来了一坛酒。

他一手提过,眼神已恢复原状,向店伙笑问:"你说,如果当日楚霸王得了江山,有楚没有汉,会不会今日仍是大明皇朝这种乱糟糟的天下?"

小店伙脸色大变,摇手道:"客官,生意人不谈朝廷事,小的……"

"好,你走开吧。"他挥手说,眼神柔和了许多,拍开泥封,举起酒坛咕噜噜牛饮。

两名店伙躲得远远地,感到心惊胆跳。

不久,他已有了六七分酒意,以左手三个指头举起空酒碗,右手用筷敲着碗信口长歌:"君不见:淮南少年游侠客,白日球猎夜拥掷。呼卢百万终不惜,报雠千里如咫尺。少年游侠好经过,浑身装束皆绮罗。兰蕙相随喧妓女,风光去处满笙歌。骄矜自言不可有,侠士堂中养来久。好鞍好马乞与人,十千五千旋沽酒……"

"啪"一声碗筷放下了,他眯着醉眼向屋旁招手叫:"出来吧,你来了不少时候了,老兄。"

一声长笑,屋角钻出一个挟了打狗棍,挂了百宝袋的肮脏的老花子,后面跟着一条癞狗,直趋桌旁说:"可找到对手了,咱们拼一百碗。"

他向店伙大叫:"添一双碗筷来。"

老花子拖长凳坐下,顺手抓起一把卤肉,向癞狗一丢,说:"添碗筷,不添肉?你是个小气鬼。"

他淡淡一笑,抓颗龙芽豆往嘴里一丢,说:"南乞,你知道自己令人恶心么？告诉你,我这人从不自命清高怪诞,虽没有洁癖,至少不喜欢用手抓食物填五脏庙,你明白么?"

南乞咯咯怪笑道:"看不惯,你为何不走?"

他推碗而起说:"走就走。"

南乞抓把龙芽豆往口里塞,说:"希望你走得了。"

他呵呵大笑道:"好家伙,你要留下我?"

南乞睥睨着他说:"我老要饭的这两手鬼画符,想留下大名鼎鼎的江湖神秘客神龙浪子周永旭,谈何容易? 算了吧。"

他冷冷一笑,冷冷地问:"看样子,南乞名不虚传,你知道神龙浪子多少鸡零狗碎?"

"有几个人能看一眼便能叫出你的名号?"南乞颇为自豪地反问:"当然啦! 我这个老江湖可不是白叫的。"

"不多。哦! 大概你盯上在下许久了。"

"不久,大概有三五天工夫。"

"螳螂捕蝉,你果然高明。"

"夸奖夸奖,不过,你敲了江浦地低三尺赵剥皮一记闷棍,我竟未能赶上。"

"不错,敲了三百两金叶子。地低三尺赵剥皮的金银,我不替他花,岂不罪过?"他傲然地说。

"赵剥皮不是善男信女,他饶得了你?"

"哈哈! 下次我再敲他千儿八百。哦! 你想分一杯羹不成?"

"我? 开玩笑,你把我南乞……"

"呵呵! 在下失言了,你是誉满江湖的侠丐,当然不是为分羹而来,大概是打抱不平,伸张正义来的了。"

南乞咯咯笑,说:"即使你把赵剥皮榨干,老要饭的也懒得过问。呵呵! 你知道浦口三英?"

周永旭哼了一声,撇撇嘴说:"江湖道上,谁不知那三位仁兄见钱眼开?"

"但人家是侠义道名士,名震四海九州的侠客。"南乞摇头晃脑地说:"你知道,为钱而行侠不算大罪过。"

"我不在乎他们。"周永旭冷冷地说。

"不在乎就好办,他们就在前面等你。"

周永旭丢下十两银子,向送碗筷来的店伙说:"把好酒菜取来,让这位花子爷吃个饱,十两银子该够了。"

说完,抓起长短两个包裹,扬长举步。

南乞手疾眼快,长身而起,手闪电似的伸出,急抓刚被他提起的包裹。

这一记突袭,来得突然奇快绝伦,可是手指刚要沾及包裹,周永旭似乎像是肋生双翅,平空地斜拔而起,硬生生飞出两丈外。

优美地翩然而降,点尘不惊,头也不回地向南走了。

店伙惊得呆了,张口结舌如同中魔。

南乞一抓落空,颇感错愕,摇头喃喃自语:"好高明的平步青云轻功,不愧称神龙二字。这小伙子如果沦入魔道,世间能制他的人,屈指可数寥寥无几,可惜啊! 可惜。"

附近全是青绿的稻田,一望无涯,小村落星罗棋布,桑林麻园点缀其间,一切皆显得生气勃勃,和平安详美景如画。

前面路旁的一排大树下,三个中年人抱肘而立,穿了天蓝色劲装,佩了银鞘长剑,身材修伟,气概不凡,三双虎目冷电四射,打量着南下的每一个旅客。

和州是小地方,从江浦县伸下一条官道,商贾往来皆走水路直放南京。因此陆路上旅客并不多,往来的都是附近乡民,陌生的外乡人,决难逃出有心人的眼下。

周永旭抬头挺胸,撒开大步往前闯,已有了六七分醉意,脸红得像关公,口中哼着荒腔走板的词曲:"花似伊,柳似伊,花柳青春人别离,低头双泪垂。长江东,长江西,两岸鸳鸯相对飞,相逢知几时?"

三个中年人仅扫了他一眼,根本不加理睬。

他穿得寒酸,又是个灌足黄汤的醉鬼,委实不起眼,怎么看也不像是个轰动江湖的名人,江湖名人谁又不神气?

他越过三人身前，突然止步，眯着醉眼打量着这三位仁兄，不住打醉呃，站着不走啦！

他的神态怪怪的，前俯后仰左看右看。

看得为首的中年人火起，瞪了他一眼，直着大嗓门叱喝："看什么？还不快走？你这醉鬼！"

他连打两个酒呃，歪着脑袋撇撇嘴，问："你……你们带……带了剑？剑……利不利？能……呃呃！能杀人么？"

"滚开！醉昏了是不是？"另一名中年人沉叱。

他放下背上的大包裹，咯咯笑问："你……你们是……是劫路的？"

"去你娘的！"第三位中年人粗野地咒骂。

"劫路，我……我也会。在……在后面用棍子敲，叫……叫做打……打闷棍。用套……套索在后面套……套脖子，叫……叫做背……背娘舅。你……你们是……"他已到了三人面前："是偷鸡摸狗的？"

两名中年人无名火起，正想上前动手。

为首的中年人大概大人大量，上前拍拍他的肩膀说："阁下，你醉了，咱们不与你计较，你走吧。"

"谁……谁说我醉了？"他大叫。

"好，好，你没醉，你走吧。"中年人善意地说。

他嘀咕着抓起包裹，哼了一声，打了两个酒呃说："再来十斤酒，我……也醉不了。走……走就走，你们失……失去机会了，这个包裹里有一二千两银子，劫路的居……居然没……没长眼……"

为首的中年人摇头苦笑道："即使你带了一二万两银子，也没有人会动你的。你不要穷嚷嚷胡说八道，传出去多难听？咱们不是劫路的，而是在这里等朋友。"

"哦！等朋友？不是等仇人？"他放下包裹，显然不想走，赖在此地穷夹缠。

"没你的事，老兄。"为首中年人不悦地叫。

"等仇人,我帮你们一手。"他拧袖叫,醉态可掬。

"你……"

"我叫地老二,天是老大。在南京,龙江关一剑镇江南徐千是我老二的螟蛉义子。白鹭洲神拳秦霸是我老二的徒侄辈。至于江对岸的浦口三英施智施仁施勇……唔!好像是我老二的徒孙子……"

为首的中年人正是施智,身为老大倒还沉得住气。

老三施勇是出名的霹雳火,忍无可忍,无名孽火直冲天灵盖,一声怒叫,冲上两步就是一耳光抽出。

揍一个醉鬼根本不需费劲,因此出手毫无戒心。

周永旭就等这一记耳光,在出手行将及颊时向下一挫,耳光落空,他的铁拳已经同时攻出,"噗"一声捣在施勇的小腹上。

这一拳并不重,但出其不意挨上了,还真不好受。

他一跳而开,大叫道:"什么?你们打人?"

施勇抱着小腹,嗯了一声,蹲下起不来了。

施智吃了一惊,怒叫道:"好啊!你小子装醉扮疯,原来是冲咱们浦口三英来的。"

声落人扑进,鸳鸯连环腿发似奔雷。

周永旭不向左右闪,向后退。

一腿,两腿,三腿……连退五步,三腿落空,第四腿到了。

他在腿踢到的刹那间,左闪半步右手一挥,恰好叼住踢来的腿。

"砰!"施智跌了个手脚朝天。

周永旭哈哈大笑,晃着左手的长包裹说:"瞧你,像不像个翻转身的王八?哈哈哈……"

老二施仁心中大懔,突然拔剑出鞘叫:"好小子,你定然是神龙浪子周永旭,咱们几乎走眼了,饶你不得,接招!"

剑发似电,锋尖指向周永旭的右肩井,认穴奇准,迅疾绝伦,剑术不含糊。

周永旭长包裹一挥,"啪"一声击偏来剑,扭身切入捷逾电闪,一把扣住施仁的右手脉门,喝声"翻!"

施仁真听话，身不由己来一记快速的前空翻，"砰"一声跌了四仰八叉。

周永旭哈哈狂笑，拾起包裹撒腿便跑。

老大施智狼狈地跃起，脸色苍白地说："如果他真是神龙浪子，咱们栽到家了。"

老二施仁跌得不轻，咬牙切齿地说："追上去，不怕他跑上天去。"

施智拍着身上的尘土，苦笑道："二弟，你还没发现人家手上留情？他只要手上抓实，你的右手恐怕早就保不住了，算了吧，即使咱们能追上他，保证灰头土脸。想看咱们浦口三英栽筋斗的人多的是，咱们何必栽给别人看？"

"可是，老赵的事……"

"咱们已经尽了朋友的情分，不能怪咱们没尽力。走吧，回去。"

三人狼狈地北返，仍不知碰上的人是不是神龙浪子。

在南京，浦口三英名号响亮，艺业不凡，今天手忙脚乱被一个陌生年轻人一个个放翻，真是哑子吃黄连有苦说不出，狼狈已极。

乌江镇，这座凋零了的小县城，目下不再是县，而是属和州管辖的一座小镇，只有两三百户人家。

当年楚汉争雄，力拔山兮气盖世的西楚霸王项羽，遭九里山十面埋伏子弟星散，逃到这里脸皮不够厚，无脸见江东父老，放弃渡江，举剑自杀，结束了西楚的霸业。

这位前无古人后无来者的天下第一条好汉，死得虽悲壮却不值得。

乌江镇因霸王之死而天下闻名，经常有些怀才不遇的武朋友，到此地的霸王庙凭吊这位一代霸王。

霸王庙在镇南，乌江在镇东，目下叫乌江浦，也就是当日乌江亭长以舟接霸王过江处。

这座庙不大，两进殿，有五六名香火道人。

朝廷的官吏与有名望的人，从来不到这座庙进香，只有附近的乡民与来自各地的武林朋友，为这座庙上柱香捐些香火钱。

镇四周往日的城墙早已拆掉了，目下改筑了一道护镇的土寨墙，比往日的县城缩小了许多。

因此霸王庙成了郊区，距镇南口约有两里左右，站在南镇门向南望，可看到庙顶的双龙镇火塔。

乌江镇的市面相当繁荣，四通八达是交通要冲。

北至南京，南下和州，东面有两处渡头过大江东岸。东北是安阳渡，对岸是南京的上元县。东南是车家渡，对岸是南京江宁的马家渡口。

西南，通向以温泉著名的平疴汤镇（香淋泉镇），与玄门弟子称为第四十福地的鸡笼山。

这两地皆是名胜区，洗温泉游福地，吸引了不少大户豪绅前来观光。

因此，市面繁荣不算意外。

十字街口有两家客栈，北是江西老店，南是鸿福客栈；东是楚汉酒楼；西是紫阳观下院。

紫阳观在镇西四五里的桃花坞，在镇内另建了下院，香火比霸王庙还要鼎盛，因为奉祀的神甚多，愚夫愚妇谁又愿意去求霸王保佑？就凭霸王两字就够吓人了。

周永旭踏入鸿福客栈的大门，已经是申牌初，他是今天最早落店的客人，弄到了一间上房。

住上房的都是爷字号人物，店伙计并不计较他穿得寒酸而有所轻视，谁有钱谁就是大爷，毕恭毕敬地送上茶水，含笑道："大爷这间房靠近骆大爷的后花园，相当清净。请问大爷在小店，打算明晨何时动身？小的好前来招呼。"

他一面解开大包裹，一面说："在下打算住三五天，没有事不必前来张罗。哦！贵地的酒楼好像不少，哪一家酒菜最好？"

"当然数楚汉酒楼第一，那儿的酒菜是第一流的，过往的达官贵人，皆在该处宴客。哦！那儿还有卖唱的呢。"

"好，这倒得去光顾光顾。"

天色尚早,他先到霸王庙走了一趟。

薄暮时分,他换了一身水湖绿长袍,戴了一顶平顶巾,施施然踏入酒楼。

人是衣装,佛是金装,他容光焕发,谁敢说他不是个大户人家的少爷公子? 落店他最早,上酒楼他却比旁人晚。

楚汉酒楼共有三家店面,已经是食客如云,冠盖云集了。

楼上楼下灯火通明,酒菜香扑鼻。

楼上分为三座食厅,朴实雅洁。

他在靠梯口处的一副座头落座,叫来酒菜,一面小酌,一面打量着全厅的食客。

十余副座头,高朋满座,只有他附近的两桌没有客人。

靠窗口一桌有七位中年食客,上首那人脸色红润,肥头大耳,一双猪眼,一张大嘴,留了大八字胡。穿绿底团花罩袍,像是很有身分的人。

主位上的人正好相反,高瘦长脸,五官倒还端正,只是嘴角经常带着高傲的冷笑,令人不敢领教。

其他五人皆是膀宽腰圆的大汉,一看便知是保镖护院一类人物,有两个带了匕着,一个佩剑,一个佩刀,另一人腰上缠着流星锤。

高瘦的主人敬了主客一杯酒,冷冷一笑道:"和老如果认为没走眼,这件事包在兄弟身上,请放心吧! 不是兄弟自豪,即使是长了三头六臂的武林高手,也难逃出兄弟的手掌心,何况是一个手无缚鸡之力的女人? 如果让她溜掉,我八爪蜘蛛骆明芳今后不用混啦!"

猪一样的和老咯咯笑,说:"我当然信得过明老你,所以请你相助。兄弟事先已打听清楚,绝对走不了眼,只要你帮我断她的财路,其他的事不用你费心。"

两人的年龄不过四十出头,居然相互称为和老明老,不伦不类,听来极为刺耳。

明老呵呵一笑,说:"好吧,依你。是否走眼,不久便可分晓,看光景,她大概快来了。"

一阵楼梯急响，人声先到："不许上去，快给我滚下来，你看这是什么地方？"

上来了不少人，领先的是个灰脸庞的小花子，手中握了一条竹根两尺鞭，穿一袭打了补丁的青直缀，登登登带跑带跳上到梯口。

蓦地回身，用硬邦邦的嗓子叫："再胡叫，小心小爷打掉你满嘴狗牙，拆掉你这座狗眼看人低的黑店。"

追上来的两个店伙横眉竖目，吹胡子瞪眼睛，一个仍想伸手拖人，怒声说："楼上全是有身分的人，你……"

小花子伸竹根鞭搭上了店伙的手肘，冷笑道："你这该死的东西，你认为小爷没有身分？呸！这年头，谁有钱谁就有身分，小爷我有钱，你明白么？瞧，小爷先用金子交柜，行么？"

"啪"一声响，一锭十两的金子丢在身边的桌上，金光闪闪，又说："你先验验看，是不是假的。"

店伙的手抬不起来，呲牙咧嘴，额上冒汗，身子在颤抖，状极痛苦。

小花子扭头就走，向窗口的食桌举步。

周永旭的食桌在梯口，金锭恰好丢在桌面上。

他拾起塞入另一名伙计的手中，笑道："这是如假包换的十足赤金，错不了，收下交柜吧！把财神爷往外撵，会有祸事的，阁下。"

小花子就在明老和老的邻桌落座。

明老怪眼一翻，大喝道："小要饭的，你给我滚到远远的一桌去，听见么？"

小花子倏然站起，正待发作。

周永旭赶忙招手笑道："小兄弟，过来，咱们俩一桌。在下一个人，你也只有一张嘴。何必占了偌大的两张台面？过来吧！生气划不来，是么？"

小花子冷冷一笑，气消了，向周永旭走来，拉出凳落座阴森森地说："兄台说得不错，乌江镇将会有祸事了。"

周永旭招来店伙取碗筷，向小花子低声微笑道："不要生事，小兄弟,忍一时之气,免百日之忧,不必叫酒菜了,我做东道。"

小花子人穿得褴褛,脸灰手黑,但五官出奇地秀逸端正,一双大眼黑白分明灵活万分,啪一声将竹根鞭放在桌上,恨恨地说:"不要管我的事,他们将永远永远后悔。"

"呵呵!还在生气?酒菜下肚,再生气保证肚子疼。看开些吧!刚才你的竹根压住店伙的曲池,软竹根能发出真力,高明,可把他折磨得哑子吃黄连,何必呢?我姓周,你呢?咱们交个朋友,如何?"

小花子气消得好快,不住打量着他,脸上有了笑意,撇着嘴笑道:"原来你也是个行家。我姓吴。"

"吴老弟,想吃些什么?你小得很,不喝酒吧?"

"周兄,陪你喝半杯,怎样?"

"也好,大概你很顽皮会作怪,喝了酒可不许生事,武朋友难得的是一个忍字。"

"人不犯我,我不犯人。哼!谁惹火了我,我……"

"你就要杀人放火?要不得。等会儿可能出事,你最好少管。"他向邻桌用眼色示意:"真想管,麻烦得很"。

"要出事?出什么事?"小花子问。

"刚才撵你的那位仁兄,他们那些狐群狗党好像要在此地对付一个女人。"

"女人?这……"小花子问,眼中掠过一阵异光。

"我不知道,是从他们的言谈中听出来的。最好忍一忍,咱们不能在大庭广众间闹事,是么?"

"这……"

"离开这里之后,日子长着呢。"

"好吧,依你。"

小花子点头同意,大眼睛不转瞬地盯着他,眼神中有疑云,似乎对他并不信任。

察言观色,小花子的神情瞒不了他。

但他并不介意,江湖人对陌生人本就应该怀有三分戒心,即使一见如故也不例外,谁也不会对陌生人推心置腹。

食客仍陆续登楼,人声嘈杂。

忙乱中,店伙悄然在厅角放上一张长凳。

片刻,店伙领来了两个女人,幽灵似的引至凳前即悄然退去。

两个女人一是老太婆,一是年约二十四五的年轻少妇。

少妇荆钗布裙,梳高髻,眉目如画,不施脂粉天然秀色,脸上神色忧戚,与卖唱的姑娘完全不同。怀中抱着一具以锦囊盛着的琵琶。

少妇沉静地取下锦囊,神情专注地缓缓调弦。弦声一起,立即吸引了不少酒客的目光。

周永旭的注意力,落在和老明老的一桌上。

和老放低声音说:"明老,就是她。"

八爪蜘蛛骆明芳淡淡一笑道:"真是她?"

和老阴阴一笑道:"告诉你,我不会走眼。"

八爪蜘蛛拍拍胸膛说:"那就交给兄弟办好了。"

和老笑道:"那就一切拜托啦!"

八爪蜘蛛向一名护院耳旁嘀咕一番,重又向和老笑道:"仅断她的财路,没有用的。"

"你的意思……"

"她可以到南京赚钱,是么?"

"这……她孤零零一个女流之辈,怎敢到南京去赚钱?"

"不一定,她如果真去呢?"

"这个……"

交给我吧,我会替你办得干干净净,一劳永逸。"八爪蜘蛛自负地说。

和老就等他这句话,奸笑道:"我知道我能信赖你,瞧着办啦!"

"咱们就先走吧。"八爪蜘蛛说。

众人在弦声中,扬长下楼走了。

周永旭的注意力,回到少妇身上。

这瞬间,他被神奇的音符所动,沉浸在弦声中,浑身的血液在沸腾。

那是一曲动人心魄的十面埋伏,杀声震天,千军呐喊,万马奔腾,风雷隐隐,鬼哭神嚎,冥冥中,似乎令人觉得自己正处身沙场,刀光耀日,剑气生寒。

每一个音符皆令人心弦狂振,每一段旋律皆令人血脉贲张。刀枪交击,血染黄沙;云沉风急,尸骸遍野。城头铁鼓声犹震,匣里金刀血未干,这就是战场。区区几根琴弦,竟能发出如此奔腾澎湃,雷霆万钧的神奇天籁,委实不可思议。

整座酒楼鸦雀无声,所有酒客皆神色肃穆地正襟危坐。似乎,天宇下除了漫天杀气之外,已一无所有了。

这里是西楚霸王兵败自杀的乌江镇,九里山十面埋伏,粉碎了楚霸王雄霸天下的雄心壮志。

弦声已止,久久,楼上仍然寂静如死。

小花子吁出一口长气,如释重负地长叹一声,用似乎来自天外的嗓音说:"人,除了互相砍杀之外,就没有其他的事好做么?为什么呢?"

周永旭感到身上有点冷,喃喃地用充满感情的声音说:"力拔山兮气盖世,时不利兮骓不逝;骓不逝兮可奈何?虞兮虞兮奈若何!盖世英雄,而今安在?哦!她那十指纤纤,滚拂挑拨神乎其神,真令人难以置信。她为何要弹奏这种充满杀伐的乐曲呢?"

小花子闭上明亮的大眼,幽幽地说:"我血液沸腾,但却难过得想哭。"

"我想,她也许会再弹奏一些真会让你落泪的乐曲。"周永旭低声说:"你还是走吧,多愁善感的人,是不宜听高手演奏的。"

"但我要听。"小花子坚决地说。

少妇神色木然,抱着琵琶沉思。

老太婆手捧一个小竹篮,默默地走向客桌,不住欠身道谢请赏。没有人说话,只有制钱落篮的声音,打破这令人窒息的静寂。有些人丢一贯,有些人丢下一些碎银。

到了周永旭桌前，他默默地放下十片金叶子。

小花子眼红红地，轻轻放下一锭十两金元宝，轻轻地说："老婆婆，上苍会保佑你们。"

老太婆激动地欠身再三，跄跄走向另一桌。

一阵楼梯响，上来了两个彪形大汉，后面跟着满头大汗的店东和账房夫子，在少妇耳畔嘀咕片刻。

少妇神色凄惶，点点头，缓缓松了琵琶弦放入锦囊，缓缓离座。泪水，在她的眼眶中打转，最后成串地掉落在胸襟。

周永旭倏然离座，大踏步走近少妇，推开店东笑问："且慢！大嫂，不弹了？"

一名大汉横身挡路，怪眼一翻，冷哼一声迫近狞笑着问："小子，你干什么？"

他冷笑一声，反问："我问你干什么？老兄。"

大汉双手叉腰打量着他说："找她去弹琵琶，你有何意见？"

"我得问问这位大嫂。"

"滚你的！狗东西！"大汉破口大骂。

小花子不知何时已到了身旁，伸手便扣住了大汉的右肘，出手之快，如同电光一闪，骤不及防毫无闪避的机会，叱道："阁下，你再骂骂看？"

大汉浑身发抖，脸色渐变，张口结舌如同中魔，脸额开始冒汗，嘎声道："放手！放……"

另一名大汉吃了一惊，蓦地大喝一声，一拳捣向小花子的右太阳穴，也是猝然偷袭，小花子想闪也来不及了。

周永旭伸手一抄，便抓住了大汉的大拳头，笑道："老兄，不能动拳头，拳头解决不了问题，你走吧，回去好好睡一觉。"

手一松，大汉"砰"一声摔倒在楼板上，抱着大拳头狂叫："哎哟！我……我的手……"

小花子也松了手，冷笑道："你两人的手都在，还不快滚？再不走，我保证你缺了胳膊少掉腿。"

这一闹,食客们怕事的赶紧开溜,楼上一阵大乱鸡飞狗走。

两个大汉当然不傻,狼狈而遁。

忙乱中,少妇与老太婆乘乱下楼走了。

周永旭一把拉住店东,冷笑一声问:"阁下,你们对那位大嫂说了些什么?"

店东神色慌乱,惊恐地说:"我……我没……没有说什么……"

他手上一紧,店东的右半身麻木不仁,问道:"哦!你不想说呢,抑或是不敢说? 不管你为了何种原因不说,但我可要先告诉你,不说嘛,在下替你这楚汉酒楼的金字招牌可惜。"

"你……"店东已说不出话来,浑身颤抖。

"我会替你拆了。阁下,我是当真的。"

店东倒抽一口凉气,惶急地说:"大……大爷,这……这使……使不得……"

"那么,你是愿意说出来了。"

"那……那是骆……骆大爷他……,这……这使……使不得……"

"快说。"

"那是骆……骆大爷的意……意思,不……不许那位大嫂在……在小店弹奏琵琶。"

他本想追问结果,但扭头发现小花子失了踪,心中一动,猛想起小花子那可疑的眼神,暗叫不妙。

立即放了店东,飞奔下楼。

楼下的酒店也在乱,皆用惊疑的目光向楼上瞧。

他抢出店门,拉住一名店伙急问:"伙计,可曾看到一个小花子般打扮的人出去?"

店伙向西街一指,也急急地说:"往西大街走了,走得好快。"

"那位弹琵琶的大嫂走啦?"

店伙还不知道楼上所发生的变故,说:"小花子就是跟她们走的,恐怕追不上了。"

一旁钻出一位中年人,笑道:"要找琵琶六娘,跟我来吧!"说完,向街西举步。

周永旭不假思索地跟上,一面问:"你知道琵琶六娘?"

中年人呵呵笑,脚下一慢,等他跟上并肩而行,说:"在咱们乌江镇,谁不知琵琶六娘的大名?她目前投奔小西巷的李大娘,李大娘领着她至江西、楚汉两座酒楼弹琵琶讨几个赏钱,她那出神入化的指上工夫,风靡了咱们乌江镇,可说家喻户晓。老兄,你找她有何贵干?告诉你,那个是冷若冰霜的美人儿,如果你想打歪主意,趁早死了这条心,以免自讨没趣……"

话未完,右手信手一挥,出其不意点向周永旭的章门穴,像是电光一闪。

两个人并肩而行,出手袭击根本不用费神。

街上行人本就不多,门灯的幽暗光芒像是鬼火。

谁也没料到好心带路的人突下毒手,事先毫无征兆,也看不到对方的眼神,上当自是意料中事。

周永旭骤不及防,来不及有所反应,应指便僵。

接着,"砰砰"两声暴响,左颊和小腹各挨了一记重拳,仰面便倒。

中年人正待上前擒人,突见两个人影飞掠而来,立即当机立断掉头如飞而去,扑奔街西。

两个人影到了,为首的人咦了一声,向同伴挥手示意,抓起周永旭扛上肩,急急撤走。

不久,钻入一条小巷,隐入一栋大楼的后院。

院门后闪出一个人,低声问:"怎样了?你们好像很顺利。"

为首的人扑奔侧院的厢房,一面说:"还算顺利,人已经弄到手了。"

跟来的人说:"主人在大厅见朋友,交代下来,捉来的人不论男女,先丢下水牢让他们清醒清醒。"

"好,先丢他下水牢,吊上再说。"

三人走向东院外的花园,广阔的花园栽了不少花木,假山荷池小亭花榭一应俱全,看格局,便知宅主人的身分。

夜黑风高,三人径奔荷池旁的小亭,"砰"一声将周永旭丢下,两人上前扳动亭中心的石桌,一人去池旁开启水栅。

石桌移至一旁,两人松手去拖周永旭。

为首的人扭头一看,惊道:"咦!人呢?怎么不在啦?"

亭中空荡荡,丢在地下的周永旭确是不见了。

同伴也大吃一惊,向不远处在池旁扳动水闸的人大声问:"孙兄,你把人拖到何处去了?"

扳水闸的人抬身放手,反问道:"怎么啦?人不是你们带着么?咦!你们……"

亭子里看不见人影,扳水闸的人居然毫无戒心地走近,吃了一惊,看到地下躺了两个人影。不假思索地抢入亭中,俯身伸手相扶,急叫:"喂!你们怎么啦?"

身后突传来一声冷笑,有人接口:"他们的昏穴挨了一拳,大概想到水牢去快活快活,洗个澡。"

这位仁兄一怔,倏然转身,"噗"一声响,耳门便挨了不轻不重的一劈掌,扭身挫倒,连人影也未看清,应掌昏厥。

袭击的人是周永旭。

他被人出其不意制住了章门穴,再挨了两拳头,在他来说,算不了一回事,对方未能及时制住他的气门穴,一切好办,便任由这两位仁兄将他扛走。

他要看看到底是什么人暗算他,在扛走途中,他已用真气冲穴术自解穴道,佯装昏厥等候机会。

水牢,顾名思义,牢在地底,必定有水,他总不能被人泡在水中等死,一旦身入牢笼,想脱身谈何容易?该反抗了。

他弄翻了三个人,不客气地将他们推落石桌下的牢口。

将石桌挪回原处,拍拍手走路。

一不做二不休,他在围墙附近,活捉了一名警哨,带出小街在偏僻处逼取口供,问清主人的底细,可惜不知宅主人对付琵琶六娘的阴谋。

知道主人的底细后，他暗暗心惊，这里居然暗隐龙蛇呢。

主人八爪蜘蛛骆明芳，只是一个江湖道上小有名气的一方之霸而已。但骆明芳的两个拜兄，夺命神判应琛，千手神君郝昭，却是名号响亮威震武林的高手，一些江湖大豪，也不敢轻易招惹这两个心狠手辣的名宿。

八爪蜘蛛虽说在江湖道名声不够响亮，但本身的艺业相当高明，这得怪他自己不愿在外闯荡，只愿在家纳福。

说起来他该算是聪明人。说他聪明，也不见得，在乌江镇他是第一大富豪，有田有地有家有业，名列和州三大富豪之一。但却喜欢在本地作威作福，为富不仁，豢养了不少打手护院，谁如果让他看不顺眼，保证祸从天降，没有好结果。

# 第二章　大风潜龙

在乌江镇,只要他骆大爷一句话,天大的问题也不成问题。

这就是楚汉酒楼的店伙,在两个打手的吩咐下,不敢不将琵琶六娘撵走的原因所在,任何人天胆也不敢抗违东家一个奴才的半句话。

周永旭心中虽对八爪蜘蛛有所顾忌,但既然已经伸手管了琵琶六娘的事,总不能撒手不管,无论如何,他得尽自己的一番心力。

他涉世未深,一身侠骨,碰上不平事就要伸手。

次日一早,他换回寒酸的衣裤,青直裰,灯笼裤,等候变化。

还好,骆府这天大忙特忙,一面迎接宾客,一面布置眼线,戒备森严,如临大敌,并未派人追查昨晚在楚汉酒楼,打了两名打手的蓝衫公子爷与小花子,表面上相当平静,但他已看出有异,乌江镇风雨欲来。

他感到奇怪,骆家的人为何不找他?

他不能在店里等事情发生,必须查清双方结怨的内情,江湖上管闲事禁忌甚多,不查清内情便任性妄为是为大忌。

他找到李大娘的住宅,据邻居说,昨晚李大娘与琵琶六娘都未曾返家。

午后他再出动查问,全镇的人皆避免与他交谈,一问三不知。

他已嗅出危机,骆家已开始封锁消息,孤立他向他施压力了。

一个地方恶霸,对付一个流落无依的女人,结局不问可知。

他心中逐渐有点不耐,既然琵琶六娘失了踪,镇民们又不与他合作,那么,他只有等候八爪蜘蛛找上门来了。

强龙不压地头蛇,他一个外乡人,管闲事所冒的风险是相当大的。

目下真相未明,黑白是非难分,在对方未发动之前,他岂能放手去干? 申牌初,他在房中泡了一壶茶,定下心苦等。

窗外有了声息,轻微的足音瞒不了他敏锐的听觉。

"四个人把住了窗。"他心中嘀咕:"要来的终于来了,果然不出所料。"

走廊也有了声息,门也被堵住了。

他信口轻吟:"相见时难别亦难,东风无力百花残;春蚕到死丝方尽,蜡炬成灰泪始干。晓镜但愁云鬓改,夜吟应觉月光寒;蓬莱此去无多路……"

"砰"一声大震,门被踢开了。

四个剽悍的中年人当门而立,为首的人鹰目炯炯,高颧大鼻手长脚长,佩了一把单刀,目灼灼地打量着他。

"进来坐,诸位有何见教?"他放下茶杯问。

"阁下,出来谈谈。"

中年人伸食指向他一勾。

他举步向外走,笑问:"诸位是……"

"你就是周永旭?"

"客栈的流水簿留有在下的姓名,尊驾想必已经查过了。"他平静地说:"在下的路引不是伪造的,当然花了不少银子买关节。"

"阁下放明白些,在下不准备与你斗口。"

"在下丝毫不感意外。"

"你明白就好。江湖道上,近来出现一位亦正亦邪,亦邪亦盗的神秘人物神龙浪子周永旭,大概就是阁下了,你很年轻呢,并不神秘哪!"

"那就怪了。"他故作不解:"在下浪迹江湖,一未改名换姓,二未故作神秘,三未隐匿行踪,神秘二字,不知从何说起? 当然更不配称神龙,阁下别挖苦人了。哦! 还未请教你老兄的高名上姓,失礼失礼。"

"在下刘一飞。"

"哦！原来是江湖道上，大名鼎鼎的前辈五绝刀，失敬失敬。"

"五绝刀当然没有阁下的绰号神龙浪子响亮。"五绝刀阴森森地说："长江后浪催前浪，老一辈的人该让年轻人出头，是不是？"

"在下神龙浪子有自知之明，比起前辈差远了。"

五绝刀刘一飞知道他的名号后，不敢再托大，淡淡一笑说："刘某闯了几年江湖，近些年很少在外走动了，惭愧。昨晚你在楚汉酒楼，打了八爪蜘蛛骆爷的弟兄，可有其事？"

"不错，他们扫了在下的兴，要撵走那位弹奏琵琶的女人。怎么？前辈是为此而兴问罪之师的？"

"当然，骆爷为了此事，自然难以释怀，希望你随在下至骆爷处当面解释清楚。"五绝刀奸笑着说。

"如果在下不去呢？"

"老弟是明白人，不会不去的，是么？"

"你这么一说，在下是非去不可了，这就动身么？"

"不错，请。"

五绝刀举手促驾，相当客气。

大厅中，主人八爪蜘蛛与七个男女高坐在堂上，冷然目迎来客。

当客人到了堂下时，客人的身后已被十余名大汉所围住，主人的两侧，也多了八名横眉竖目的打手。

周永旭知道身入虎穴，暗暗心惊，沉着地道："出动这许多人，委实令人心惊胆跳。"

八爪蜘蛛阴阴一笑道："果然是你。"

他也微笑道："咱们在楚汉酒楼见过一面。"

八爪蜘蛛怪眼一翻，问："那时你知道老夫的身分吗？你存心跟骆某过不去？"

他摇摇头，泰然答道："抱歉，在下初来乍到，不知尊驾的名号。"

"你说谎！"八爪蜘蛛怒叫，"啪"一声一掌拍在案上怪眼彪圆："你明明是冲着老夫而来。"

"咦！咱们素昧平生,你怎么……"

"住口！你还敢强辩?"八爪蜘蛛暴怒地叫。

"怪事！在下为何要强辩?"他也大声说,哼了一声又道:"不错,在下打了你的人,当然在下得承认好管闲事,但并不知是你的打手,不知者不罪。你说吧,该怎么办你划下道来,周某不是不懂江湖规矩的人。"

"你少给我讲规矩。"八爪蜘蛛怒吼:"说实话!"

"那你……"

"我认为你是铁背苍龙的爪牙。"

他一怔,这件事不简单呢。这位土霸大概找错人了:"且慢往下说,你是指池州一霸铁背苍龙金彦?"

"你少给我反穿皮袄装羊。"

"笑话！在下只听说过这号人物……"

"住口！贼王八!你该不会说你不认识铁背苍龙的女儿金贞姑吧?"

"你不要骂人,在下根本不认识什么金贞姑。"他虎目怒睁分辩:"在下出道以来,从未与女流打交道。"

"她就是与你同时出头,扮成小花子的人,你敢否认其事?"八爪蜘蛛指着他质问:"你们不是同谋吗?"

他摇摇头,苦笑道:"你可把我问糊涂了,在下只知小花子自称姓吴,连名也没通,鬼才知道她是个女人……"

"住口！你……"

"你别生那么大的气,在下于三天前,在江浦敲了号称地低三尺赵剥皮的三百两金叶子,可知是从南京来的,不信你可以去查查底。铁背苍龙在池州称霸,与在下尚无一面之缘,你这不是故入人罪么?欲加之罪,何患无辞?你要报楚汉酒楼打手被揍之仇,敞开来算好了,何必扯上铁背苍龙?在下不是挑不起放不下的人,你瞧着办吧。"他大声分辩。

左首的人，在八爪蜘蛛耳畔嘀咕片刻。

八爪蜘蛛不住点头，然后冷哼一声，向他说："好吧，姑且相信你一次，虽然老夫从不信任你们这些江湖浪人。你听清楚了，老夫要你办一件事。"

他扫了四周一眼，摇摇头，吁出一口长气沉静地说："抱歉，在下不是轻于言诺的人，也不惯替人办事，你……"

八爪蜘蛛哼了一声，举手一挥，大吼道："先给他尝尝拒绝的滋味。"

兵刃出鞘声大起，他想脱身已来不及了。

最先撤刀的是五绝刀，刀光一闪，便用刀尖抵住了他的背心，喝道："站住！安分些。"

上来两个人，先搜他的腰间，看是否带了短兵刃，再搜查袖底是否有暗器，架住他一阵好搜，连裤裆都仔细搜过。

他想反抗，已经不可能了，稍一大意便可能血溅大厅枉送性命。

"噗噗！"

两肩挨了两刀背，双臂如中雷殛。

五绝刀是武林成名人物。这两刀背当然难以禁受，力道十分凶狠沉重。

接着，两名大汉用他来练拳脚，一阵痛打，拳来脚往毫不留情，片刻间，他便被打倒在地。

他双手暂时失去作用，两大汉下手力道千钧，铁打的金刚也禁受不起这一阵毒打，不倒地才是怪事。

四周，刀剑齐举，严防他逃走，即使他能反抗，也不敢轻举妄动，除了硬挺，他毫无办法。

当然，他也不想反抗，仆而后起，他连倒十六次之多，脸色全变了，口角有鲜血沁出。

"够了！"八爪蜘蛛叫。

两名大汉架住了他。

他已失去支撑的力道。

　　八爪蜘蛛阴森森地向他说:"你替我去见铁背苍龙,告诉他,骆某不想与他拼骨,和州池州井水不犯河水,叫他不要管琵琶六娘的闲事,叫他留下琵琶六娘,带了人转回池州去吧。"

　　他强压心头愤火,吃力地说:"在下不知他目下在何处,如何能去见他?"

　　"你会找到他的。"八爪蜘蛛说:"快滚!"

　　"在下……"

　　"你如果想逃走,任何时候,老夫皆可取你的性命,你明白么?"

　　八爪蜘蛛的语气十分凶狠,似乎吃定了他。

　　只要离开龙潭虎穴,以后的事以后再说,他挣开两名大汉的手,一咬牙,踉跄举步,向外一步步走去。

　　哗笑声刺耳,有人叫:"这就是神龙浪子么? 真会笑掉咱们的大牙了,哈哈哈哈………"

　　他在厅口转身,一字一吐地说:"诸位,后会有期。"

　　这是一句最平常的话,是江湖朋友下台阶的最普通的口头禅,也是预留退步,找机会报复的场面话,不会令人介意。

　　可是,从他口中说出,却几乎引来了杀身之祸。

　　八爪蜘蛛是个不饶人的枭雄,可不想与他后会有期。他油然兴起斩草除根的歹毒念头,立即召来一名手下,脸色冷厉地说:"去几个人,如果他不去找铁背苍龙而回客店,立即带到偏僻处结果了他,不可有误。"

　　周永旭出了骆府,便掏出两颗丹丸吞下,防止内伤,这一顿毒打他并不在乎,但也够他受的了。如果他不是及时运功护身,恐怕已经躺下啦,身上的外伤似乎相当严重,骨头像要崩裂开般难受。

　　他定下神,冷静思量该怎么办,天知道铁背苍龙潜藏在何处?

　　他孤家寡人一个,无处打听消息,总不能像没有头的苍蝇般乱飞乱撞,除了回客栈他无处可去。

　　骆府与客栈虽说屋后相连,但大门相背,必须绕过两三条街。

　　先向南走,再从一条对巷向东折出南大街。

他如果在南大街向南行,便是出镇南至霸王庙查问铁背苍龙的下落。

如果向北走,便是回鸿福客栈的路,身后不见有人跟踪。

他却不知,骆家的人已加快脚步,从西大街绕过,从十字街口入南大街,抢在前面等他。

地头不熟当然会吃亏,这得怪他忽略了江湖人每到一地必须先看地势的信条。

出了南大街,他向北折,前面约三二十家店面,便是鸿福客栈。

街道窄小,而且行人甚多,听觉难免有点不灵光。

刚刚经过一条小巷口,壁角伸来一把挠钩,勾住了他的左腿,猛地一带,力道十分的凶猛。

即使练成了金刚不坏法体的人,如果不运功护体,与平常人并无不同。同样是血肉之躯,同样怕出其不意突如其来的暗算偷袭。

他骤不及防,"砰"一声摔倒在地。

抢出四个彪形大汉,铁尺疾挥。

"噗噗噗噗"连声闷响,击中他的头、背、肩、腰,力道奇重,下手不留情,要将他置于死地。

四个大汉手上的力道都够分量,记记落实。

他除了装死,别无他途。

只要他有所异动,随之而来的打击将更为凶狠更为可怕,好汉不吃眼前亏,他必须忍耐。

四个人将他拖入小巷,里面还有两个挟挠钩的人。

六个人将他摆平,察看他的呼吸和脉息。

一个说:"呼吸已经停止,他死了。"

另一个把脉的却有相反的意见,说:"还有脉息,并未断气。这小子命大,居然昏而未死,相当了得呢?"

为首的人不耐地挥手道:"死也好不死也罢,咱们将他背出镇南荒野埋了他,大爷等着回话呢。"

另一人吁出一口长气,说:"恐怕不妥,这时出镇难免被人看到……"

"看到又怎样？谁敢过问咱们骆家的事？"

另一人傲然地说："刚才咱们狠揍他，不是有人看到了吗？"

"不错，谁敢管大爷的事？走吧！张兄，你回去禀明大爷，咱们把他弄出镇埋掉，一了百了。"

有人背起了他，沿小巷急走。

他神智是清醒的，听得一清二楚。

心中恨极，八爪蜘蛛未免太毒太狠了。

他想反抗，可是已失去机会，浑身被铁尺打得骨损肉伤，手脚麻痹难以动弹。

"我不能死在他们手上。"他心中猛叫。

出镇南行，五个人越野而走。

到了霸王庙东面半里地的一条小沟旁，背他的大汉说："埋了他要挖坑，咱们替他捆上一块大石沉下溪底，岂不省事？"

"有道理。"另一名大汉附和："就在这里了结。"

"砰"一声响，他被丢在草地上。

为首的大汉拔出匕首，向一名同伴叫："你去找石块，我先割断他的咽喉，以防万一。"

他正在凝聚真气，糟了！

这个家伙真该死，太狠太毒。

如果对方要将他活埋，势必费不少工夫挖坑，那么，他可以用真气疗伤术打通全身淤塞的血脉，届时便可反抗脱身。

要是往水里丢，就没有让他运功疏经脉的机会，想反抗已经来不及了，更糟的是为首的人要割断他的喉咙以防万一。

生死关头，目下他只有束手待毙，想散去真气奋余力生死一拼的机会已经消逝了。

大汉将他拖至江边的草丛，拔出匕首冷电四射，向他颈间沉落。

右面不远处的竹林内，突传出一声怪笑，接着有人以怪腔怪调的口音叫："大梦谁先觉？平生我自知。竹林春睡足，夕阳何迟迟？咦！

你们好像是在谋财害命？惊醒了我老花子的一场好梦，你们得赔。"

是南乞，来得正是时候，叫嚷中穿林而出，好快。

为首的大汉吃了一惊，向同伴低叫："灭口！上！"

南乞像一阵风，奔出竹林，抡打狗棍急抢而来，声势汹汹。

两名大汉迎上，吼道："天堂有路你不走，臭要饭的你该死……"

打狗棍先来一记"拨草寻蛇"。

"砰"的一声先倒了一个，腿骨像被打断了。

接着是"回风拂柳"，反手一棍扫在右面大汉的肩膀上，捷逾电闪，奇快绝伦。

"哎……"大汉狂叫，向前一栽。

为首的大汉扑上了，匕首疾吐，乘虚而入。

南乞侧射八尺，大笑道："哈哈！你们找错主儿了。我老要饭的见钱眼开，你们该用银子堵我老要饭的嘴，哈哈哈哈……"

三名大汉用一把挠钩两把匕首，疯狂地进攻，长短配合得宜，有章有法相当骁勇。

南乞哈哈大笑，八方游走不与对方硬拼，将人向竹林引，躲闪腾挪灵活万分，始终逼紧用挠钩的人移位，令两把匕首无法形成合围。

接近竹林，北面人影来势如电。

叫骂声先传到："好啊！原来是老不死的南乞，你也来趟这一窝子浑水。慢走！你将在此断送一世英名。"

南乞疾退入林，就在入林的刹那间，打狗棍向后乱点，纵入竹林扭头叫："千手神君，老要饭的怕你，哈哈哈哈……"

衔尾穷追的三名大汉狂叫着摔倒。

三人的丹田穴各挨了不轻不重的一点，全倒了。

南乞从侧方飞射而出，掠向周永旭躺倒处，想将人救走。

可是，距原地三四丈，突然咦了一声，讶然向西飞掠而走。

千手神君偕同两名同伴，咒骂着穷追不舍。

周永旭失了踪，原先他躺倒的地方草深及腰，只可看到被压倒的野草，人确已失踪。

千手神君的轻功虽然高明，但比南乞却又差了两三分，追了半里地，愈拉愈远，后劲更差。

另两名仁兄更差劲，落后了四五丈。

"老不死不要挟尾巴逃命。"千手神君大叫。

"老夫有事待办，后会有期。"南乞的声音震耳。

千手神君乖乖止步，匆匆返回现场，向受伤的人问："王老弟，擒住的神龙浪子呢？怎样处置了？"

"打昏了，就放在前面。"王老弟向不远处的草丛一指，吃力地挣扎站起："我们正打算埋葬了他……"

"咦！人呢？"奔去察看的人惊叫。

人失了踪，遍搜各处，哪有半个人影？

千手神君向一名手下叫："回去叫人，日落之前，必须将这个小子搜出来斩草除根，我去追南乞，那老乞会坏事。"

不远处传来一声长笑，草梢摇摇。

千手神君冷笑一声，左手疾招，右手斜挥，同时打出三种细小的暗器，笼罩住三丈方圆的草丛。

"哈哈哈哈……"笑声从另一处发出。南乞的声音像打雷："千手神君姓郝的，你用不着替老要饭的补百衲衣。来啊！把你所有的牛黄马宝全亮出来吧，哈哈哈……"

一名在左近穷搜的大汉，突然飞跃而上，笑声刚落，大汉在两丈外大叫一声，砰一声冲倒在地狂叫救命。

"追！"千手神君怒吼。

追了两里地，天黑了，再也听不到擦草声。

小溪绕过霸王庙的东端，向南一折再向西绕，溪两岸长满了树木、竹丛、荆棘和芦苇，人在内藏身，到何处去找？

周永旭藏身在溪对岸的芦苇丛中。

他估错了八爪蜘蛛的实力，更没料到一个地方土霸，也蓄养了像五绝刀那种艺业高明的爪牙。

五绝刀那两刀背力道十分可怕，大汉们的拳脚也一记记重如山岳。

一时大意,在阴沟里翻船,他受了不算轻的伤,对方要置他于死地,他必须先脱身再言其他。

他想到庙旁的小店求助,可是爪牙们在附近穷搜,他只好暂且忍耐,目前出去不是时候。

他吞下一颗丹丸,躺下来沉思。

八爪蜘蛛这位一方之霸,怎会有武林高手替他卖命? 除非这土霸早年也是位名号响亮的人物。

"这家伙望之不像人君,不像我要找的人。"他想。

他不愿放弃自己的想法,决定等候机会,彻底查清对方的底细。

也许,八爪蜘蛛另有撑腰的人,这人是谁? 落脚在何处? 还有,南乞老跟着他有何用意? 这次突然出现救他,可能有古怪。难道说,这位名满江湖的侠丐,是有意来查他的底的?

"这老乞很讨厌。"他想:"要让他看穿我的底细,以后办事就麻烦了。"

他又想到琵琶六娘,想到那惊心动魄的十面埋伏。

"琵琶六娘真被铁背苍龙救走了?"他想:"也许八爪蜘蛛把人藏起来了,故意借我之口,嫁祸铁背苍龙,让铁背苍龙背黑锅? 好恶毒的阴谋。如果人藏起来了,恐怕不会藏在骆家,那……我如何才能查出藏人的地方? 这恶贼如果一口否认,我没有人证物证,能把他怎样?"

八爪蜘蛛的老家在大风庄,这地方得查一查。

夜来了,他肚中咕咕叫,得找食物充饥啦!

他不能回镇,走狗打手们必定在等着他,钻出藏身处,看到北面的树隙一星灯火,便向灯火走去。

这是一座小村,灯光从村南一座孤单草屋映出,距村缘约一箭之遥,小小的木窗未闭,泄出微弱的烛光。

他先在窗口向内瞧,看到草堂中有一位老年人,正聚精会神,在烛光下打草鞋,白须白发,满脸皱纹。

　　一双枯手仍然十分灵活,熟练地编制草鞋,显得平静安详,心无旁骛。

　　他放了心,绕至柴门伸手轻叩三下。

　　老人颇感意外,抬头叫:"谁呀?门是虚掩着的。"

　　他推门而入,抱拳施礼道:"小可来得鲁莽,打扰老伯了。"

　　老人放下活计,解掉腰间的挂绳,站起含笑道:"哦!小哥好像不是本地人。请坐,老朽去替你沏杯茶来。"

　　他赶忙说:"老伯,不必忙,小可是求助而来,请老伯方便。"

　　"哦!小哥是说……"

　　"小可确是外地人,在乌江镇出了意外。"

　　"意外?是不是与骆家的人……"

　　"咦!老伯怎知骆家的事?"

　　老人长叹一声,摇头苦笑道:"这太容易了,看你一身泥土草屑,气色灰败,衣服沾有血迹,哪能没有意外?而在乌江镇出了意外的人,十之八九与骆家有关。"

　　"原来如此,老伯……"

　　"小哥,老朽恐怕帮不上忙。"

　　"老伯……"

　　"这里是桃花坞,距乌江镇只有五六里。村北的紫阳观,观主紫阳道长是骆大爷的朋友,往西十里左右的大风庄,是骆大爷的镇外庄院。你想,老朽如何担待得起?"

　　"这……老伯,小可只需要一些酒,一些姜,一碗茶水,和一顿吃食……"

　　"可是……"

　　"小可不在宝宅逗留。"

　　"这……好吧,请稍候,老朽到厨下替你张罗。"

　　"谢谢老伯。"

　　"请随老朽入内,有什么你自己拿好了。"

　　两人刚到达后面的厨房,前面便传来了叫声:"这里是看园罗老人的住处,先围住再进去问问看,只有孤零零的房屋才有人敢躲藏。"

罗老人脸色一变,惶然道:"糟了!紫阳观的人来了。"

"小可这就从后门走。"他站起匆匆地说。

"不,来不及了,我找地方给你躲一躲,快!"

罗老人出厅,大门恰好被推开,抢入三名老道,与两名劲装中年人。

"咦!观主光临,是不是有事?"罗老人欣然地行礼问,神色安详诚恳。

紫阳观主身材修伟,留了三绺长髯,鹰目炯炯,手中的铁柄拂尘长有三尺,桀桀怪笑道:"罗老,今天可有外地人前来找你么?"

"外地人?观主是知道的,小老儿无亲无故,双肩担一口,入土大半的人,看守着这座三四十亩大的桃园,怎会有人来找我?一年中,难得一见外来的人……"

"你没撒谎?"

罗老人摇头苦笑,沉静地说:"罪过,小老儿为何要撒谎?观主……"

"我们要搜,看你这附近是不是有人潜入隐藏。"紫阳观主阴森森地说。

"也好,说不定真有人藏在园内偷桃子呢。其实,这时的桃实也不能吃,只怕村中的娃儿们跑来糟蹋而已,小老儿这就领诸位搜查。"

罗老人一面说,一面取下壁上的灯笼,点上蜡烛。

紫阳观主不加理会,举手一挥。

两名老道与两个劲装中年人不管主人肯是不肯,迅速地抢入内间。

内间只有一间房,四壁萧条,只有床底或可藏人。

最后面是灶间,另一面是柴房。

紫阳观主命人将柴房的柴草一一搬开,毫无所获。

灶间一目了然,简单的炊具只能躲蟑螂灶马,灶眼内余火尚温,躲不了人。

灶旁有半捆柴火,一只大口水缸,水是满的,水漂浮在缸面。

五个人费不了多少工夫,搜完了全屋,一无所见。

紫阳观主拉开后门,向外问:"怎样? 有发现么?"

后面是菜园,已有三个人在外面穷搜,一个说:"没有地方可以藏人,也不见有人外出。"

紫阳观主掩上门,向跟在身旁的罗老人冷冷地说:"有两个鼠辈从乌江镇逃向这一带藏匿,一个是二十来岁的年轻人,一个是老花子,如果你发现有面生的人,务必前往观中报讯,知道么?"

"小老儿知道了。"罗老人谦恭地说,举起灯笼向后走:"后面可以绕至桃园,小老儿领路。"

"不必了,咱们自己去搜。"紫阳观主挥手示意同伴退走说:"别忘了,发现陌生人速来禀报。"

罗老人送走了一群凶神恶煞,仍坐在厅中打草鞋,直到二更尽三更初,方掩上柴门熄去灯火进入内间,在房中轻咳了三声。

周永旭从厨房中钻出,悄然进入房中,他浑身是水,躲在水缸内,以干芦管伸在水瓢旁呼吸。

瓢挡住了芦管,因此搜的人不知装满水的水缸内有人。

直至搜的人退走,厨房内黑得伸手不见五指,他方敢将头伸出水面,静静地等候。

这期间,他听到屋外有声息,显然有人在屋外监视屋中的动静? 怎敢出缸?

他对罗老人的机警沉着,万分佩服。

如果罗老人沉不住气,老道们一走便入厨房叫他,岂不糟了?

罗老人在房中等候着他,房中未举灯火,接到他便低声说:"屋外还有一个人。你先换下衣裤躺一躺,下半夜再说,他们会走的。"

"希望他们不要再来。"他平静地说。

半个更次后,罗老人悄然入房,将他所要的食物一一取来,递给他说:"多带些走,你大概饿惨了。"

"老伯,你知道你冒了多大的风险吗?"他问。

"呵呵！人活在世间,哪能没有风险?"老人笑着说:"本镇的殷实人家,谁不讨厌骆家的人? 我想,也许我仍可活到眼看骆家受报的时候。"

"他会受到报应的。"他肯定地说:"等到我查清了他的一切,我会对付他的。小可得走了,免得连累你。老伯,谢谢你啦!"

"附近很不安全,你得走远些。"老人善意地叮咛。

"小可理会得,在还没有查明底细之前,他是胜家。"他泰然地说:"他的手风要转坏了,老伯等着瞧。"

黎明前,他到达西面的青槐集。

江湖人出了事,最好的办法是远走高飞,走得愈远愈好。

八爪蜘蛛必定认为他被打得差不多了,必定以为他逃至和州或者北上江浦,绝对不会估计他向西走。

因此必定派人分南北两途追踪,正好让他从容进行侦查大计。

如果真的牵涉到池州的铁背苍龙,那就有好戏可看了,双方的人难免有一场火爆的恶斗,很可能把他神龙浪子忘了呢。

那么,大风庄等于是不设防的空城,一切底细和可疑事物,皆难逃他的眼下。

果然被他料中了,一南一北两个一方之豪,把和州闹得风雨满城。

而他,却安安稳稳地在大风庄附近藏身。

大风庄西北十余里,是温泉区香淋泉镇;西南,是鸡笼山与白云山,该两山是岘山的支脉,是和州的名胜区,鸡笼山玄门弟子列为第四十福地。

庄本身是骆家的私产,在小径的南面,遥对着路北的小小青槐集,闲人不许接近。

八爪蜘蛛根本就不考虑周永旭向西逃的可能,只托请紫阳观主搜遍桃花坞一带而已。

周永旭并未在桃花坞留下痕迹,可知并没有向西逃的可能。

青槐集既然称为集,可知定是小小的市集,集期是三六九,少不了有外地的商贩逗留。

集内有一家小小的客栈,这天恰好是初八,明日便是集期,远道来的走方小贩,都在这天赶来落店。

他不能在村民家中寄居,怕被骆家的眼线发现,大胆落店,自称是江东来的行商,要在附近的市集看看市情,希望能在附近开设贩卖日用百货的行号。

一住进店,他便诈称行旅劳顿,老病发作,名正言顺地到药肆检药,闭门养病。

好在他身上无论何时,皆随身带了应急的金银,如无意外,挨过十天半月不成问题。

三天里白天足不出户,没引起任何人的疑心,路对面大风庄的爪牙,居然一无所知,三夜中,他已经进出庄内外十次以上了。

第四天是十一,小村显得冷冷清清,这次的集期多了一天,因此人人显得清闲。

附近他已摸得一清二楚,他得准备回乌江镇去了。

琵琶六娘的事已用不着他操心,有铁背苍龙介入,让两个一方之雄去解决。

八爪蜘蛛酷待他的账,他可以不计较,但客店中他的行囊必须取回,那是他行走江湖的全部家当。

他年轻,要说不计较八爪蜘蛛的酷待,那是欺人之谈,但他并没有横下心要以牙还牙。

他久走江湖,理该有容人之量,只要能顺利地取回行囊,其他无需要斤斤计较了。

他在想:八爪蜘蛛是否肯放过他?如果八爪蜘蛛取走了他的行囊,怎办?

小客店的右邻,是一家小食店。

他在辰牌左右踏入店门,准备吃过早点便上路返回乌江镇。

刚踏入店门,身后跟入两名彪形大汉,大概是嫌他穿着长袍文绉绉走得慢,领先那人信手将他一推,叫道:"好狗不挡路,知道么?"

他猝不及防,冲前两步猛地转身,冷冷地瞥了对方一眼,嘀咕道:"你这人太横了,你……"

"什么?狗东西敢顶嘴编排大爷不是?"

大汉怒吼如雷,戟指大骂,大手指几乎点到他的鼻尖上。

他忍下了这口恶气,摇头道:"这世间,不讲理的人真的太多了。"

又是祸从口出,大汉激怒得大吼一声,当胸给了他一记"黑虎偷心",砰一声打了个结结实实。

他退了一步,脸上变了颜色。

店伙计大惊,上前急叫:"三爷,饶了他吧……"

大汉伸手一拨,把店伙拨开厉声叫:"你闪开,我非打他个半死不可。"

声落,飞起一脚,踢向周永旭的下裆,用劲极猛,快速而沉重。

起脚时,靴尖上翘,这是说,用的是挑字诀伤人。

这一脚太过歹毒,如被踢中,岂仅是半死而已?简直要出人命,下阴不碎裂才是怪事。他忍无可忍,伸手一拨,身形略闪。

"砰!"大汉仰面便倒,跌了个手脚朝天。

另一大汉大惊失色,一撩衣襟,拔出了匕首,一声怪叫,抢出一步急刺他的胸口,下毒手啦,动刀子了,要将他置之死地。

他无名火发,手一抄,身形不退反进,奇准地扣住了对方握匕的脉门,"噗"一声一掌劈在对方的右肩上,右手也抓裂了对方的腕骨。

"当!"匕首堕地,大汉完全失去抵抗力。

一不做二不休,一声沉叱,大汉会飞,突然手舞足蹈飞出店门外,"砰"一声跌了个狗吃屎晕头转向。

先前被掀倒的大汉爬起来了,伸手拔衣下的匕首,仍想行凶。

他先一步扑上,"砰砰砰"给了对方三拳,像是连珠花炮爆炸,快得令人目眩。

"哎哎……"大汉狂叫,仰面跌出店门,倒在同伴身上。

两个人跌成一团,鬼叫连天。

他拍拍手,向脸无人色的店伙说:"劳驾,替我弄些清粥小菜作早餐。"

店伙脸色苍白,恐惧地说:"客官,你……你还是走……走吧……"

"走?为何?"

"你……你打了大风庄骆……骆大爷家的人,将……将有杀身之祸。"

他摇头,苦笑着自语道:"老天爷,又是骆家的人。"

"客官,你……你快走吧,最好赶快跑,但……但愿你跑……跑得了。"

门外,围了十余个看热闹的人。

两个大汉已踉跄走掉了。

他苦笑着出店,门外有人好心地说:"快往西逃向香淋镇,那儿的许大爷或许可以救你,快走吧。"

他匆匆返店,结算店钱,出镇不向西逃而向东奔,要返回乌江镇客店取行囊。

仅走了两里地,身后蹄声震耳,三匹健马飞驰而来。

他扭头一看,领先的是个穿墨绿色劲装的佩剑少女,另两人是黑衣中年佩剑骑士。

出了事他便不怕事,猜想是大风庄骆家的人来了。

大风庄在青槐集的路对面,按理追赶的人早该追了,但由一位少女领先追来却令他大感意外。

第一匹健马冲到,女骑士大叫:"站住!你好大的胆子。"

蹄声骤止,少女轻灵地飘落鞍桥,点尘不惊地落在他身后丈余。

另两名骑士左右驰出,在他前面分左右下马,三面合围。

他一怔,心说:"唔!这丫头姿色不差。"

岂仅是不差?可算是绝色美人儿,杏眼桃腮,琼鼻樱唇,年纪十六七,正是女孩子的黄金年华,刚发育完全的美妙胴体,在劲装内显得曲线玲珑,极为动人。那双水汪汪令人想做梦的凤目,具有勾魂摄魄的无穷魅力。

这是个骄而媚的少女,浑身散发着芳香,是属于那种具有吸引异性心生绮念的女人,站在男人面前,便会令男人想入非非。

说好听些,她是个美艳的女人;说难听些,她是天生媚骨的风流女娇娃。

可是眼前这位如花似玉的女郎,盛怒而来似乎带了杀气,是一朵带了刺的火玫瑰。

他止步面向着这位美娇娃,淡淡一笑,背手而立神定气闲。

四目相对,少女看清了他,眼中的杀气慢慢消落,显然对他油然兴起好感,对他的第一印象大佳。

# 第三章　宝绿移情

当然,他是个充满活力,健伟英俊的少年郎。

"姑娘有何见教?"他笑问,笑容颇具挑逗性。

"你打了我家的人?"少女反问,似怒似嗔。

"你是说……"

"你打了我大风庄的人。"少女薄怒地说,显然对他满不在乎的态度深感不满:"你有话说?"

"哦!姑娘贵姓芳名?"

"你呢?"少女仍然反问,可知定是个主观甚强的人。

"我姓周。"

"本姑娘骆宝绿,不要说你不知道,你不是本地人,是去香淋镇玩的?"

"哦!在下确是外地人,确不知姑娘的底细。"

"哼!大概你认为自己是个了不起的人,不是猛龙不过江,不错吧?"

"当然在下不会这样想……"

"你打了本庄的人……"

"姑娘知道贵庄的人是如何霸道么?"

"再霸道,也轮不到你管教。"

他摇摇头,泰然地说:"大概姑娘你美如天仙,也是个目空一切极为霸道的人。好吧,你说该怎办?"

"跟我回庄,看该怎样发落你。"

"如果我不……"

"由不得你,你如果不肯,本姑娘要用马拖你回去。"骆宝绿横蛮地说。

他呵呵笑,说:"你何不拖拖看?"

骆宝绿大叫道:"带他走!"

一名中年人应喏一声,身形一闪,便到了他的右后方,巨手一伸,用的是擒龙手。

他人化旋风,在对方指将及体的刹那间,挫身疾闪,右掌疾扫而出,"噗"一声一掌砍在中年人的右胁下,说快真快!

快得令人目眩,左掌已如天雷下击,"噗"一声劈在中年人的右肩上,两记重击似乎在刹那间完成。

中年人嗯了一声,扭身栽倒。

另一名中年人吃了一惊,"锵"一声剑鸣,长剑出鞘,身剑合一飞扑而上,势如奔雷,锋尖指向他的胸口七坎要害,情急下杀手志在必得。

他更快,闪电似的掠过尚未完全倒下的人,手一抄,便拉断了那位仁兄腰下悬着的连鞘长剑,斜飘八尺,旋身止步冷笑一声,向再次冲来的中年人叫:"小心了,阁下。"

"锵"一声清鸣,长剑脱鞘,恰好接住快速冲来的长剑,剑气飞腾,双方各展所学行雷霆一击,来势太急,不是你死就是我活,用不着立门户抢空门了。

"铮铮!"双剑狂野地接触,人影飘摇,剑气迸发。

"嗤"一声轻啸,人影乍分。

中年人飞退丈外,急退两步,"嗯"一声轻叫,屈一膝挫跌在地。

胸口,斜裂了一条缝,自左胸斜下右乳,血如泉涌,一照面便胜负已判。

这瞬间,剑脱鞘的清鸣刺耳,人影急射而至,剑芒如电耀目生花。

骆宝绿到了,剑发"飞星逐月",出其不意冲来,猛攻他的左胁背,恍如电闪一闪,剑虹罩住了他,没有他接招的机会,因为他的剑势仍未能收回。

　　周永旭一招伤敌，招势未尽，身形未稳，而骆宝绿却在突袭，猛攻他的左胁背，他的身后可说已完全暴露在骆宝绿的剑芒笼罩下，无法应变自救。

　　骆宝绿志在必得，以为十拿九稳，对方再高明，也难逃剑下，这一招猝然袭击又快又急，又是从背后下手，决不会落空。

　　她估错了周永旭的艺业，锋尖眼看及体，但见眼前人影一晃，剑尖落空，接着彻骨奇寒的剑气，直逼右胁，电虹入目。

　　完了！她想。已没有任何机会避免致命一击，对方这神奇绝伦的一剑太可怕了，她居然没看清对方是如何移位的，生死立判。

　　她只能等待剑锋入体，无可挽回，惊怖万分地等死。

　　剑气一敛，电虹神奥地撤回。

　　她只感到有物轻触胁下，浑身一震，一道彻骨寒流瞬即布满了全身，只感到浑身发僵，心向下沉。

　　周永旭退出丈外，收剑淡淡一笑道：“我放过你，虽则你不值得放过。”

　　她不由自主地低头察看，胁衣破了一个小洞孔，没有血迹，本能地伸左手一摸，丝毫不感痛楚。

　　她呼出一口长气，苍白的粉颊回复血色，散了的三魂七魄重新归体，颤抖着收剑，余悸犹在地问：“你……你为何不杀我？”

　　他将剑丢在脚下，微笑道：“不杀一个美丽的女郎，没错吧？”

　　“但……我们想杀你。”

　　“杀不了，后悔么？”

　　“后悔无补于事，是么？”

　　被打昏的中年人，已摇摇晃晃站起。

　　她脸一沉，向中年人叫：“你两人先回去裹伤，把我的坐骑也带走。”

　　“小姐……”中年人讶然叫。

　　“别管我，快走。”她不耐地挥手道。

另一中年人胸前受伤，但并不严重，肌肉裂开，出了不少血而已，仍可支持。

两个人狼狈地上马，牵了小姐的坐骑，奔向大风庄。

周永旭背着手，笑道："骆姑娘，你不回去了？还想和我作殊死斗。"

她粲然媚笑，走近说道："我才不傻，怎敢再向比我高明百倍的人递剑？哦！谢谢你手下留情。"

"好说好说，你这么霸道的女孩子，也会道谢。"

"你……嘴上仍不饶人？"她羞红着脸说，给了他一瞥白眼，似笑非笑，似嗔非嗔，那表情，确是十分动人，令男人心跳。

"呵呵！当然你也不会饶人。说吧，你有何打算？呵呵！希望不是什么阴谋。"

她吁出一口长气，羞笑道："是的，不瞒你说，在此之前，我从未饶过任何人。"骆宝绿毫无心机地说："但今天，我服了你，没有怨恨，没有阴谋，请相信我。周……周兄，你要到乌江镇？"

"是的，你……"

"我陪你走走，可好。"骆宝绿说："几里路嘛，平时我乘马，片刻就到了。"

他心中一动，大风庄是骆家的产业，这位骆宝绿被称为小姐，妙哉！

八成儿这丫头是八爪蜘蛛的女儿，真是不是冤家不聚头。

他笑了，开始试探："乌江镇的骆大爷骆明芳，与姑娘是……"

"那是家父。"骆宝绿不假思索地说。

他又是一怔。

八爪蜘蛛并未将镇上所发生的事通知大风庄呢，难怪他在青槐集活动三夜，丝毫未受到干扰，也毫无所获。

他在想：如果我有这丫头带到乌江镇，八爪蜘蛛会不会投鼠忌器放过我？这丫头对我有好感，在她身上打主意岂不甚妙？

"原来是骆大爷的千金，幸会幸会。"他含笑走近骆宝绿，神态透着六七分亲热:"在下与令尊曾有一面之缘,却不知他有一位美丽大方天仙化人似的千金,走吧,我们到乌江镇,在下正想拜会令尊呢。"

骆宝绿傍在他身侧并肩而行,显得十分高兴,一面走一面说:"家父很好客,你会受到欢迎的。五天前镇中听说出了些小麻烦,目下恐怕不在镇中。当然,我会代表家父接待你的。"

"哦!令尊号称八爪蜘蛛,雄踞一方,在乌江镇附近布下了任何人也休想自由活动的天罗地网,我不相信他会有麻烦。"

他的语气中有讽刺的成分,但并不明显。

"其实,人外有人,天上有天,家父在江湖的实力仍不算雄厚。"骆宝绿叹息一声:"他的作为我管不着。"

"哦!但不知令尊的小麻烦是如何引起的?"他开始试探口风:"树大招风,麻烦是免不了的。"

"我也不太清楚,家父很少将外面所发生的事向家里的人细说,只知是和州第一大富豪高和高大爷,托家父办一件小事。"

"小事就有小麻烦,小麻烦会变成大麻烦。"

"听说高大爷痛恨一个流落和州的人,叫什么贾兴,拳脚颇为高明,打了高家的家丁,因此结下了怨。后来,高大爷用栽赃的手段,把贾兴弄入监牢,由官府追赃,逼缴二千两赃银,如在一月之内缴不出,罪刑将由监禁一年改为流放三千里。"

"老天!哪有流放三千里的刑律?"

骆宝绿咭咭笑,信口说:"高大爷的一句话,就是刑律;家父也一样。不过家父不喜欢拖泥带水,一了百了处事明快些而已。"

"那贾兴就此罢了不成?"

"贾兴身在大牢,不罢也得罢。他的妻子六娘,弹得一手好琵琶,为了救夫,她跑到乌江镇在酒楼弹琵琶讨赏钱,希望凑齐二千两银子缴官。岂知待了半个月,便被高大爷知道了,高大爷当然不肯,因此托我爹断六娘的财路。"

骆宝绿像在谈论一件有趣的事,一面说一面微笑。

"哦!以令尊来说,断一个小女人的财路,可说不费吹灰之力。"

他平静地说,但心中暗恼。

骆宝绿怎知他心中的变化? 微笑着说:"本来应该是易如反掌的事,可是却有了意外的变化。贾兴的一位朋友,是池州一霸铁背苍龙金彦的手下弟兄,铁背苍龙不知自量,竟然带人赶到乌江镇,带走了六娘,与家父为难。"

"后来怎样了?"

"所以家父带了人,追向和州,目下不知怎样了。铁背苍龙在江湖上名号响亮,家父应付他恐怕真不容易。"

"呵呵! 强龙不压地头蛇,你担的什么心?"

"不是担心,而是恐怕这件事不易顺手。老实说,家父并未将铁背苍龙放在眼下。"骆宝绿颇为自负地说。

"你没跟去?"他问。

"哪用得着我去?"骆宝绿傲然地说,轻笑一声又道:"如果我去的话,不将铁背苍龙那些人杀他个落花流水才怪,我才不会和他们客气呢。"

"哦! 你颇为自负呢。"

"爹说我处事有决断,有男子气概。"

"老天! 你一个如花似玉的美人儿,真要是有男子气概那才真糟糕。哦! 你有婆家了么?"

骆宝绿脸一红,白了他一眼半羞半嗔地说:"你脸皮真厚,怎么问这样的话? 你敢说,我不敢听,看你不像个纨绔子弟?"

他有意栽花,看四下无人,突然左手一抄,挽住了俏巧的小蛮腰,低声微笑道:"骆姑娘,你看我不像个风流纨绔子弟?"

骆宝绿嗯了一声,粉颊平添三分醉意,扭着腰肢闪避。但却半推半就,羞笑道:"你……你这是什么话? 阳关大道,放规矩些,你……你以为我是什么不三不四的人?"

他呵呵笑,手上一紧,说:"你不是不三不四的人,我也不是纨绔子弟,这里只有你我两个人,一男一女,男的年轻英俊,女的如花似玉花样年华,郎才女貌天造地设……"

"不害羞,你……"骆宝绿以手掩脸,半倚在他身上腻声说:"不!不要这样,我………"

他心中一荡,低声道:"说真的,你知道你多美多动人么? 哦! 姑娘,我不要你有男子气概,我要你保持女性特有的风华。姑娘……"

他的语音低柔,温柔得像是春风拂着湖面所泛起的轻柔涟漪。

他的右手,轻握住骆宝绿微颤温暖的纤掌说:"姑娘,远离开刀剑、血腥、阴谋、诡谲,多看看巍峨的高山,和接近涤荡心灵污垢的碧水。你会心胸广阔,你会发觉除了人间的污浊以外,世间大自然的一切都是美好的。你会觉得与一个意气相投的爱侣,遨游天下徜徉在蓝天白云之下,寄情于无忧、无争的世界中,是多么幸福和美满。哦!人是不能绝缘于尘俗的。"

不知何时,他已经站住了。

似乎,他已忘却了自我,也忘了身旁散发着醉人幽香的美姑娘。

他的目光,落在遥远的蓝天白云上,眼中焕发着稀有的光彩。

骆宝绿也失神地抬起蛲首,凤目中异彩涌现。

她看到的是他的侧脸轮廓,那神采奕奕的清澈大眼,挺直的鼻梁,健康的脸色,以及他嘴角涌现的一抹飘逸的微笑。所听到的语声是那么温柔,那么具有灵性。

她呆住了,久久,她发现自己不自觉地反握住对方的手,轻轻地举至颊上轻抚自己发烫的粉颊,用抖怯的、痴迷的声调说:"周兄,你……你的话我……我懂,但是,我说不出自己的感受,我……"

周永旭像是突然惊醒,苦笑道:"哦! 我也不知道自己在说些什么。"

"哦! 你……你说得好美……"

"真的,也许我是失神了。"

"你说了一些……"

"哦! 我说了一些蠢话,是么? 姑娘,请不要放在心上。"

"哦! 不,你的话令我觉得天地之间,好像真的有那么美……"

"呵呵! 我大概说了些连我自己也不懂的傻话。"

"周兄,言为心声……"

"哦!是的,言为心声,但我的言语却是例外,有时我会说些无谓的白日梦呓,千万别当真。"

骆宝绿偎近他,深情地说:"我认为你所说的,是你心目中所希望的未来憧憬。我也是,我也有属于一个少女的梦想……"

他突然脸一沉,一字一吐地说:"姑娘,我想,你应该是一位具有灵性的姑娘……"

"咦!你……"

"请记住我的话,远离开刀剑、血腥……"

"阴谋和诡谲。"她像梦呓似的接口。

"是的,那样你就会感到心安,不至于白活一场,姑娘,珍重。"

说完,他挣脱骆宝绿的纤手,健步如飞而去。

骆宝绿如中雷殛,站在原地发怔,等到他已远出百步外,方失神地叫:"周兄,等我……"

他脚下一紧,势如星跳丸掷,片刻间便消失在小径转角处的树影内。

远出两里外,脚下一慢,他拍着自己的脑袋,愤愤地说:"见了鬼了,我竟然平白地放了她,这……这从何说起?"

本来,他存了恶毒的念头,要将骆宝绿弄到手,以惩戒八爪蜘蛛父女,令这两父女受报。

可是,他却毫无理由地放弃了。

右面的树林中,突然传来一声轻笑。

小花子打扮的金贞姑一跃而出,笑道:"你放过了她,我还以为你是她的人呢,嘻嘻!"

他哼了一声道:"是你,你可恶。"

金贞姑拂着竹根鞭笑道:"是我,怎么啦?"

他恨恨地说:"那天你跑得真快。"

金贞姑笑道:"你叫我不要在大庭广众间生事,那天可是你先出头的。"

"但你先动手的。"他仍然薄怒地说。

"反正你也要动手的,没错吧?"金贞姑仍然笑问。"反正你早存了心,是么?"

"你也是。"他吁出一口长气道:"你可把我坑惨了。"

金贞姑撇撇嘴说:"说得多好听? 哼! 你该说我成全了你。要不,怎会两个郎才女貌的人……"

"胡说! 你……"

"我跟在路右,你一双爱侣居然未曾发觉……"

"哦! 我以为是条狗呢。"

"喂! 你少骂人好不?"金贞姑似恼非恼地叫。

"好吧,不骂你,当然你值得骄傲,我确是发觉右后方有人跟踪,却被你装狗所骗,误以为是条狗。说吧,你到底是谁?"

"我……"

"不要说你姓吴。"

"不告诉你。"金贞姑诡谲地笑着说。

他突然伸手,擒住了金贞姑的右肩井。

金贞姑吃了一惊,想躲却力不从心,浑身发僵,惶然叫:"天! 你……用的是什么手法?"

他呵呵笑,说:"探囊取物手,在八尺内你绝对逃不掉。"

"放手,你……"

"放手? 呵呵! 你说得太容易了,你在酒楼一闹,八爪蜘蛛找我的晦气,金银行囊全丢了,你得赔。"

"赔? 我一个小要饭的……小花子,如何赔?"

"有多少你赔多少,不然……"

"我身上只有十余两碎银。"

"那天你出手便是十两金子押柜,十两金子赏琵琶六娘,不要向我哭穷。"

"我的金银都花光了……"

"好,那我就剥你这身八宝衣抵押。"他恶作剧地说,果真伸手剥衣衫。

金贞姑大惊,叫道:"住手!住手……"

"哈哈!我可不听你的!"

女孩子的衣裤怎能剥?衣襟一解,金贞姑只好认栽,可怜兮兮地说:"我是女孩子,不要……"

他放手,大笑道:"女孩子,不是狐狸?真想看看你的狐狸尾巴。"

金贞姑白了他一眼,嘟着小嘴说:"你为何不说给骆宝绿听?肉麻死了。"

他脸色一正,问:"你把琵琶六娘弄到何处去了?"

金贞姑一怔,问:"咦……你……你知道多少?"

他哼了一声说:"全知道。"

金贞姑一跺脚说:"坏死了!你已经知道我……"

他呵呵大笑道:"我要听你说,如果我不坏,怎会青天白日剥女孩子的衣衫?"

"哼!鬼!难怪你会到大风庄勾引骆宝绿。"

"呵呵!不要说废话了,说说你们的事。"

金贞姑噗嗤一笑,得意地说:"没有什么可说的,我这一面带人救琵琶六娘,家父带人在和州同时动手,大牢中救走了贾兴,洗劫了土豪高和的龟窝。这几天故布疑阵,诱使八爪蜘蛛在这附近鬼撞墙似的干碰乱撞,家父早就返回池州了。"

"你不走?"

"昨天才从和州来,不放心你,所以前来打听消息,毕竟你是个亦邪亦侠亦盗的江湖奇人。"

"哼!你……"

"家父已和南乞碰了面,你的身分瞒不了人。"

"你少猫哭耗子假慈悲……"

"周兄,我抱歉,其实,那次我还怀疑你是骆家的秘密眼线,因此一走了之。"

"算了,这件事不必再提,你走吧。"他挥手说。

"我们一同走吧，八爪蜘蛛今早回来了，此地凶险，何不到池州寒舍小驻侠驾？"

"抱歉，我可不与你们这些劫牢反狱洗劫土豪的白道强盗打交道。你走吧，你的处境比我凶险得多，八爪蜘蛛捉住你，不剥你的皮才怪。"

金贞姑粲然一笑道："生气了？原谅我好不好？"

他摇头道："你这顽皮丫头，还不走？你不走，我可要走了。"

"你……"

"我要回去取行囊。"

"我陪你前往。"

"谢了，我的事不会假手旁人相助。"说完，他撒开了大步独自走了。

他在镇西三里外的一座农舍中等到天黑，方匆匆入镇奔回客栈。

踏入店门，店伙与掌柜账房都惊呆了，做梦也没料到他敢回来。

他一拍柜台，大声道："结账，把我的行囊取来。"

掌柜的三魂入窍，战栗着说："客官明……明鉴，你……你的行囊……"

"我的行囊怎么啦？"

"骆……骆大爷已……已经派人取……取走了，小……小店……"

店门人影乍现，有人叫"阁下，你真是胆大包天。"

他头也不回，冷冷地说："你回去告诉八爪蜘蛛，他如果不将在下的行囊送回，乌江镇骆家将有飞来横祸，周某不是个仁慈的人，忍耐已到了极限，阁下记住了么？"

两名大汉以扑上作为答复，两根铁尺来势似奔雷。

他向下一挫，避在柜台下，仰身一腿登出。

"啪啪！"两根铁尺同时击在柜面上。

"哎……"一名大汉狂叫，掩住小腹向后暴退，"噗"一声挫倒在地狂叫。

同一瞬间，周永旭长身压住了另一名大汉的铁尺，"啪"一声给了对方一耳光，再反手一掌削在对方的胸口上，力道恰到好处。

"砰!"这位仁兄也倒了，跌了个手脚朝天，口中鲜血溢出。

他双手握住铁尺，猛地一拉，铁尺竟然拉长了三寸，"当一声丢在大汉身旁，沉声问:"阁下，记住刚才在下的话么?"

·两大汉挣扎许久方吃力地站起，脸上血色全无，悚然地说:"在……在下记住了……"

"你重说一遍，免得你忘了，前言不对后语加多减少口齿不清，传错了会出毛病的。"

大汉凶焰尽消，乖乖地复诵一遍。

他点点头，一字一吐地说:"还有件重要的事，劳驾一并转达，那就是在下等他一个时辰，过时不候。这期间，如果再有人敢前来行凶撒野，最好是带郎中来，也许需要叫仵作来验尸，滚!"

两大汉鼠窜而走，狼狈已极。

他在店堂对面的长凳上落座，等候变化。

客人纷纷走避，店伙们一一溜走，只留下一个小厮招呼店面，偌大的店堂冷冷清清。

店门外，经过的行人急急而过，谁也不敢逗留。

街两端，有一二十名胆大的镇民，站得远远的等候着看热闹。

家家闭户，连门灯也熄了，形同罢市。

柜上有两盏灯，店内悬挂着两盏灯笼，光线并不太明亮，因此店堂显得幽暗冷清，如同鬼蜮。

一刻时辰过去了，了无动静。

又是一刻，气氛愈来愈紧张。

看柜小厮躲在柜内，惊得不住发抖。

一个时辰是八刻，按理，骆家的人早该来了。

他站起来伸伸懒腰，向脸无人色的小厮叫："小兄弟，你走吧，这里将刀光霍霍剑影飞腾，留在此地等死么？快走！"

小厮怎敢不遵？老鼠般溜走了。

他信手一挥，柜上的两盏灯同时熄灭。

叩指一弹，"啪"一声悬着的两盏灯笼熄掉一盏。

店堂中更是幽暗，剩下的一盏灯笼，发出暗黄色的朦胧光芒，像是鬼火。

脚步声从门外传来，有两个人稳步地踏上了门阶，接着高大的人影出现在门口。

周永旭安坐不动，冷冷地说："说吧，来说理呢，抑或是还行囊？"

两黑影踏入店堂，为首的人沉声道："把琵琶六娘夫妻交出，还你的金银包裹。"

他冷静地徐徐站起，一字一吐地说："在下已经表明态度，这件事与在下无关。"

"即使你跳在大江里，也洗不清罪嫌。"

"好吧，你不是来说理的。"

"你明白就好。"

"这是说，除了武力解决，别无他途？"

"正是这意思。"

"那你还等什么？"他语音奇冷。

尾随在为首大汉身后的人，双手叉腰举步逼进，系在背后的银鞘长剑在朦胧的灯光下闪闪生光，在丈外止步，粗眉一掀，用中气充足的嗓音说："没有人等你嘴皮子逞强，阁下就是神龙浪子？"

"正是区区。"

"在下银剑应奎。"

"不必用名号来唬人了，你上吧。"他冷冷地说，哼了一声又道："当然你可以拔剑上。"

"你没带兵刃？"银剑应奎问。

"在下的剑已被姓骆的连包裹偷走了。"

"看来,应某要用拳脚打发你了。"

"我说过你可以拔剑上,没听清楚是不是?"

他的话委实骄傲得令人受不了。

银剑应奎是江湖上名号响亮的人物,听来更觉刺耳,强忍怒火冷笑道:"对付你这种江湖小辈狂小子,应某不屑使用兵刃,你将为这些话,付出可怕的代价。"

"你已经是第二次用话唬人了,阁下。"

银剑应奎忍无可忍,立下门户咬牙道:"十招之内,应某要你骨裂肉开。"

他哼了一声,疾抢而入,右掌直削而出抢攻,闪电似的削向对方的腰腹要害,奇快绝伦,攻势极为猛烈。

银剑应奎一怔,这种抢攻的怪招确是罕见,看招势,应该是连削带打守势占先的招术,但却有一种震慑人心的浑雄声势形诸于外,看不出异处。但却可感觉得出这是可怕的一击。因此不敢大意接招,疾退两步先看看再说。

糟了,不退倒好,退了便失去先机。

刚避过一掌,第二掌已直插而来,不像是变招,却像是因势利导一气呵成的奇奥掌法,紧迫切入丝毫不觉勉强,变得顺乎自然,似乎这一掌早就料定下一步的反应。

无法再退,来不及闪避了,只好硬接,大喝一声,反手急拨化招。为首的大汉已看出银剑应奎遇险,飞身而出抢救。

来不及了,周永旭插出的一掌又变,腕一翻,妙到颠毫地扣住了银剑应奎的腕脉,猛地一振一抖。

银剑应奎大叫一声,右臂脱臼,扭身重重地摔倒。

在马步一乱身躯晃动时,右胁下又挨了一掌,浑身一软,完全失去了活动能力。

为首的大汉尚未近身,招式尚未攻出。

周永旭已人如怒豹,先发制人,扭身飞腿便踢,势如奔雷掣电，挟浑雄的声威，展开了劲力万钧的抢攻。

大汉吃了一惊，收住脚步仰身避招，双手上下急封，用"如封似闭"守住中宫，避免接踵而至的更猛烈袭击，反应比银剑应奎高明快捷得多。

棋高一着，缚手缚脚，周永旭高明得多，一脚走空，人已顺势贴身，双手疾抓，无畏地疾探而入，突破如封似闭的封闭，双手一分，便错开大汉的双手，"怀心腿"排空直入，志在必得。

"噗！"腿半分不差地登在大汉的胸口筋骨下。

大汉身不由己，闷叫一声踉跄急退。

"砰噗噗……"铁拳着肉声暴响似连珠。

大汉在退了三四步的短短瞬间中，连挨了九拳之多，全在胸腹之间开花，每一拳皆沉重如山。

"嗯……"大汉终于绝望地呻吟，僵硬地倒下了。

周永旭不客气地解下银剑应奎的银剑，快速地系在背上据为己有，试行拔剑看是否趁手，剑出鞘龙吟隐隐，银白色的剑身打磨得锋利异常。

他深感满意，收剑归鞘，向在地上挣扎意欲爬起的两个人说："你两人够幸运，在下放你们一马。哼！你们该把郎中带来的。"

银剑应奎脸色灰白，吃力地说："阁下，你……你走……走不了的……"

"噗！"周永旭一腿将对方踢倒，冷笑道："你还想威吓我？昏了你的头。回去告诉八爪蜘蛛，在下的包裹衣物值一百两银子，钱囊内有两百六十两金叶子，百余两碎银，一把剑值五十两银子。告诉他，这笔账该怎么算，他瞧着办好了。当然，五天前他打伤在下，要派人活埋在下的账，也得一并结算。本来，在下不想与他结仇，不想追究他谋杀在下的过节，因此只向他讨回金银行囊，他却派你们前来行凶，所以，一切后果皆由他负责，咱们已没有什么可谈的了。"

他向店门走，距门约有四五步，突然止步凝神倾听片刻，虎目中冷电四射，哼了一声。

"锵！"剑啸似龙吟，他撒下了银剑，回头一把抓起银剑应奎，在应奎尚未弄清他的意图时，狂风似的冲向店门。

应奎惊得魂飞天外，狂叫道："不要发射暗器……"

一声沉喝，剑虹似电，啸风声刺耳，人影如虎跃龙腾。

"砰！"银剑应奎被推倒在门外。

六枚暗器全向银剑应奎集中，想躲闪已无能为力。

发射暗器的两位仁兄随在暗器后冲进，恰好接住冲出的周永旭，罡风骤发，剑气扑面生寒，剑虹以可怖的奇速左右分张，行雷霆一击。

"啊……"惨叫声惊心动魄，两位仁兄丢剑掩胸踉跄而退，然后失足摔倒，在街心挣扎叫号。

他屹立门外，神色木然，徐徐收剑入鞘，冷然四顾。

街两端，黑影飞掠而至，不少高手正以全速赶来。

人太多，先离开再说，身形像鹰隼般冲天而起，无声无息登上瓦面，一闪之下蓦尔失踪。

不久，锣声大鸣，鸣锣的打手用大嗓门满街叫嚷："有强盗入镇，家家关门闭户，不许外出，藏匿强盗者，与强盗同罪……"

全镇成了死市，狗吠声此起彼落。

打手们五人为一组，在镇郊发疯似的穷搜。

高手们则以两人为一组，在镇内寻觅踪迹。

两个佩剑的中年人沿着南街向北走向十字街，用目光搜索每一可疑角落，聚精会神，随时准备出手。

可是，他们竟不知身后来了不速之客，左首那人突然止步，直挺挺站定像具僵尸。

"阁下，替我传话。"右首那人耳后传来冷冰冰的语音："一刻之后撤回所有的打手，不然杀无赦。"

这位仁兄想回身，但浑身发僵动弹不得，原来天柱穴被人制住了。

等穴道一解，身后却鬼影俱无。

打手们并未依限撤回，周永旭的警告，反而令这位乌江镇的土皇帝八爪蜘蛛，气得几乎发疯，不但不撤回打手，反而亲自出马，带了大批狐群狗党遍搜全镇。

周永旭藏身在骆宅对街的檐下，留意骆宅的动静，看了打手们出入的情景，心中不无顾忌。

骆宅不但打手众多，而且隐有不少艺业不凡的高手，要和八爪蜘蛛明里结算，的确有困难，除非他能不顾一切大开杀戒任性而为。

"先剪羽翼拔爪牙，再擒贼王铲除这个土霸。"他暗中下定对策。

他像鬼魅般没入黑暗中，开始执行剪羽翼大计。

长夜漫漫，他有的是时间。

乌江镇说大不大，说小不小，街道窄小，房屋凌乱，而且小巷甚多，即使是最大的商业区南北两街，宽度也不过丈余。而且街道曲折，绝大多数的房屋没设有门灯，天一黑便成了死镇，想动用大批打手对付一个武艺超群的人，谈何容易？

是时候了，八爪蜘蛛不在乎他的警告。

五名打手正沿街向镇南的栅门接近，前二后三相距约五六步，时进时停逐段搜索。

经过一条小巷口，两名打手向巷内用目光搜视片刻，一个扭头向同伴说："老五，进去看看，里面好像有脚步声呢。"

两人手按刀把，猫似的进入小巷，蹑踪步相当高明。

只走了六七步，墙角闪出一个有形无质的幽灵，无声无息到了两人身后！

手一伸，走在后面的人如中电殛，立即昏厥。

幽灵是周永旭，不费吹灰之力将两名打手点昏摆平。

巷口的三名打手三方戒备，等候搜巷的两同伴出来。

安顿好两个被打昏的人，他站在巷内吹了一声口哨，举手相招，同时向巷口迎出。

巷口的两名打手看不清同伴的身影，以为同伴有所发现，闻声奔到低叫："怎么啦？有发现……"

"发现两条病狗……"他说，声出人已近身。

"砰！"第一位仁兄左胁挨了一拳，有骨折声传出。

几乎在同一瞬间，第二位仁兄的耳门挨上了一劈掌，应掌昏厥，第三个打手还弄不清怎么一回事，也倒了。

五个人皆被拖入小巷，每个人的右手和右腿的关节，皆被拉脱臼并且扭转半圈，即使能治好，一月半月绝对起不了床。

他手下留情，伤不致命恰到好处。

四更左右，他已解决了十二组负责搜捕的打手，然后开始清除把守要道的人，如法炮制将人打昏拉损关节。

四更尽，全镇大乱。

骆府人心惶惶，出动所有的人手，搜遍大街小巷，救回六十余名重伤不能行走的人，所有的人皆被撤回，死守骆府，也许会平安，黑夜派人外出太愚蠢了。

大门外有四个警哨，五更三点全躺下了，脑袋各挨了一颗飞蝗石，最后倒下的人居然能狂号求救，把在内把守的人引出，二十余名高手遍搜附近，毫无发现。

接着，从后花园又传出叫声，入侵的黑影神出鬼没，前后闹了一夜，被击伤的人，谁也没见到偷袭的人。

次日一早，骆家的爪牙遍搜全镇内外，鸡飞狗走风声鹤唳。

镇南十余里的浮沙口镇就有巡检司，八爪蜘蛛神通广大，召来了巡检大索镇四郊，沸沸扬扬闹了一整天。

夜来了，骆府戒备森严，如临大敌，灯火通明哨岗密布，但尽管戒备严得不可再严，屋前屋后仍然不时传出叫声。

三更以后，宅院内开始有叫号声传出了。

警哨密布，仍未能发现神出鬼没的入侵者。

被打伤或击昏的人，绝大多数是被小石所击中的。

这一夜，共有二十八个人受了重伤。

骆家的人开始疑神疑鬼，不安的情绪随时光的飞逝而增长。

每个人皆开始为自己打算了，聪明的人开始在想：下一个会不会是我？要怎样才能避免受到伤害？

次日，大风庄的高手全部赶来了，八爪蜘蛛的两位拜兄也赶来相助。

夺命神判应琛，是银剑应奎的堂叔，理该赶来。

老二千手神君郝昭，是在傍晚时分赶到的。

两人皆住在和州南面西梁山下的梁山镇，接到拜弟的手书专程赶来相助。

入暮时分，大风庄失火，有十余条好汉，被人不明不白打昏并扭伤手脚关节，火烧掉了七八间房屋。

快马将消息传到，已经是二更初。

八爪蜘蛛狂怒之下，立即带了人赶回大风庄。

岂知正好中了周永旭的调虎离山计，八爪蜘蛛一群高手往大风庄赶，他却往乌江镇依计行事，二十几里半个次便赶到了，重施故技放翻留置的十余名警哨，然后放火烧毁东院的两栋房舍。

黎明时分，爪牙们发现照壁上留下的两行字："警告骆家众爪牙，明日将开始屠杀，决不留情。知名不具。"

这两行字，令众爪牙心惊胆跳，惶然不可终日，一个个愁眉苦脸像是大祸临头。

有人开始溜走，当然是些聪明人。近午时分，桃花坞的紫阳观紫阳观主，带了四名老道搜完紫阳观至镇北一带小村落，失落地转回紫阳观准备进食，食毕打算向南搜。

距观有两里，小径穿过一座树林密布的小丘下。

老道佩了剑，手握特大号的三尺长拂尘。

其实，这种长拂尘该称云帚，用作兵刃十分趁手而霸道，出手时威力可及丈外。

其他四名中年老道尾随在后，鱼贯而行，身后的中年老道发话道:"观主,咱们这是枉费心力,不会有结果的,咱们这一带,不要说躲一个人,即使躲了上千人马,也无法将他们搜出来的。"

"不许多说,无论如何,咱们得尽心力,今晚我要到骆府相助,定可将这神出鬼没的家伙擒住。"紫阳观主恨恨地说。

丘上的一株大树下,突传出一阵长笑,周永旭高大的身影出现在树下,笑完道:"紫阳观主,你一个方外人,提刀带剑,哪像个有道全真?你要擒住谁呀?"

紫阳观主并未见过周永旭,讶然问:"咦!你是谁?你认识贫道?"

"哈哈!谁又不认识大名鼎鼎的紫阳观主?"

"你是……"

"你看在下像不像神龙浪子?如果不像,你总该认识这把银剑吧?"说完转身,让老道看背上系着的银剑。

老道一惊,沉声道:"果然是你。好啊!这几天大闹骆府的……"

"正是区区在下的得意杰作。哈哈哈……"

"你该死!"老道怒叫,扬云帚向前迎去。

他仍在笑,笑完说:"你别慌,我不要你死,我要你代为传话。"

两老道左右齐出,两面一抄,形成合围。

"锵"一声剑啸,他撤下银剑又道:"老道,你们最好一起上。"

老道已追近至丈内,冷笑道:"小辈,你未免太抬举你自己了,呔!"

沉叱声中,云帚直抽而出,罡风骤发,劲风山涌,好一招奇急猛烈的"流云飞瀑"。铁帚柄长有三尺,尘尾长两尺二寸,威力可及五尺以上,软硬兼备,可说是外门兵刃,很难招架。

他一声长笑,飞退八尺,笑道:"你这人未免……"

老道一声沉叱,冲上再次逼近,云帚一抖,劈面扫来势逾奔雷。

他仍不接招，侧射丈外，从两名老道中间闪电似的掠过，先脱出重围再说，避免四方受敌。两名老道未料到他脱困，来不及拦截，同声叱喝，双剑跟踪追击，猛扑而上。

紫阳观主也随后跃进，衔尾追袭。

他不再闪避，一声长笑，银剑吐出缤纷剑虹，招发"分花拂柳"，趁入两名老道攻来的凶猛剑影中，"铮铮"两声暴响，荡开如山剑影切入，剑趁势左右分张。

人影乍合乍分，他飞退八尺。

"哎……"两老道同声惊叫，分向左右后方暴退，"当"一声有一名老道的长剑失手坠地。

# 第四章　贞姑助威

两老道的胸口皆裂了缝,虽未伤骨,但伤势并不轻,鲜血如泉涌,失去交手能力。

紫阳观主疾射而进,云帚疾劈而下,来势奇急,罡风呼啸力道千钧。

他向侧一闪,一声沉叱,避招出招一气呵成,银虹一闪,闪电似的反击,锋尖以奇速掠过紫阳观主的右小臂,袖破肉裂。

紫阳观主大骇,扭身一帚横扫,阻止他追击。

功力相距不远,以快打快,谁快谁就占上风。

老道一招失手挂了彩,心中一寒,惊骇之下急退自保。

岂知周永旭智珠在握,试出老道不过尔尔,当机立断乘胜追击,如影随形跟进,招发“举火撩天”,铮一声崩散掠顶门而过的云帚,无畏地切入,左掌疾吐。

紫阳观主也不弱,云帚一震之下,可怖的反震力从帚柄传到,虎口发麻,震撼力似乎把右臂震毁,力道直撼心脉,便知道完了,不假思索地松手丢掉云帚,扭身出左掌接招,用上了性命关修的玄门奇学天罡掌自救。

“啪”一声响,双掌接实,劲气激荡中,紫阳观主登登登连退五步,身形一晃再晃,最后总算用余力稳下马步,脸色苍白如纸,口角有血珠缓缓沁出。

“你用的是……是乾元大真力。”紫阳观主虚脱地说:“你可是闲云子的门人?”

"你想盘根究底？"他徐徐逼进。

"宇内三仙的门人,贫道认……认栽……"紫阳观主崩溃了,坐倒在地喘息。

周永旭不好再逼迫,扭头一看,怔住了,怎么四老道全躺下了。

他讶然叫:"谁在助我？"

没有回音,他的目光落在右面的矮林,哼了一声。

紫阳观主乘机挣扎而起,手吃力地握住佩剑向外拔。

"老道,你想走？"他身形疾闪,劈面拦住说。

紫阳观主吃力地站稳,举剑咬牙道:"你……你上吧。"

他冷冷一笑,哼了一声说:"在下不想开杀戒,你死不了。"

"你……你要……"

"我要你传话。"

"传话？ 你……"

"不错,传话。去告诉八爪蜘蛛,不要派你们这些不堪一击的人出来送死,叫他自己出来与周某面对面亲自解决。你告诉他,他请来巡检保驾,靠不住的,他可以躲十天,可以躲一月,但他终会出来的,周某有的是时间,我会等到他的,他不能永远躲藏,是么？"

"阁下……"

"我这人记性不差,对从在下剑底留住老命的人,永远不会忘怀。在下只饶人一次,所以你得告诉那些爪牙,当然你更需记住,下次见面,休怪在下心狠手辣,因此你们最好离开乌江镇骆家,离得愈远愈好。我想,你该记住周某的话了,还不快滚？"

紫阳观主打一冷战,踉跄而走。

他目送老道去远,方走近第一名躺着的老道,刚俯身察看,突然警觉地转身,一声剑鸣,人转过剑已指出,反应超人。

一个黑影在丈外止步,娇笑道:"危险! 你的耳力委实惊人。"

是一位穿青劲装佩了剑的美丽少女,好面善。

他收了剑,笑道:"我想,你是金贞姑,这才是你的庐山真面目,比小花子神气多了。哼! 没得到在下的同意,你为何相助？ 你杀了他们？你想逼在下于官府落案？"

金贞姑轻盈地走近,笑道:"我知道,神龙浪子从不杀人的,死仇大敌例外。"

"你既然知道……"

"我用泥丸射中他们的昏穴,免除你后顾之忧,你不谢我?"

他淡淡一笑,凝视着对方说:"这次在下无意中卷入你们的是非漩涡,首先你得明白,在下不会参与你池州金家的任何计划。其次,我得纠正你对我神龙浪子的错误传闻。不错,在下作事皆留余地,从不妄杀,但绝不是不杀人。相打无好手,相斗无好口,刀剑无眼,任何人皆有失手的时候,谁也不敢保证拼搏时不杀人。"

"这我知道,你的剑术,委实出神入化玄之又玄,诡异霸道收发由心,不需下重手杀人……"

"你又错了,在下的剑术并无奇处,只不过在下的看法与你们这些所谓名家高手不同,也从不为虚名浮誉所累而已。"

"我不明白你的意思。"金贞姑困惑地说。

"很简单,你应该明白,名家高手为了保持自己的声威和尊严,出手必攻要害,甚至有些人以认穴出剑自豪,不出手则已,出则必中要害。而我,却只要有机会,便向剑力所及处下手,哪怕是一小块微不足道的皮肉,我也会毫不迟疑地下手。我问你,如果你我交手,我一剑刺伤你手臂一点小伤痕,或者仅刺破你的衣袖,你作何感想?至少,你心中会怀有戒念,心中有了戒念,运剑便不会如意了,对不对?"

"这……你说得好像有道理。"金贞姑点头道。

"再就是我不介意虚名浮誉,从不为保全自己的声誉而拼命。"

"所以你不直接向八爪蜘蛛公然叫阵。"

"对,我会把握时机,逼他露出原形,使他孤立而情急拼命,没有必胜的把握,我不会硬往陷阱里跳,而要他跳我挖下的陷阱。"

"哦!你这人好可怕。"金贞姑摇头道。

他呵呵笑,轻松地说:"只要你为人处事正大光明,用不着怕我。呵呵!你父亲铁背苍龙就是池州大豪,声誉并不见佳,最好转告令尊不要惹我,他就不会落得如此焦头烂额。哦! 我问你,八爪蜘蛛大门口所留的两行字,是你所留下的?"

金贞姑慧黠地笑道:"我只想吓他,并无其他用意。"

"姑娘,你已经惹了我了。"

"周兄,这……"

"你在浑水摸鱼,你……"

"且慢,你说得不公平,你办你的事,我办我的事。你做事留余地,从不杀人。而我留下的字,说要大屠杀,口气是我的而不是你的,你总不能将这笔账算在我头上。"

两人靠得很近,他伸手在金贞姑的粉颊拧了一把,摇头笑道:"你这张小嘴能说会道,还会强辩。你给我离开乌江镇,等我办完事再办你自己的,知道么?"

"如果我不……"金贞姑羞笑着说。

"我认为你在浑水摸鱼,我会揍你一百板子赶走。"他半真半假地说。

金贞姑向他做鬼脸,笑道:"这么厉害? 本来,家父怕八爪蜘蛛追赶,所以派我带人觅机阻止,目下他已经疲于奔命,根本不需担心他带人追赶,因此,我保证不碍你的事,怎样?"

"好,我信任你,但你必须记住,我已经警告过你了。现在,你解了他们的昏穴,我该走了。"

"等我,咱们一起走。"金贞姑急急地说。

骆府人心惶惶,风声鹤唳,草木皆兵,见机溜走的人愈来愈多,事实上,八爪蜘蛛已陷人孤立的困境了。

紫阳观主把话带到,溜走的人更多了,留在骆府的死党,莫不人人自危,暗中各作打算。

三天三夜,骆府的人不敢离开宅院一步。

三天三夜平安无事,巡检司的人终于撤走了,这些人不能长久驻留,撤回浮沙口,他们的事多着呢,总不能长期留在骆家做保镖。

第四天夜间,骆家又发生了意外,有六名警哨被打昏,制死了右手的手少阳三焦经,右手算是毁了。

八爪蜘蛛愤怒如狂,次日亲自带了爪牙至郊区穷搜,闹了个鸡犬不宁。

暗桩与眼线重新开始布置,这些人皆从外地派来,是八爪蜘蛛的两位拜兄从外地派来的,这些人不与骆家的爪牙接触,秘密分散至各地潜伏。

傍晚时分,周永旭睡了一整天平安觉,在紫阳观东北角约两里地的一座大树林内,折枯枝生火准备晚膳。

三根树枝做了一个三脚架,一根光滑的树枝穿了一只洗剥清爽加了配料的大公鸡,放在炭火正旺的火堆上慢慢地烤,悠闲地转动树枝上的鸡,口中泰然地唱着萨都剌的《满江红·金陵怀古》:"六代豪华春去也,更无消息,空怅望。山川形胜,已非畴昔。王谢堂前双燕子,乌衣巷口曾相识。听夜深寂寞打孤城,春潮急。思往事,愁如织,怀故国,空陈迹,但荒烟衰草,乱鸦斜日;玉树歌残秋露冷,胭脂井坏寒螀泣。到而今只有蒋山青,秦淮碧。"

"碧"字声落,他抓住穿着烤鸡的树枝,人化龙腾,凌空升上头顶上空两丈高的横枝。

"好俊的身法!"下面有人叫。

他轻灵地飘下,摇头道:"老前辈,你知道你冒了多大的风险么?"

不速之客是南乞,支着打狗棍怪笑道:"哈哈!算定你要用鸡打我,岂知却失算了,你竟狡猾得连人带鸡上了天。小气鬼,乖乖分一半给我老要饭的,不然咱们没完。"

他在火旁坐下,抓起酒葫芦丢过说:"见者有份,在下不会小气。你先喝酒,咱们好好喝两口。老前辈,那天真该谢谢你。"

南乞先喝了两口酒,笑道:"小意思,不必放在心上。那天我感到十分困惑,你被他们整得那么惨,居然在最紧要关头遁走,委实不可思议。再就是你既然能神不知鬼不觉溜之大吉,为何事先不反抗?"

"反抗?要是我不够机警装死,恐怕不死也得成残,我可没有你们那些白道英雄宁死不辱的豪气。来,这是你的一半鸡。"他撕一半鸡递过。

南乞接过鸡站起说："咱们一面走一面谈。"

他一面撕鸡肉往口里送，一面说："吃比天大，我可不顾吃时走动。"

南乞吞下一口鸡肉说："你如果不顾金贞姑的死活，尽管坐下来慢慢吃。"

"什么？金贞姑有了意外？"

"岂止是意外？她落在夺命神判手中了。"

他吃了一惊，但仍然意似不信地说："你别开玩笑，小丫头精明机警，躲得很好，何况她身边还有五六名高手保护。"

"她精明机警，但逃不出老江湖夺命神判的手掌心。昨晚她不该也到骆家附近看风色，夺命神判已盯死了她，一个时辰前，在乌江浦把她擒住了。"

"哎呀！她进了骆家？"

"夺命神判不傻，料定你今晚要重入骆家，所以他根本不在骆家出入，要在外围等你。"

"那……人呢？"

"在乌江浦的一座茅棚中，那是一座荒废了的渔棚，附近两里内没有人烟，谁也不知这位仁兄带了爪牙躲在那处鬼地方。"

"咱们走。"他断然地说。

乌江浦，在镇东四里左右，目下的乌江已变成小沟，淤塞成一片泽地。

这里是当年乌江亭长系舟等候霸王渡江的地方，满目芦苇，荒野渺无人烟，有些河床已变成丘陵地，沧海桑田，景物全非。

南乞找到了那座破败的茅棚，早已人去棚空。

两人先在附近搜查一遍，发觉是一座空棚，便大胆地抢入棚中。

首先，他们嗅到血腥。

周永旭吃了一惊，知道不妙，金贞姑大概完了，急忙晃亮了火折子。

南乞机警地吹熄他的火折子，憬然道："咱们来晚一步，退！"

"我要看看。"他焦急地叫。

"不必看了，有三具尸体。"南乞向外窜。

他关心金贞姑的生死，仍然晃亮了火折子，看清了一切，他只觉气涌如山。

三个青衣人双手被反缚，咽喉挨了一刀，尸体尚未变僵，显然是被缚住处死的，凶手走得十分匆匆未加处理。

"你认识这三个人么？"他沉声问，杀机怒涌。

南乞窜入，瞥了三具尸体一眼，点头道："死去许久了，他们是铁背苍龙的三名得力弟兄，翻江鳖孙勇，浪里飘郑庚，和疤颈张一刀。"

周永旭虎目中冷电四射，神色冷厉地说："好，他们杀人了。八爪蜘蛛，你好毒，好狠。"

南乞退出棚，苦笑道："金姑娘也太过任性，我告诉她要早日离开，她却当作耳旁风，赖在乌江镇不走，这是何苦？小兄弟，你有何打算？"

身后没有回音。

老花子一怔，重新钻入茅棚叫："小兄弟，你还不走？"

棚中黝黑，哪有活人？地下三具尸体寂然不动，血腥刺鼻，周永旭已经失了踪。

"咦！他竟然无声无息地走了，怎么可能？"老花子骇然自语。

他仍不死心，在附近找了一圈，不得不承认事实，周永旭确是走了，像鬼魅般从他这位老江湖身后消失无踪。

周永旭早就走了，是发狠而走的，他年轻，保有一颗赤子之心，闯荡江湖两年，未沾上多少江湖恶习。

但他也有年轻人的缺点，耐性有限，受不了进一步的撩拨，见不得不平事，无事时狂放不羁，心肠软好说话，但一旦被激怒，发起疯来性情大变，便成了极端危险的半兽性人物。

八爪蜘蛛用残忍的手段对付他，他并不介意，因为他受得了，因此迄今他出手都有分寸，尚未下毒手致人于死。

铁背苍龙救走了琵琶六娘,并未与八爪蜘蛛拼命,手段虽激烈,但并未杀人。

可是,八爪蜘蛛竟然不顾江湖道义,擒住铁背苍龙三位弟兄缚住处死,简直是恶意的狠毒谋杀。

看了三个可怜虫被杀的光景,他气涌如山,新仇旧恨涌上心头,怒火似火山爆发,如山洪倒决,成了一头充满危险气息的疯虎。

本来,双雄火拼与他无关,但出了人命,他不能坐视了,三更天,全镇死寂。

夺命神判毕竟比八爪蜘蛛高明,警哨的布置全部改变,一明一暗互相支援,求精不求量,求静不求动,有章有法,任何方向有人接近,皆难逃警哨的耳目。

可是,这种布局只能对付潜入的人。

高大的黑影突然出现在东栅门,一身蓝劲装,佩剑,长袍挽在左手臂弯,像是突然幻化出来的,把伏在栅旁的两名暗哨吓了一大跳。

前面本来有两组暗哨潜伏,这黑影是如何通过的?

黑影是周永旭,出其不意攻,右掌吐出,砰一声两根大门杠同时折断。

他推门而入,栅旁下的两名暗哨刚想发出暗号通知前面的另一组暗哨,眨眼间便看到黑影突然出现在面前,想躲已来不及,只好拔刀大喝示警,左右一分。

周永旭冷哼了一声,点手叫:"你们听清了,回去告诉八爪蜘蛛,周某破晓时分,登门索债,劳驾通知镇民,明晨不可外出。"

前面有人飞掠而来,后面也有人向此地赶。

两个暗哨只觉眼前一花,黑影出了栅门冉冉而逝。

东方发白,破晓时分。

南乞在东栅门附近,拦住了大踏步向镇门走的周永旭,心情沉重地叫:"小兄弟,咱们谈谈。"

"老前辈要谈什么?"他冷冷地问。

"老要饭的希望知道你的打算。"

"这就是在下的打算。"他拍拍佩剑:"讨债。"

"你是单剑索债?"

"是的,我要让他们知道,神龙浪子的忍耐已到了忍无可忍的地步,让他们知道神龙浪子不是他们所想的,可任人宰割逆来顺受的懦夫。"他一字一吐地说。

"小兄弟,听我说,他们高手齐集,匹夫之勇无济于事。再说,他们两雄之争,与你并无关连,大可置身事外,何必……"

"你认为在下只会逞匹夫之勇?"他沉声问。

"老朽……"

"不要阻止我,让开。我会纠正你的错误看法。"

"我不能让你冒险……"

"除非你能阻止我。不过,我认为你绝对阻止不了我,千万不要轻于试尝,让开!"声落,他向前直撞而至。

南乞心中大急,打狗棍急拦。

一声剑啸,银芒暴射,彻骨奇寒的剑气直迫三尺外。

南乞大吃一惊,急飘八尺,剑尖在鼻尖前掠过,间不容发,危险至极。

周永旭掷剑入鞘,昂然大踏步而过。

南乞在一旁发怔,目送他的背影离去,倒抽了一口凉气,不敢再阻拦,只感到心头发冷,手脚发僵,悚然地自语:"他一开杀戒,便不会回头了,真是天意。"

月色朦胧,街上冷清清。

迎接周永旭的,是一群狂吠的家犬。

镇民怎敢外出?家家闭户,只有一些胆大的人从窗缝里向外偷瞧,只有他一个人的脚步声,一声声一步步有节拍地传出。

十字街口到了,气氛一紧,北街出现五个人,西街,南街也各有五个。

身后,也出现了五个人,他视若无睹,沉着地踏入街中心,十字街宽阔足以施展,四面的人,也开始向中间聚合,今天,他不打算再让步。

"锵!"剑啸声刺耳,他的银剑出鞘,二十比一,四面合围。

他屹立如山,举剑冷然四顾。

"什么人?"有人沉声喝问,声如乍雷。

"索债者。"他厉声答。

"你是神龙浪子……"

"少废话。"他叱喝。

"咱们先交代……"

"混账!还有什么交代?你们这群狗都不如的畜生,你们鱼肉乡里称霸一方的日子今天该结束了。"

他的话立即引起无穷反感,少数激怒了的人纷纷撤兵刃,刀剑的震鸣刺耳,令人闻之感到头皮发炸心血凝结。

蓦地一声虎吼,前面狂风似的冲上两个人,双剑齐至,一左一右势如惊雷,抢制机先出手,人影乍合,剑芒飞射,刹那间风吼雷鸣,三剑齐聚。

蓦地响起两声剑吟,银虹疾射而出,突然风止雷息,人影乍分,倏又猛地停止。

死一般的静,三个人背向而立,相距不足三尺。

"砰!"倒了一个,剑跌在青石地上其声惊心动魄。

"嗯……哎……"有人厉叫,声未落扭身便倒。

这一击恍若疾风迅雷,一照面生死立判,谁也没看清三人是如何交手的。

即使是大白天,恐怕也没有人能看清经过,变化太快了。

倒了两个人,未能吓阻那些爪牙鹰犬,身后的五个人同时举手一挥,三剑两刀以惊涛骇浪似的声势,突然逼进袭击。

剑从三方汇聚,两刀从下盘卷进,几乎同时攻到。

银芒似电,凶猛地回旋,旋入刀光剑影之中,剑虹怒张,行石破天惊的致命一击。

人影突然四散,飞腾着的刀光剑影向外激射,银虹突然静止,只有他一个人站在原地。

"啊……"惨号声倏起,第一个人倒了。

"砰噗噗……"

其他四个人先后摔倒,发出数声绝望的呻吟和哀号,在地上挣命、翻滚、挣扎、抽搐……这次可怖的雷霆一击,终于收到了震慑人心的效果,十三个人惊怖地向后退,如见鬼魅,他举剑而进,向西街迈步。

西街的五个人刚动身举步后撤,他突然飞跃而起,一声怒啸,剑发"天龙行空",手下绝情,身剑合一无畏地飞扑而上。

在惊怖的惨号声中,爪牙们飞仆四周。

他掷剑入鞘,头也不回地向前冷然举步。

北街与南街的八个爪牙,魂飞天外地撒腿狂奔。

西行百余步,向南折入横街,百步外便是位于街右的骆府,宅前有一座广约五十步的广场。

宅前的石阶下,三四十名爪牙正在列阵。

所有的目光皆向他集中,眼神中有惊容。

惶然地注视着他踏入广场,鸦雀无声。

空间里,流动着死亡的气息,无形的杀气逼得人几乎喘不过气来。

门开处,年约半百粗壮魁梧的夺命神判应琛领先而出,尾随在后的千手神君郝昭、八爪蜘蛛骆明芳,最后是八名打手,其中有五绝刀刘一飞在内。

仇人相见,分外眼红。

八爪蜘蛛这几天来,被周永旭闹得晕头转向,看到周永旭,眼都红了,怒叫道:"大哥,就是他。"

他看清了处境,脚下一慢,冷冷一笑,徐徐止步。

鬼怕恶人蛇怕赶,他的神色流露出迟疑和畏怯,对方便胆气一壮。

五绝刀哼了一声,越步而出傲然地说:"在下这次当场毙了他,以免留下后患。”

说完，不等八爪蜘蛛有所表示，飞掠而下，拔刀出鞘傲然举步迫进。

他心中暗喜，故意示怯向后退，大声道：“八爪蜘蛛，不要倚仗人多，你出来，咱们面对面解决，难道你想做懦夫么？”

五绝刀脚一紧，大踏步追来，他仍向后退，突然转身疾奔。

五绝刀以为他心怯，一声狂笑，飞跃而上，刀似天雷下击，劈向他的顶门，急如星火。

夺命神判应琛飞掠而追，急叫道：“留活口……”

叫晚了，周永旭在钢刀将及顶门的刹那间，身形突然从急奔中向左下挫急闪，银剑就在闪让的瞬间向后反挥，身形随剑势暴退，但见银芒一闪，人影乍分。

人影接着冲霄而起，登上街左两丈高的屋顶，像是鬼魅幻形，连闪两闪蓦尔失踪。

天色尚未大明，两侧的屋顶没派人把守。

等夺命神判登上瓦面追赶，已失去他的踪影了。

五绝刀静静地躺在血泊中，腰腹裂缝内脏外流，已是有气出没气入，奄奄一息了。

有不少人上屋追赶，叫骂声不绝于耳。

银剑应奎是夺命神判的侄子，应奎被打伤，银剑被夺走，栽到家了。

所以夺命神判恨死了周永旭，不顾一切穷追，到处穷搜，一面搜一面穷叫：“神龙浪子，出来与在下生死一决，公然叫阵却又贪生怕死逃走，算什么英雄好汉？日后你还要不要在江湖上混？”

没有人现身，也不见有人回答。

刚跳下一座矮平房的瓦面，突觉腰眼一麻，接着“砰”一声耳门又挨了一劈掌，立即失去知觉。

一个时辰之后，有人送来夺命神判的判官笔，附带传周永旭的口信，要八爪蜘蛛准备以金贞姑交换夺命神判的性命，等候交换人质的消息。

安排了无数高手捕杀周永旭,没料到失败得那么惨,十字街心损失惨重,光天化日之下,号称武林名宿的夺命神判竟被掳走,骆家的爪牙们人人自危,个个心惊胆跳。

八爪蜘蛛像是热锅上的蚂蚁,急得七窍生烟,只能坐立不安地等候消息,恨恨地准备交换人质事宜,作了妥善的安排,仍不死心,横起了心一定要将周永旭置之死地而后甘心。

白等了一天,始终不见周永旭派人前来传信。

周永旭已经表示过,他有的是时间,人不能永远在紧张中过活,他要等对方自行崩溃。

八爪蜘蛛却没有时间,只有千日做贼,哪有千日防贼之理?

骆家被闹得鸡飞狗走,不论昼夜,所有的人皆不敢离开骆家的宅院,出去的人,随时皆有不测之祸。

即使在宅中,也人人提心吊胆。

事实早已证明,骆家虽人手众多戒备森严,但并不安全,夜间神龙浪子仍然来去自如,如入无人之境。

夜来了骆家如临大敌,二更末三更初,强敌已深入腹地。

楼下的大厅中,灯火辉煌。

八爪蜘蛛与拜兄老二千手神君,与十名首要人物在商量对策。

八爪蜘蛛豪气尽消,垂头丧气向千手神君说:"二哥,咱们在此等候消息,委实不是办法哪!"

千手神君不住摇头,苦笑道:"贤弟,除了等待之外,咱们毫无办法。"

"咱们必须将大哥救回,不能等候朋友们赶来再动手,那恐怕来不及了。"

千手神君摊开双手,叹口气说:"贤弟,你不是不知道,那小子机警绝伦,艺业高明,飘忽如鬼魅,谁知道他将人藏在何处?他一个江湖亡命,乌江镇附近任何角落皆可藏身,不要说咱们人手不够,再多的人,也掌握不了那小辈的行踪,一明一暗,咱们已经注定了要失败。

唉！贤弟，你不该与这种可怕的人结仇的。"

"二哥的意思……"

"愚兄的意思，是等他前来见面，咱们可以和他谈谈，希望能圆满解决。"

"他会来么？"

千手神君阴阴一笑，颇为自信地说："我相信他会来的，今晚咱们全在厅中守候，他应该知道咱们都在等他。"

语声刚落，二楼的裳檐突传出一阵急骤的金铃声，接着有物下落，"砰"一声响，厅右的院子也响起串铃的急鸣。

千手神君大喜，一蹦而起兴奋地说："果然不出所料，算定他也该来了，被裳檐的伏弩射中，掉入院中的陷坑，万无生理。贤弟，后患已除，你可以放心了，走，出去看看。"

只片刻间，高手齐集院中，火把齐明。

千手神君以暗器名震武林，手脚膝肘背皆可发射暗器，而且擅长布置伏弩机关，花了一天工夫，在骆宅内安装了不少玩意，等候周永旭前来送死。

这座陷坑深有两丈，上面安装了翻板，四周设有捆脚的串地锦锁网，加设了不少小银铃。

人如掉下陷坑，接近四周的人也会被串地锦所捆住，十分霸道。

众人解开串地锦，挤在翻板旁，火把通明，人人喜上眉梢。

千手神君得意洋洋地说："先把网张好，再扳开翻板，网住他再拖上来，要活的。"

网准备停当，翻板掀开了。

坑底，伏卧着一个黑衣人。

八爪蜘蛛咬牙切齿地叫："周小辈，你也有今天，你跌昏了么？该死的东西！下去一个人，拖他上来。"

千手神君摇手道："且慢！也许他在装死。上面的伏弩不会致命，跌下两丈高也碎不了他的骨头，我先把他废了，再派人下去。"

手一扬，一枚三棱刺向下急射，射入黑衣人的右腿弯，黑衣人毫无反应。

"下去一个人拖他上来。"千手神君意气飞扬地叫。

蓦地,后院锣声大鸣,有人狂叫:"火起了。"

"啊……"坑旁一名打手狂叫,向坑底急坠。

"砰"一声重重地跌伏在坑底的黑衣人身上,背心插着一根以硬树叶作羽的竹箭。

"啊……"第二名打手接着向下栽。

千手神君大惊,挥手转身急叫:"散开……哎……"

右肩井贯入一枝竹箭,身形一晃,仰面便倒。

身后,正好是陷坑,想闪开已来不及了,摔下坑底便失去知觉。

八爪蜘蛛心胆俱寒,急窜入厅,千紧万紧,自己的老命要紧,后院起火,火舌已冲破屋顶。

惨号声此起彼落,奔窜的人中,接二连三被不知所自何来的竹箭所射倒,中箭的人如不射中要害,叫号声特别刺耳。

一栋房屋顶端,传出了震天狂笑:"哈哈哈……"

没有人敢向笑声传来处赶,打手们纷纷逃命。

笑声徐落,接着传来了周永旭焦雷似的语音:"我神龙浪子早算定你们必出此种阴谋诡计,所以逼你们的人探道,坑底是你们的同伴,你们杀的是自己人。限你们这些狐群狗党在天亮之前离开骆家,不然杀无赦,不要命的尽管留下。哈哈哈哈……"

八爪蜘蛛挺剑冲至楼前的广场,厉叫道:"神龙浪子,有种的你就出来,你我公平生死一决,不是你就是我,咱们单打独斗……哎哟!"

右小腿后方,突然贯入一枝竹箭。

八爪蜘蛛像条发狂的牛,跌跌撞撞退回楼门,厉叫道:"他……他还在,快……快搜他出来……"

如果知道周永旭还在,怎敢独自叫阵?这一箭挨得真冤。

奔入大厅,挫倒在地,恐惧地大叫:"替我备马,回……回大风庄……"

后院的火总算被救熄了,烧毁了一栋院子,要不是发现得早,后果不堪设想。

除了一些死党之外，其他的人纷纷卷包袱溜之大吉。

千手神君挨了一箭，但并不严重，跌下陷坑也跌在同伴身上，总算未跌断手脚。

这位仁兄是个老江湖，力劝八爪蜘蛛留下，这时出镇回大风庄，保证是死路一条，神龙浪子正要他们离镇，黑夜中在路上用箭袭击，谁也走不了，惟一的生路是严阵自保，人多势众可保安全。

八爪蜘蛛当然不笨，冷静下来便不敢冒险回大风庄，宅院各处皆点起了灯笼火把，警哨撤回紧守宅院附近。

庄丁打手虽逃掉了一半，仍有四五十名得力爪牙可用，尚可一拼，宅院附近灯火辉煌，照耀如同白昼，警哨们皆利用门窗柱藏身，严防弓箭袭击。

这一着果然奏效，周永旭确也不敢冒险深入。

全宅惶惶不安，人人自危，信心和斗志消失，一切免谈，仅守住宅院，等于是敞开了大门，四周皆任周永旭活动，这是防守的下策。

片刻间，宅后院的十余处灯笼火把，全被击灭。

火光照耀中，周永旭一手仗剑，一手挟了竹弓，大踏步出现在宅院的左侧，手起剑落，银虹一挥，一只灯笼应剑而碎。

附近埋伏的暗桩都不敢现身，像是老鼠见猫吓软了。

他到了一支火把旁，伸手拔起火把柱，信手往一座明窗上点火。

"砰"一声大震，明窗急启，跃出两名打手挥刀拼命，咬牙切齿扑出。

火把急挥，银剑化虹。

"铮铮"两声暴响，两把单刀立被震飞，火焰一闪，奇快地乘机切入。

"啊……"两名打手惨叫，被火把烙上脸面，扭头亡命逃窜。

附近的门窗内，怒叫着冲出十余名打手。

他一声狂笑，将火把丢入窗内，立即飞退，在打手们扑上之前，安全地隐入夜色之中，最后发射了两支竹箭，射倒了两名打手。

追赶的人在千手神君的率领下,垂头丧气地返回大厅。

跟在后面的八爪蜘蛛刚跨入门限,门后突然银芒一闪,锋利的剑尖已顶在他的右腮下,阴森的语音直薄耳膜:"阁下,切勿妄动,你的命已操在周某手中。"

前面的千手神君骇然转身,倒抽了一口凉气。

转头一看,留在厅中的六名爪牙,站在四周靠墙呆立,一个个如同中邪般张嘴瞪眼不言不动。

八爪蜘蛛身后的六名高手保镖,目定口呆不知如何是好?

"有……有话好说……"八爪蜘蛛恐惧地叫,几乎语不成声:"我……还给你包……包裹……"

"包裹已算不了什么了。"周永旭冷冷地说:"在下记得,你在这里叫人狠揍了我一顿。走,堂上说话,慢慢迈步,放乖些。叫你的人退远些,有人握刀仗剑在我身边,我会紧张,紧张手就不易控制,万一失手刺穿你的咽喉,可不能怪我。"

"大……大家退……"

八爪蜘蛛快崩溃了,张开双手迈步向堂上移动,状极可笑。

千手神君退出两丈外,焦灼地说:"周兄,有话好说,不要……"

"阁下,没有什么可说的了。"

他一面移动一面说:"老兄,你的双手最好不要指向我,你千手神君那些鸡零狗碎,千万不要抖出来,你最好自量些,我不想杀你。"

到了堂下,他喝令八爪蜘蛛止步,剑尖徐徐上抬。

八爪蜘蛛魂飞天外,头拼命仰起,免得被剑尖上抬的压力刺破咽喉,脚快站不稳了,吃足了苦头。

"你为何下令屠杀铁背苍龙的弟兄?"他声色俱厉迫问:"夺命神判已招了供,他说是你坚持要杀的。"

"我……我……两年前,铁背苍龙在……在池州,也……也暗杀了我两位弟兄……"

"你竟然下令杀我,可知你的心已不是红的了,在下要挖出你的心肝来,免得你再残杀无辜的人。"

"饶我!"八爪蜘蛛嗄声叫号:"我……我该死……"

"那你就死吧!"

"不!我发誓,我知道错……错了……"

脚步声急促,一群大汉闯入厅门,领先的骆宝绿姑娘一身绿劲装,曲线玲珑十分惹火。

"天!真是你………"骆宝绿骇然惊叫,呆住了。

"不错,是我。"他说,剑尖略沉:"那天,本来我打算将你弄到手,再与令尊讨价还价的,但我放过了你,现在已用不着你了。"

"先放了家父,我跟你走,任杀任剁……"

"令尊的债,理应由他偿还,你无法为他顶罪。"

"周兄,你叫我远离刀剑、血腥、阴谋、诡谲。"骆宝绿颤声凄迷地低语:"而你,却要用剑杀我爹爹……"

"因为你爹要杀我这途经贵地的陌生人,屠杀已失去反抗力的武林同道。"他厉声说:"因此,他必须受报,血债血偿。"

"父债女还。"骆宝绿拔剑出鞘:"周兄,请高抬贵手,放我爹一条生路,我九泉瞑目……"

剑光上拂,迅疾地抹向咽喉。

周永旭左手扣指疾弹,相距一丈左右,可怕的指风恰好击中姑娘的右手曲池,姑娘右手立僵,当一声大震,锋刃已及咽喉的长剑坠地。

"姓骆的,你有个好女儿。"周永旭缓缓收回剑:"我给你一次改恶从善的机会。"

"周兄,谢谢你。"骆宝绿含泪跪下了。

"今晚,我尝到了死亡的滋味,天哪!"八爪蜘蛛哀叫着软倒在地。

"咱们的事还没有完。"他剑收入鞘:"三个条件,你必须办到。其一,遣散所有的打手,从此不许你在江湖露脸;其二,厚葬铁背苍龙的弟兄;其三,明晨带着金贞姑与在下的行囊,以及赔偿在下损失的三百两黄金,到霸王庙交换夺命神判。我警告你,不要再生歹念,凭你们百十个武林高手,想置我于死地并不容易,真要逼我用真才实学对付你们,百十个人不够周某练剑。好自为之。"声落,微风飒然,蓝影一闪即逝。

"老天爷!"千手神君悚然地叫:"你们说曾经把他轻易地抓来打得半死?说他神龙浪子不堪一击?鬼才相信!他的指风打穴术远及一丈,举目江湖,能有此成就的人屈指可数,连三魔三怪三菩萨也无此能耐啊!咱们好幸运。"

次日辰牌末,周永旭背了沉重的大包裹南行,前面不远是浮沙口。

金贞姑走在他左首,碰碰他的肘弯说:"周大哥,在浮沙口找船,我们走水路到池州。"

"我是萍踪四海,到哪里都一样。"他说。

"我得好好谢你,到池州伴你游九华,如何?"

"抱歉,免了。"他摆出拒人于千里之外的神情:"你金家的人也不是什么善男信女,你爹铁背苍龙颇具侠名,却反牢劫狱自毁前程。你们两虎相斗,惟一得到好处的是我,目下包裹里有金银五六百两,必须提防任何人打我的主意,你也不例外。"

"瞧你说得多难听?"金贞姑推了他一把,白了他一眼:"你难道是好人?好人就不该敲诈八爪蜘蛛……"

"咦!我说过我是好人吗?废话。"他做个鬼脸:"八爪蜘蛛叫人打了我一顿,要爪牙割我的喉咙捆石头丢下河,他难道不该赔偿我的损失?"

"那是你故意示弱逼他下手的,无赖。"

"哈哈!他如果不下毒手,我哪来的金子入囊?"他拍拍包裹怪笑:"池州我必定去的。告诉你爹,千万别抓我下水牢砍脑袋,免得要付出三百两黄金做代价。我神龙浪子到处鬼混,我的行情是打我一顿,索价黄金一百两;要废我,二百两;要杀我;三百两。半两不能少,哈哈……"

"你你……你……"

金贞姑狠狠地擂了他一粉拳。

"哎哟!打不得。"他呲牙咧嘴怪叫:"你这位大姑娘不害臊,粉拳岂能向男子汉身上招呼？哦！带个口信给琵琶六娘,日后有机会再听她一曲饱饱耳福。"

金贞姑粉脸红得像是一树石榴花,羞得抬不起头。

船过了采石矶,江流更湍急。

时届夏汛,这种中型客货船虽然有两张风帆助航,但却比老牛快不了多少。

前舱分隔为二,前面是男客的宿处,后面分为两隔间,容纳有家眷的乘客。

金贞姑在沙河口会合了她的五名手下,把周永旭接上她从池州带来的乌篷小快船,本来想同乘小快船上航池州,但周永旭拒绝了。

他发觉那五位仁兄一个比一个骄傲,一个个摆出土豪巨擘门人子弟的自负嘴脸,为免麻烦,所以坚持船放对岸,在马家渡口登陆,在马家渡等船。

金贞姑拗不过他,只好让他上岸,依依不舍地乘自己的船走了。

第二天,他便上了这艘上航的客货船。

# 第五章　浪子戏博

　　船的目的地是安庆府,沿途起货搭客,因此行程慢得不可再慢,但他不在乎,江湖浪人有的是时间。

　　他住宿的前舱共有六名客人,两个是押货的水客;两个是往安庆探亲的年轻人;另一个年约半百,形容枯槁,一天说不了半句话的衰老中年人。

　　后面的舱房由于有女眷,不知住了些什么人,出门人自顾自,谁也懒得理会后舱房的客人是何来路。

　　舱不大,客人分据两边。

　　他占了一席床位,包裹当枕衣作被,船上不供给被褥,没带被盖的人活该挨冻喝西北风,四月天气冷尚未全消,晚间不盖被的确吃不消,但他根本不在乎。

　　夕阳西下,江风料峭,所有的客人皆躲在舱内养神,船缓缓上航,在波涛中颠簸不定。

　　他的芳邻,就是那位半死不活的中年人,下身盖了一床老旧的棉被,靠在包裹做的枕头上,目光茫然直视,像个经历千百年风霜行将碎化的石人。

　　左首的铺位,是两水客之一,一个不苟言笑土头土脑的中年汉子,整天抱着盛物的褡裢,连睡觉也抱在怀里不肯放手。

　　舱门是闭上的,他后面有一个小窗,透入微弱的光线,不时可看到船伙计在舷板上走动。

　　"嗨!"他向水客打招呼:"是不是到太平府了?"

"快了。晚上在太平府泊舟。"水客信口答,瞥了他一眼,再低头看看抱在怀中的褡裢,生怕被人抢走了似的。

"在太平卸货?"

"不。"水客爱理不理地答。

"听船家说,要多载几个客人呢。"对面的一位探亲年轻人接口:"多载一个就多赚几文。"

"老天爷!这样走下去,哪一天才能到池州?我是到池州去的。"他懊丧地嘀咕:"看样子,会活活闷死呢。"

"大概要十天半月吧。"年轻人说:"喂!你贵姓?"

"在下姓周。你呢?"

"姓李,到安庆。找些事消遣,如何?"

"消遣?如何消遣?"

"掷双陆,怎样?"

"见鬼呀!哪有用具掷双陆……"

"用具不够不要紧。"年轻人说,一双鼠眼乱转,在怀中掏出两颗骰子:"有两颗骰子就成,掷简单的比大小,很有趣的。"

"哦!有趣?怎样掷法?"他颇饶兴趣地问。

"瞧,掷下去就成。"年轻人啪啦两声将骰子掷在舱板上:"哎呀,一二饿死儿,输定啦!来,你试试看。"

年轻人拾回骰子扔扔手,含笑递给他。

他握在掌心摇了两摇向下一丢:"喝!五六呢。"

"五六比天大,你赢了,看我的。"年轻人说,拾过骰子放在双掌中乱摇一阵,掷下了。

"二三,有五点。"他说。

年轻人的手气差劲得很,掷了十余次,只有一次掷出八点,赢了他的七点,而他有四次掷出双六十二点,每一次都比对方的点子多。

闲着也是闲着,他玩得很开心。

不久,对面那位年轻人撇撇嘴说:"嗨!你两个这样玩有什么意思?"

"好玩就是好玩嘛。"姓李的说:"你想怎样玩?"

"这本来是博具,玩而不博算啥玩意?"

"哦! 你想博?"

"当然,你敢不敢?"

"博什么?"

"当然是博钱,我杨芳有的是银子。"

姓李的在怀里掏,掏出两吊钱说:"咱们十文博一次,如何?"

"不,赌注太小了,没兴趣。"杨芳不屑地撇撇嘴,掏出三个十两的银元宝托在掌心说:"一两银子可换六百文,谁和你玩制钱?"

"老天! 你一掏就是三十两银子?"姓李的惊叫。

那年头,物价还算平稳,米一斗不过卖五十文左右,买亩田也不过六七两银子,买一只鸡鸭,要不了二十文。

"多着呢!"杨芳拍拍作枕的包裹:"你有银子吗? 一博十两八两才有意思。"

"嗨! 周兄,你有银子吗?"姓李的向周永旭问。

"有倒是有,你……"

"你手气好,和他搏一搏,赢他百儿八十的岂不甚好? 既赚钱又可消遣,何乐而不为?"

"这……不好不好,不论谁输谁赢,都……"

"你真笨。"姓李的附耳说:"这家伙是个大户人家的纨绔子弟,金银多的是,不赢他一两百银子岂不是大傻瓜? 来吧! 这样吧,你先借给我好不好? 我和他博。"

姓李的真透着亲密,伸手向他怀里掏。

他格开伸来的手说:"慢点慢点,我只有十两银子……"

"十两正好,赢了他就还给你,放心吧,稳赢。"

"这……"

"拿来吧! 不信我马上赢给你看。"

他笑笑,掏出一锭银子,手尚未张开,姓李的像是苍蝇见血,一把就夺过向杨芳说:"来来来,十两一博。"

杨芳移坐过来,笑嘻嘻地放下十两银子说:"输了可不要哭爷叫娘的,来吧!"

"三次掷吧……"

"不!不要小儿科,一掷决胜,谁大谁赢,你先请。"

半死的中年人突然伸手拍了拍周永旭的肩膀,有气无力地说:"年轻人,不要和他们……"

"老不死你干什么?"杨芳大声咒骂:"滚远些,不要扫咱们的兴。"

"算了算了,杨兄,别理他。"姓李的打圆场:"瞧,我掷啦!"

周永旭笨头笨脑的样子很可笑,拍着手叫:"妙啊!十一点,十一比天大。"

"糟透了,这下可输定啦!"杨芳懊丧地说,无精打采地拾起骰子,摇几摇向下一丢。"

"五点,二三点,我赢了。"姓李的抓回两锭银子欢呼:"杨老兄,我的手气转啦!"

杨芳放下两锭银子说:"这次二十两,敢不敢?"

姓李的把银子向下放:"运气来了泰山都挡不住,只怕你不敢。"

这次由杨芳先掷,手气不坏,一个六一个四,而姓李的竟然掷出五六十一点,赢了这一注。

周永旭一把抓回自己的那锭银子说:"我把本钱拿回来,免得……"

"傻瓜!"姓李的劈手夺回:"这时拿回本钱,会转手气走霉运的。"

三掷两掷,姓李的最后掷出三点,被杨芳掷出的四点赢走了最后一锭银子,姓李的垂头丧气,埋怨周永旭说:"瞧吧,都是你不好,要不是你要拿回本钱,我哪会转霉运?"

"你怎么能怪我?"他傻兮兮地说:"是你掷得差劲,怎能怪我?哦!还我的银子来。"

"咦!我为何要还给你?"姓李的耍赖啦。

"你借我的……"

"不错,我借你的,但不是说明了吗?赢了再还给你,没错吧?"

"这……"

"我没赢,如何还你?"姓李的理直气壮反驳。

话说得有道理,周永旭真傻啦!

"除非你还有银子,不然扳不回来了。"姓李的进一步挑逗他:"你的手气好,早该让你自己掷的。还有没有银子? 我保证你可以把他的银子全赢过来。"

"算了吧! 凭他那块料,还能把本扳回去?"杨芳得意洋洋地说。

"快把银子掏出来,赢给他看看。"姓李的又要动手向他怀里掏了。

"好,我看看还有没有。"他笨手笨脚地扣开包裹。

半死半活的中年人正要说话,却被杨芳背着周永旭举起大拳头竖眉瞪眼唬住了。

周永旭东摸西摸,掏出五片金叶子,五锭碎银共计十两,抓在掌心说:"我这是卖地的钱,管用吧?"

杨芳和姓李的鼠目放光,乐坏啦!

"金子不折官价,每两折银子十两好了。"杨芳大方地说:"你总共有六十两银子,我们一次博,怎样?"

"来吧,一次就一次。"姓李的夺过金银往下放,将骰子塞在周永旭手中:"掷呀! 准赢。"

杨芳放下六十两银子说:"我先掷,怎样?"

"不要让他先掷,你现在的手气正好。"姓李的说,抓住他握骰的手往外扬。

"啪啦!"骰子落舱板,一三,四点。

"糟了!"他拍着大腿叫苦。

"该我了。"杨芳得意洋洋地说,抓起骰子在掌心拍了一拍,呵口气合掌摇几摇,一声怪笑向下掷。

"啪啦啦……"骰子着板连翻四五转。

"一二,三点。"他大叫,一把将银子全部拨回。

"见了鬼了。"杨芳盯着骰子发呆,一红二黑,三点,半点不假。

"还敢来吗"姓李的问。

杨芳在包裹中取了十锭银子,没好气地说:"我不信你真有那么好运气,一百两一博,来吧。"

姓李的不管周永旭肯是不肯,夺过一百两银子往前一推,说:"你先掷。"

杨芳抓起骰子,老习惯先拍两拍再摇动,掷出了五六十一点。

"这次可完蛋了。"周永旭懊丧地说。

除非他能掷出十二点,不然输定啦!

他抓起骰子,合在掌中念念有词求菩萨保佑,向下一掷,骰子一阵急转,最后全面红:十二点。

"哈哈哈………"他狂笑,伸手抓拨赌注:"十二点。"

"慢着,你这是十点。"杨芳叫,先抢骰子翻置两个五:"你输了,这位李兄是见证。"

"不错,是十点。"姓李的说:"周兄,愿赌服输,你不能撒赖。"

他不再装傻了,一把揪住杨芳的衣领,冷笑道:"阁下,你的招子可得放亮些。"

"放手!"杨芳阴森森地冷叱:"你大概瞎了眼,敢在我飞鱼杨芳面前动爪子,你活得不耐烦了。"

声落手出,右手食中两指来一记双龙戏珠取双目,好快,手一招便中的。

他哎一声怪叫,仰面便倒。

"噗!"姓李的给了他一掌,劈在耳门上力道十分凶猛,存心要他的老命。

"把他丢下江去。"杨芳说,开始拾金银。

半死半活的中年人突然狂叫,居然嗓门甚大:"谋财害命啊!船家救命。"

"这家伙碍事。"姓李的抓回骰子叫:"要他永远闭上嘴。"

杨芳向中年人扑去,要下毒手了。

"谁要是乱说话,小心他的老命。"姓李的向两个战栗着的行商凶狠地说："大江的水上好汉说一不二,你们不希望下江喂王八吧?"

舱门拉开,一名船夫大声喝问:"住手! 你们真有人谋财害命?"

飞鱼杨芳已叉住中年人的咽喉,赶忙放手急步堵住舱门,口中叽叽咕咕说了几句外人听不懂的话,右手在胸前打出怪异的手势,压低声音说:"这里的事咱们负责,没有你们的事,船晚片刻靠码头,知道吗?"

船夫脸色大变,语不成声:"可……可是……"

"你不希望再吃这条江的水了?"飞鱼厉声问。

船夫身后突然出现一位穿团花长袍,相貌堂堂留了三绺长须的中年人,背着手冷笑道:"是不是除了船家之外,所有的乘客都得灭口? 不然,官司你打定了。"

飞鱼杨芳吃了一惊,回身扑向自己的包裹,迅速地拔出一把匕首,狂风似的冲向舱门。姓李的也在包裹内拔出一把分水刀,随后向外抢。

"阁下的口气像是官府的鹰爪。"飞鱼杨芳向背手而立的中年人凶狠地说:"在下要替你招魂,你认命啦!"

"在下正要找机会到安庆找混江龙,苦于没有借口。"中年人欣然地说:"你两个该死的东西偏偏在此作案,正好给在下把混江龙关进监牢的好线索,你要动匕首行凶,在下只好先废了你们,上呀!"

飞鱼杨芳大吃一惊,不敢再逼近,问:"你阁下是……"

"南京五城兵马司,北城副指挥使戚。"

飞鱼杨芳大骇,不由自主退了两步,惊恐地叫:"戚报应! 你……"

姓李的更惊,奔向右舷准备往水里跳。

舱角人影闪现,一个青衣人蹳出叫:"此路不通。"

"你……你是……"姓李的悚然止步问。

"应天府一级巡捕俞。"

"老天爷! 鬼见愁俞瑞。"姓李的腿都快软了:"南京双雄全来了,我……"

"你的刀快掉了,小心砸伤自己的脚。"鬼见愁说,踱下舷板淡淡一笑。

南京双雄,指的是戚副指挥使戚报应戚祥,和应天府捕头鬼见愁俞瑞。

戚报应负责南京北城的治安,鬼见愁负责南京首府江宁地面的安全。论官位,戚报应仅是正七品小官,鬼见愁更小,从九品刚入流。

这两位小官官虽不大,但大权在握,武艺超尘拔俗,铁面无私执法如山,铁腕所及,江湖宵小闻名丧胆,所以绰号叫报应和鬼见愁。那些有案的江湖巨擘,在南京决不敢亮名号;连那些大官巨室的权贵子弟,也畏之如虎。

他两位对犯案的人有一套最灵光的办法,那就是凡是胆敢拒捕的人,一律先废了再办,从不理会犯案的人是何来路。

因此,那些不肖权贵子弟见了他们,如同老鼠见猫,即使有了不起的权贵长辈做后台,但人先被废,能保释出去也完了。

当然,双雄办案从不乱来,没掌握确证,他们是不会下重手的。他们任职三四年,的确办了不少惊天动地的大案,不但正法了不少江洋大盗,连南京兵部右侍郎的儿子花花太岁张世权,也被绑住双手用马从江宁镇拖回府衙,南京的官民人人称快。

南京双雄,不但地方官民耳熟能详,江湖朋友也不论黑白道名宿高手,皆对他俩刮目相看。

人如果行得正坐得稳,行事光明正大,公私分明无愧无怍,必可获得他人的尊敬,甚至连仇人也会尊敬推崇。

这就是南京双雄,他们的名号和声誉在江湖道上地位极高的缘故。

"我……我认栽。"姓李的说,丢下分水刀。

"你瞧着办吧。"飞鱼也丢下匕首说:"咱们不是混江龙的弟兄,你带咱们去找他毫无用处。"

"哦!那你们是哪条线上的?"戚报应问。

"咱们正要投奔混江龙,顺道骗些银子快活而已。"飞鱼可怜分分地说:"咱们原来在洪泽湖夜叉林义手下鬼混,去年洪泽水寨被三怪中的二怪癞怪韦松所捣毁,咱们便成了失水的鱼。"

"唔!在下相信你的话。"戚报应颔首说:"你们虽然不在戚某的地面作案,但戚某是执法人,碰上了不能不管,只好将你们交给官府处理,你们把受骗的苦主杀了?"

"这……"

"那么,你们必须受缚,公事公办,在下……"

舱口出现周永旭的身影,呵呵大笑道:"老戚,戚大人,你得赔我三百两金子。"

"咦!是你?"戚报应大感惊讶:"去你的,你不是走和州江北陆路吗?哈哈!这两个小辈瞎了眼昏了头,难怪扫把星当头走霉运了。"

"我正等他们丢我下江,以便找他们讨三百两赔命钱,这一来,有你这戚报应在旁执法,我岂不落了个人财两空?"

他钻出舱向鬼见愁抱拳施礼:"呵呵!俞兄,你吃到江上来了,小心混江龙请你吃板刀面。"

"哈哈!早知是你,咱们乐得清闲。为了你,咱们露了行藏,你怎么说?"鬼见愁回礼笑问:"混江龙消息灵通,大概早就准备对付你这个勒索者了。"

"呵呵!你两位大菩萨躲在破船上,就可以掩人耳目了?别自我陶醉啦!"他摇摇头:"混江龙既然在你们的地面上落了案,他还能不加强戒备?我劝你们还是转回南京吧,那条孽龙如果怕你们,就不会远及南京作案自掘坟墓。我敢写保单,他已经安好天罗地网等你们进网入罗,这两个小辈所说的,没有一句实话。"

"你是说……"

"他们是混江龙派出的无数眼线之一,船上还有一个大名鼎鼎的病无常袁福呢。今早一上船,我就发现他们的身分了,他们互相打手势交换消息,恰好我懂大江水路朋友的手语。"

鬼见愁迅疾地奔向舱口。

周永旭又说:"不必了,他走啦!从那边的窗口滑下水去了。"

舱内,半死不活的中年人已经失了踪。

"哦! 真有其事?"戚报应动容。

"用分筋错骨手法问问,保证他们吐实。"

飞鱼和姓李的不约而同,分两面飞跃而起,要跳水逃命。

"留下啦! 朋友。"周永旭说,扣指疾弹。

"我倒不信你会飞?"戚报应大袖一挥。

"砰!"两位仁兄刚纵起,便重重地摔倒。

"进舱里去说。"鬼见愁说。

中舱的内间里,迎接他们的是鬼见愁的侄女俞霜姑娘和一位侍女。

俞霜年约十六七,稚容未脱,瓜子脸眉目如画,清丽灵秀脱俗而大方,穿一身月白衫裙,谁也不敢相信她会是一个内家高手。

飞鱼和姓李的两个痞棍,被点了昏穴塞在舱角。

"霜儿,来见过近年来,闹得江湖乌烟瘴气的怪人。"鬼见愁向正要回避的俞霜说:"他就是令人头疼的勒索者神龙浪子周永旭。这位是舍侄女俞霜。"

"俞姑娘,别听你叔叔胡说八道。"他盘膝坐下:"这次我途经贵地,就没敢在地头上伸手……"

"哈哈! 乌江浦不是我应天府的地头?"鬼见愁问:"地低三尺那三百两金子,该不是你起得早在路上捡到的吧?"

"咦! 那就怪了,赔命钱不比捡到的来得辛苦?"

"你呀! 这样下去早晚要碰大钉子的。"戚报应诚恳地说:"周兄,你这种游戏风尘的举动,我不敢苟同,万一有人摸清了你的底,一下手就用歹毒的手法暗算你,届时后悔就来不及啦!"

"当然,我会小心的。同时,老把戏玩多了就没有人看了,看样子从今起我要改用怪招啦!"

"什么怪招?"

"天机不可泄露。"

"哦! 依你看,混江龙真的知道咱们要来?"戚报应问:"但愿安庆府有咱们可用的人。"

"混江龙必定在等你们去送礼。"周永旭肯定地说:"同时,我敢保证龙江关五尸六命灭门血案,是混江龙故意作的案,故意留下线索引你们追查的阴谋,希望你相信我的判断。戚兄,安庆府没有你们可用的人,巡检衙门那几位巡检只能赶老鼠。如果我所料不差,安庆府白道名宿神鞭郭天奇恐怕已经不在人间了,他是你们惟一可以借助的臂膀,混江龙如果不除去他,就不会愚蠢得向你们挑衅。"

"哎呀!那……"

"因此,我奉劝你们打道回府,太平府以下,就是混江龙的地盘了。池州一霸铁背苍龙金彦,从不过问大江黑道朋友的闲账,也管不了。"

"周兄,你能不能做做好事?"鬼见愁含笑问。

"我不是在做好事么?正打算把那些勒索来的金子,送给池州的惠民药局与各地善堂呢。"

"我的意思是……"

"哎呀!拜托拜托,别拉我下水。老实说,遍地贪官,处处土豪,我对你们这些人印象恶劣得很。"

"当然我们俩是例外。"

"不错,这就是我把你们看成朋友的主要原因,你可不能得寸进尺,打蛇随棍上,我不会替官府跑腿的。"

"谢谢你看得起我们。"戚报应抱拳说:"以朋友的情义求你,你也不答应?"

"这个……"

"混江龙心狠手辣,人性已失,连孕妇也不放过,五尸六命……"

"别说了。"他烦躁地说,摇摇头:"你们破案可有期限?"

"本月底。"

"这……能不能再拖一段时日?"

"周兄的意思……"

"我在池州有事待办，很重要。"他虎目中杀机怒涌："如果能等到下月中旬，我走一趟安庆。记住，我不是为你们办事，而是为了五尸六命。"

"我先谢谢你。"鬼见愁欣然说："一言为定，下月中旬我和戚兄按期到达，听候周兄差遣。"

"又来了，我敢差遣你们？我用我的方法办事，你们不必理会我。现在，你只要派出一些毫不起眼的人，到安庆一带暗暗摸清情势，五月十五，派人在双忠祠等我交换消息，正午我如果不来，那就不必等我了。双忠祠在府学东侧，读书人常去的地方，很好找。"

"你是说……"

"天有不测风云，人有旦夕祸福；这是说，我如果不到，表示我这次池州之行凶多吉少，不必寄望于我了。"

"周兄，你说咱们是不是朋友？"戚报应庄严地问。

"那是当然，你……"

"如果你认为咱们是朋友，就该让朋友分忧……"

"呵呵！如果要对付一些歹徒恶棍，我自然会借助诸位的鼎力。可是，兄弟浪迹江湖五载，十八岁就开始跑遍海角天涯，两年前才开始以神龙浪子的名号闯荡，你知道为了什么？"他深深地吸入一口气，叹息一声："那表示我遭遇了重重困难，必须改弦易辙进行除魔大计。"

"哦！是找仇家？"

"不是仇家。正如我愿意帮你缉五尸六命的凶手道理相同，我是奉师命锄除一个屠人千万的元凶首恶。这人不仅气功盖世，马上马下号称万人敌，而且玄功道术举世无双，五年来音讯毫无，找得我好苦。风闻他这次可能到九华隐伏，所以我来了。"

"哦！我知道你要找的是谁了。"戚报应憬然地说。

"你知道？笑话。"

"周兄，不要估低了兄弟的能耐。"戚报应说："南京兵部的邸报兄弟有机会过目，五年前的事……"

"那就不要说。"周永旭抢着说："你们知道月梢九华大会的事么？"

"听说过，魔邪去年中秋订下此次的约会。三魔的大魔云龙三现欧阳春风，与三邪之一的神行无影郎君实，两人的门下弟子较技算过节，你是……"

"去看看风色，可能有我要找的人。"

"我很替你担心。"戚报应不胜忧虑地说："那凶魔能在十万大军合围中从容逸去，在刀山剑林中来去自如，你怎能对付得了他？"

"如果是去年岁尾之前，也许我对付不了他，我仅负责侦出他的下落，由家师出手擒魔。而现在，他想从我手下脱身并不是易事。"

"哦！我还不知令师是谁呢。"鬼见愁问。

"师父倒有好几个，恕难奉告。"他的目光落在窗外："天快黑了，太平府到啦！你们是否登岸？"

"是的，听你的话打道回京。"

"对，硬往天罗地网里闯，智者不为。"

"你打算在船上过夜？"

"呵呵！行囊里有几百两黄金，怪担心的是不是？"他拍拍戚报应的肩膀："所以，财不能聚得太多，财多了就被财产牵着鼻子走啦！你们快走，突然折返南京，混江龙必定疑神疑鬼，日后到安庆办事就容易多了。"

他们在高谈阔论，俞霜主婢俩静静地坐在一旁倾听。俞姑娘亮晶晶的明眸，不断地在周永旭身上转，粉颊会突然地泛起淡淡红霞，也逃避似的回避他的目光。

他并未留意姑娘的神色，对一个刚会面的晚辈，他没留下任何印象，只本能地觉得鬼见愁有一个灵秀沉静的好侄女而已。

船正在靠码头，船上一阵忙碌。

周永旭回到自己的客舱，倚在窗口浏览忙碌的码头，天色尚未全黑，码头上泊了三二十艘大船，大江不禁夜航，泊碇的船必定是与太平府有往来的船只。

鬼见愁带了侄女主婢先登岸，戚报应押着背捆双手的飞鱼杨芳与姓李的人，毫无戒心地随后登岸。

两名夫子打扮的人看清了飞鱼杨芳，吃了一惊，往人丛中一钻，向南走了。

久走江湖的人，必须具有灵敏的耳目，天生的猎犬鼻，可嗅出危险的气息，能在一瞥之下，看出可疑的事物来。

窗口的周永旭旁观者清，他立即包好行囊，也不向船家打招呼，施施然踏上跳板，隐没在忙碌的人群中。

码头是商业区，但离城还有两三里，中间隔了一道护城壕，站在码头最高处，可以看到太平府的水西门城门楼。府城的城墙特高，有三丈六尺，加上城门楼的高度，船在江心便可看到了。

码头北面是太平水驿。

鬼见愁一马当先，直趋驿站的大门，迎面碰上一名驿卒，他上前抱拳问："请问，还有地方可以住宿吗？"

"你是……"驿卒打量着他问。

鬼见愁从怀中掏出一卷文书，打开说："请禀告驿丞，在下有要公途经贵地，这是宿止的公文。"

"可是……本站已没有官舍，今天来投宿的官差很多。这样吧，你到北面的递运所试试看。不过，递运所今天恐怕也住满了，湖广来的漕船到了十五艘之多。"

"那……"

"进城也已经来不及了，这样吧，晚上可在柴房暂且安顿……"

"那就算了。"鬼见愁无可奈何地收起公文，他带了侄女，怎能住柴房？进城的确来不及了，天一黑城门便关闭，谁也休想出入。

"我们去找船，连夜下放，怎样？"戚报应说。

"也好，试试看。先找一家食店，晚膳还没有着落呢。如果找不到船，今晚只好住小客栈了。"

码头一带客栈虽然不少，但都是供贩夫走卒住宿的小店，几乎全是大统铺，带有女眷的旅客必须进城找大客店投宿，要不就只好在船上过夜。

这一耽误，耽出了大纰漏。

他们在一家小食店进膳，然后由戚报应到码头找船，不但找不到下放的大小船只，连先前乘坐的客货船也失了踪，据码头上的人说，船仅停靠片刻便匆匆解缆走了。

戚报应相当机警，船失踪便引起他的疑心，按理，那艘船必须在此加载几位乘客，而且上航相当辛苦，这种船速度慢，航道江东岸有无数石矶，西岸全是浅沙，一不小心，撞矶搁浅怎吃得消？晚间夜航十分危险，船不可能匆匆开航的。

他看出危机，再一留心码头上的夫役们的表情，他暗暗心惊。不错，的确有不少人用异样的目光打量着他，几乎所有的人皆像避瘟疫似的避免与他接近。

他立即到货仓塌房一带找官府中人，那一带该可以找得到太平府的巡检。可是，他失望了，偌大的码头区，居然找不到半个巡检衙门的人。

他回到食店，立即将疑心的事向鬼见愁说了。

鬼见愁比他老练些，地方巡捕出身的人，比军方派委的治安官吏地头熟，立即亲到码头查证。

不久，鬼见愁匆匆返回，脸色不正常，将戚报应和侄女主婢唤出店外，不胜忧虑地说："戚兄，目下我们有两条路可走。"

"查出什么线索了？你的神情很可怕。"戚报应心中一紧。

"有人封锁了码头，可能是病无常袁福比我们早到一步，他的水性比船快得多，而且是混江龙的死党，可能已纠合死党和我们敞开来算了。"

"那……咱们……"

"其一，越城到府衙投文。其二，沿陆路迅速返京。"

"第一条路显然行不通，偷越城关知法犯法，只要歹徒们透露些少口风，咱们吃不消兜着走。"

"那么，只有一条路可走了，咱们立即动身。"

只要远出三十里，过牛堵山越慈姥山，便算是到了应天府的地境，那是鬼见愁的势力范围，说走就走，带了行囊，六个人立即动身，他们并不怕病无常，只是不愿无端被缠住而已。

大道在北门外会合官道，六人撒开大步急赶。十里外是牛堵山，官道从山东麓经过，山西麓临江，那就是大名鼎鼎的采石矶。

五里亭在望，亭附近的几家农舍灯火全无。

飞鱼杨芳一面走，一面扭头说："俞头儿，咱们并未在你的地面犯案，目下姓周的苦主又不在，你无法定咱们的罪，对不对？放咱们一马，如何？"

"放你回去向混江龙报信？抱歉，办不到。"鬼见愁冷冷地说："你请放心，欲加之罪，何患无辞？我会送给你几样罪名，关在大牢里让你快活的。"

"你别说早了，到南京远得很呢。"

"你放心好了，真要有三长两短，第一个倒霉的人，保证不会是我鬼见愁，而是你两位仁兄。"

"何必呢？光棍打九九，不打加一，放咱们俩一马，病无常便会放过你们的，我保证……"

"你保证什么？你算老几？少臭美了。"鬼见愁阴森森地说："如果在下所料不差，混江龙早有预谋，他不会在安庆等俞某拆他的台，他的狐群狗党大概已布置在太平附近，守住大门等……"

谈话间，已到达亭前，亭右的农舍屋角踱出一个黑影，接口道："不错，咱们已经在大门等你。南京双雄，离开了南京地面，你们就成了折翅的鸟，失水的鱼。哈哈！咱们已久候多时，已经替你们挖好了坟墓，就等你们的尸体往里填啦！"

路两侧，草丛树影中接二连三站起不少人影，前面，有八个黑影拦住去路，身后，退路已绝，不少黑影堵住了。亭中，升起两个身材高大的黑影，一个站在檐口用打雷似的大嗓门说："南京双雄，这些年来，你们到底杀了在下多少弟兄？你们该用血来偿还？"

鬼见愁将两个俘虏交给俞霜主婢看管，丢下包裹，拔出腰里的成名兵刃三节棍，呵呵大笑道："混江龙，在下真没想到阁下真的亲自来了，很好很好。在下身在公门，公平执法，擒了阁下多少弟兄，委实记不清了，你说吧，龙江阁客船屠门血案，五尸六命惨绝尘寰，是不是阁下的主谋？"

"在下说过是主谋吗？"

"三凶手已有两个落网，招出你是主谋。苦主是安庆逃出来的富商，曾经招请武林高手抵制你的勒索，结怨甚深，曾经与官府合作，清除了你下江三处秘舵，最后被你请来不少恶毒的江湖败类，破了他的家，他只好携家小逃来南京避祸。你不甘心，派了八组二十四名恶贼跟踪追杀，在龙江关破晓时分行凶屠船，你否认吗？"

"哈哈哈哈……"混江龙仰天狂笑，笑完说："好吧，这时告诉你已经无关宏旨了，不错，在下是主谋。斩草不除根，春风吹又生，换了你，你也会这样做，你不也是擒获凶手又要获主谋吗？在下知道二位仁兄很勇敢，决不会以擒获凶手为满足，必定逞匹夫之勇到安庆找我。因此，在下只好先发制人送你们上路永除后患。俞兄，你两人值得骄傲，居然逃过在下百余弟兄的眼下，几乎被你成功地逃脱天罗地网，病无常老江湖居然不知你们在船上，栽到家了。当然，他做梦也没料到你们会带了家眷掩人耳目，你们办案从来不带伴当的。"

"你是跟我投案呢，抑或是要俞某动手请你？"鬼见愁豪壮地说："阁下，不要叫你的爪牙上前送死，在下不希望多伤无辜，你出来吧。"

"在下知道你了得，甘拜下风。不过，有几位前辈你必须先会会他们。"

"不错，老天先要秤秤你的斤两。"一个黑影踱出路面说："小辈，用你的拨火棍上吧。"

"阁下是……"

"老夫邹永汉。"

"夺命人屠!"鬼见愁骇然惊呼:"老前辈位高辈尊为何替一个水匪出头助纣为虐?"

"老夫就是看不惯你们这些公门鹰犬的嘴脸。"夺命人屠乖戾地说。

戚报应拔出佩刀,沉声说:"俞兄,不要和他们废话了,事已至此,只有决死一途。这老魔虽然不曾在咱们地面行凶杀人,但通缉他的文书不下十件之多。俞兄退,我来对付他。"

"哈哈!武林人一入公门,便将武林规矩置之脑后了。"夺命人屠狂笑着说:"因此,如果你两人并肩上,老夫并不怪你们。"

"不错,身入公门,职责所在,讲的是天理国法,武林那些所谓决斗规矩,不得不暂且抛开,那种罔顾公义勇于私斗的成规要不得。"戚报应厉声说:"因此,在下并不因此而脸红。现在,我已经给了你不动武随本官至公堂公平受审的机会,而你却逼本官动手,不能怪我。"

"哈哈!你为何不上?想用口……"

"得罪了。"戚报应冷冷地说,疾冲而上。

"咦!你不先出刀?哈哈……"夺命人屠傲然地说,向侧一闪,大袖猛挥,罡风似阴雷,用上了霸道的铁袖功,一照面便下杀手,可裂肌侵骨的内劲发如山洪。

老魔小看了戚报应,这一袖就打算把这个把门小官震毁五脏六腑,毫无顾忌地全力施为。戚报应敢以两人之力远至安庆龙潭虎穴中缉凶,如无超人的艺业和胆识,怎敢前往送死?袖风暗劲一涌而至,他身形疾转,不但避过致命一击,而且从侧方死角贴近了老魔的左侧,一声沉叱,佩刀冷电一闪,立即乘势侧掠丈外,刀击破护体气功的厉啸,令人闻之毛骨悚然。

"十余件血案在等你受审。"戚报应站在丈外说。

夺命人屠身躯在打旋,然后跟跄向左冲,冲了两步,突然发出一声可怖的叫号,砰然栽倒,左胁肋裂了一条大缝,血如泉涌。

"咦!"四面八方几乎同时传出惊叫声。

"补老……老夫一刀……"夺命人屠嗄声叫。

"你死不了,本官要你活着受审。"

"小辈该死!"东北角的草丛中传出厉吼,灰影暴起,来势如电射星飞。

鬼见愁大喝一声,迎上挫虎腰来一记"大地盘龙",三节棍猛攻灰影的下盘。

"撤招退!"农舍侧方突然传来急促的沉叱。

但已来不及了,声音与灰影同时到达,三节棍已经攻出,接触,"铮"一声爆响,三节棍的前一节似乎炸碎了。

灰影手中的三尺六寸五分长的怪兵刃量天尺下沉,击碎了第一节精钢打造的精钢棍,左手大袖一挥,同时反击,噗一声闷响,鬼见愁像断了线的风筝,飞翻出三丈外。

戚报应大骇,不假思索地冲上就是一刀。

"该死!"灰影咒骂,量天尺硬接佩刀,左袖也挥出了,行致命一击。

人影穿透合围的人丛,像流光逸电般冲入斗场,一根树枝恰好与量天尺佩刀下方接触。

"铮!"暴响震耳,那是量天尺与佩刀先一刹那接触的响声。罡风厉啸,劲气四荡,袖风向外迸发,人影中分,地面尘埃滚滚。

戚报应的佩刀前一尺锋刃不见了,断成碎屑飘坠,连退七八步,最后屈右膝挫倒。

另一面,俞霜姑娘一剑震退了乘乱扑来擒捉鬼见愁的一个黑影,她也被震得侧移三步。

灰影吃力地退了五步,勉强稳下身形,量天尺无力地支地,身形摇摇晃晃似乎站不牢。

一个蒙面黑衣人屹立先前接触处,手中的五尺长树枝斜举,用奇异的嗓音说:"无量天君,你为何不穿道袍?还俗了呢,抑或是隐姓埋名躲起来见不得人?你走不了的,信不信由你。"

　　无量天君四字一出，不但已受了伤的南京双雄大吃一惊，连四周合围的歹徒们也惊叫出声。这位汉中无量道院的院主道号就叫无量，绰号叫天君，名列宇内三暴的二暴，是大暴赤阳子玄真的师弟。

　　三暴横行江湖三十年，与三邪三残同称九大杀星，黑白道朋友恨之切骨，江湖人闻名变色而走。据说，十余年前少林九名罗汉专程赶到汉中，与这两个杀星激斗三个时辰，仍被他俩击伤两名罗汉遁走。此后，不再有人敢冒大不韪找他们的晦气。

　　今晚，这位杀星没穿道袍现身，竟然被这个蒙面不速之客所击败，蒙面人口气之大，更令歹徒们心惊胆跳。

# 第六章　碧落家凤

无量天君大概吃足了苦头，左移两步想溜，被蒙面人揭破了溜走的企图，便知道大事不妙，站稳沉声说："取掉你的遮羞布，贫道要看看你是什么东西，在贫道的无量天君全力一击下未受伤害，定是武林中了不起的人物，通名号。"

"天太黑，你老眼昏花看不真切，何必看？"蒙面人仍用那奇怪的嗓音说话，像是快入土失气失力的人："我找你有事，你就留下吧！老道"

蒙面人举着树枝逼进，一步一顿像是蓄劲待发。

无量天君慢慢向左移动，量天尺徐徐举起，手在发抖，问："你是三菩萨的佛光秃驴？脱下头巾。"

"丢下你的量天尺。"蒙面人冷冷地说，紧逼着对方移位，黑袍无风自摇。

"你见不得人……"

蒙面人以一声怪笑答复，冲进树枝直点而出，无量天君竟心虚地向右疾闪，量天尺抖出一朵尺花自保。

"噗啪！"树枝的速度突然加快了数倍，连抽两记，把量天尺崩得向侧方急荡。

无量天君飞退丈余，撒腿便跑，可是仅跑出四五步，身后叱声刺耳："你走不了的，除非是变成老鼠……咦！"

一言提醒梦中人，无量天君向前一仆，恰好扑入一条深而宽的大土沟，沟内野草丛生，向东伸展入三丈外的树林。事急矣！扮一次老鼠无伤大雅,一着地便抓起一把泥屑向后掷,泥土破空的飞行啸声十分刺耳,人向前一窜,如飞而遁。

蒙面人被呼啸而来的碎泥所阻,黑夜中看不出是何种歹毒暗器,不得不先行闪避,错过追赶的大好机会。

"前辈,穷寇莫追,请帮助晚辈救伤。"俞姑娘扶着鬼见愁大叫。

蒙面人止步回头,说:"咦!这些人的腿真快。"

不但混江龙和歹徒们无影无踪,连胁肋挨了一刀的夺命人屠也踪迹不见。

戚报应吃力地站起,用走了样的嗓音说:"这杀星在此地出现,南京地面将掀起血雨腥风。前辈……"

蒙面人从怀中取出一只鹿皮小囊,倒出两粒有蜡衣的拇指大丹丸说:"你们已被无量神罡震伤内腑,拖不得。我的丹丸很管用,服后再行疗伤术通经脉中的淤血,行功三周天便可永除后患。先在树林里疗伤,我到四处走走,看兔崽子们还在不在。"

丹丸刚交到俞霜姑娘手中,人影突向右侧飞射,叱声震耳:"站住!留下吧!"

五丈外草声簌簌,一个黑影去势如电射星飞,蒙面人的轻功虽然高明,但相距在五丈外,而且草木繁茂必须小心暗器,想追上谈何容易?眨眼间,两人都失了踪。

"是周老弟!"鬼见愁宽心地说:"刚才的叱声是他的真嗓音,咱们快吞下丹丸行功,在此等他回来。"

姑娘和侍女把两人扶至路旁的树林中,左右分立替他们护法,行功疗伤不能受到外界的惊扰,顾虑混江龙一群恶贼可能去而复来。两个俘虏则被制了昏穴,搁在一旁无声无息。

好漫长的等待,鬼见愁首先行功完竣;出了一身臭汗,除了尚感到些少虚弱外,经脉中已无积淤存在。

"这恶道真可怕,无量神罡的火候也委实惊人。"鬼见愁站起活动手脚说:"混江龙这恶贼居然能请到这种凶残恶毒的高手壮声势,咱们下月安庆之行前途多艰。"

"咱们是已经骑上了虎背，只好尽其在我了。"戚报应站起苦笑："凶手在大堂招出了主谋，咱们怎能不奉命行事？混江龙这一手真够狠的，他在逼你我跳火坑。如果出动大批人手，他躲得稳稳地咱们到何处去找？所以他算定你我必定暗地前往缉捕，布下天罗地网等你我进网入罗。这次要不是侥幸碰上周老弟……唔！你嗅到异味吗？"

"咦！是什么怪香。"俞姑娘讶然说，掏出手绢拭抹鼻端："好像是什么花香，很浓呢。"

"砰！"侍女直挺挺地倒下了。

"哎呀！不好……"鬼见愁惊叫，人向前一栽。

两个黑影出现在上风五丈的草丛中，缓步而来，仅迈进了两三步，戚报应和俞姑娘也倒下了。

先前击走无量天君的蒙面人是周永旭，他穷追那个黑影远出百步外，居然未能拉近双方的距离。天太黑，这一带丘陵和沟渠星罗棋布，而且草木繁茂，视界有限。而黑影似乎地形熟，曲折飘掠穿枝入伏，似乎有意引诱他追踪，不时折枝发声吸引他的注意。

如果在白天，也许他不难将对方追及，他的轻功的确比对方高明，可是在夜间，他大有英雄无用武之地的感觉。

他到底年轻气盛，追不上心中冒火，一怒之下顿忘利害，不顾一切狂追不舍。不知追了多久，接近一座村落的北面，犬吠声打破了四周的沉寂。

犬吠声令他神智一清，心中一懔，暗骂自己糊涂，黑夜里在这种蔽地里追一个轻功高明的人，不是自找麻烦吗？他心中一动，立即向侧一窜，伏在一株小树下隐起身形，心说：如果你老兄有意引诱我，你会回头找我的，我等着你呢。

黑影失了踪，远出他的视线外，不再听到枝叶的擦动声，对方大概还不知他不再追赶了。久久。东面突然传来轻微的衣袂拂草声。

"好啊！你果然回来了。"他心中暗叫，准备扑出。

擦草声远在六七丈外，突然声息全无。

"唔！这家伙好机警。"他低声自语。

久久，毫无动静，他等不及了，怎能在此地干耗？就在他准备以全速扑出的刹那间，小村方向突然传来一声可怖的厉啸，尖锐刺耳如同鬼哭，令人闻之毛骨悚然。

草梢拂动声入耳，潜伏在六七丈外的人，以奇速撤走了。

敌势不明，他不愿冒险，小村可能是混江龙的旱舵秘窟，单身涉险未免太过愚蠢。

他立即动身往回走，鬼见愁几个人也许需要照顾呢。

回到五里亭，附近鬼影俱无，鬼见愁四个人踪迹不见，他心中疑云大起，两位被无量神罡震伤的人，为何不在此地行功疗伤？难道已经北上觅地治疗不成？

也许他两人认为此地凶险，急于离开觅地疗伤吧，可是，被无量神罡震伤如不立即行功治疗，拖得愈久愈难医治，鬼见愁与戚报应都是行家，应该知道拖延治疗的后果，不可能急急地离开觅地疗伤，可是，人呢？

他向北面举目远眺，看到远处有两星昏黄色的光芒摇曳不定，忽明忽灭很像是赶夜路的人使用的灯笼，可惜相距太远，看不出异样。

他在四周找了一圈，最后失望地回到五里亭，向北望，那两星灯火不见了，向北追，这是他第一个念头，找出藏在草洞中的包裹，他撒开大步沿官道急赶。也许，鬼见愁赶到江宁地境寻求庇护治伤了。

一口气赶了十余里，官道上鬼影俱无，按行程，鬼见愁和戚报应都受了伤，两位姑娘又得押解两个俘虏，脚程不可能比平常人快，而他却是急力急赶，十余里为何仍然不见他们的踪迹？

他放慢脚程，不住沉思，蓦地脱口叫："糟！我怎么这样愚蠢？中了混江龙的调虎离山计，大事不妙。"

回到现场，他重新在附近搜了一遍，仍然大失所望。天太黑，无法在地面找痕迹，当然无法看出打斗的遗痕，他奔向府城，希望能找到一些可疑的蛛丝马迹。

到了码头，已经是三更将尽，但码头上仍可看到一些不三不四的人，像幽灵般活动，他在下游一艘搁在岸上大修的破船旁，找到一个将要酩酊大醉的中年酒鬼。

酒鬼半躺在船旁堆放的木材下，一手握住酒葫芦，一手在衣兜内找花生米下酒，丢一颗入口，一面嚼一面含含糊糊地唱："四月里来龙招头，俏姑娘梳妆上彩楼……"

周永旭在酒鬼身侧坐倒，放下沉重的包裹，不客气地一把夺过酒鬼的酒葫芦说："见者有份，一个人喝多没意思？唔！酒好像不错……"

"哎呀！你怎么乱来？"酒鬼怪叫，伸手扭身来夺酒葫芦，衣兜里的花生米洒了一地。

"慢来慢来。"他将酒鬼的手拨开，将酒葫芦举得高高地："别这么小气，有酒有肉都是朋友……"

"鬼才和你是朋友。"酒鬼站起来夺酒葫芦："拿来拿来，不然我揍死你。"

他将酒葫芦举至一旁，一手撑住酒鬼的腰腹向外推，酒鬼连靠近也力不从心。

"你想夺回去？不可能。"他笑着说："这样吧，告诉我一些消息，我送你十两银子买酒喝。老兄，十两银子可以让你醉十天半月呢。"

"什么？十两银子？"酒鬼的酒醒了一半，不再挣扎："你是当真的？"

他收回手，掏出一锭银子举至酒鬼的鼻尖前说："用舌头舔舔看，银子保证假不了。"

酒鬼以行动作为答复，伸手猛抓，抓住了周永旭握实银子的大拳头，用尽吃奶的力气拼命夺。

"告诉我一些消息，银子马上就是你的。"周永旭不慌不忙地说："想抢嘛，办不到的。"

"你要什么消息?"酒鬼问。

"我要找码头上的包打听。"

"见你的鬼！我酒中仙就是码头上的包打听。"酒鬼拍着胸膛说："你可以去问问看，哪一角落的老鼠不知道我酒中仙？哪一伙蟊贼偷鸡摸狗能瞒得了我?"

"我不问偷鸡摸狗的事，我要龙的消息。"

"龙的消息? 别开玩笑。"

"我像是开玩笑吗？银子先给你，十两银子可不是开玩笑，老兄。"他将银子塞入酒中仙手中。

酒中仙果然将银子放入口中又咬又舔，说："唔！是真的银子，你小子到哪儿抢来的?"

"你去抢给我看看? 老兄，银子你要了，消息呢?"

"你是说……"

"不要说你不知道混江龙吧?"

噗一声响，酒鬼吓了一大跳，银子失手掉落尘埃，酒醒了一大半，打一冷战扭头就跑。

周永旭伸腿一拨，酒鬼趴下了，被他一把倒拖而回，按住嘴沉声说："得人钱财，与人消灾，你想耍赖？好吧，我要抽出你的懒筋来，免得你吹牛唬人骗银子。"

酒鬼的脖子被擒住，嘴被半封，挣扎了半天无法挺起，惊恐地低叫："不……不要用劲，我……我……"

"酒中仙，记起混江龙的事了吧?"周永旭问。

"我……我不知道，我……没拿你的银子……"

"你拿了的，我就是活证。"他揪住酒鬼的发结："你再说不知道，我丢你下江喂王八。"

"你……你……"

"混江龙走了没有? 何时上船的?"

"你比我强，要杀我就杀吧。"酒中仙的话丝毫未带醉意："我如果告诉你，我就没命，反正是死，我宁可死得干净些。"

"那你就死吧。"他手上用了劲。

酒中仙在他手中挣命，认命啦！好汉怕懒汉，他颓然放手，苦笑道："你这家伙很配在混字辈中鬼混，银子送给你算了，你知道怎样去花这十两银子吗？"

"知道知道。"酒中仙躺在地上揉着脖子和脑袋，呲牙咧嘴："我是很小心的，先藏一月半月，等混江龙走了，再偷偷换成碎银零零星星买酒喝，没人能查出来源的，谢谢你啦！咦！人呢？"

周永旭已经走了，他已经获得所要知道的消息，酒中仙无意中透露了口风，混江龙尚未离开，也就是说，这恶贼很可能将鬼见愁四个人藏在某处地方，并未将人带走。至于为何不撤走远离现场，可能另有原因。

人地生疏，而且在夜间，找线索有如在大海里捞针，四更天，他回到五里亭，钻入草丛睡一个更次，黎明时分，他仔细地搜索现场，希望能找出些线索。

官道上已有行旅出现，南来北往来去匆匆。

他久走江湖，对追踪术学有专精，接近先前鬼见愁几个人疗伤的树林，首先便发现草丛中茅草伏倒的异状，仔细察看片刻，自语道："足迹从西北角接近，这一面共来了两个人。伏卧的时间并不长久，绝不是预先派在此地的暗桩。"

他向东绕，又发现曾经有人潜伏的痕迹，风从东面吹来，依两处痕迹猜测，与卧伏时头部所指的方向估计，中心点可能有这些人所要的猎物。他循迹向前探索，不久，便看到一株大树下皱成一团的白色手绢。

那是一方半尺宽两尺长的绢巾，散发着淡淡的幽香。

"糟！是俞姑娘的手绢，她这种茜草香我不陌生，他们果然落在混江龙那群水寇手中了。"他握着手绢暗暗叫苦，不祥的感觉涌上心头。

再一察看附近的痕迹，找到了遗落在短草中的丹丸蜡衣碎片，却找不到打斗留下的遗痕。

"怎么一回事？难道他们是在行功疗伤时被人出其不意掳走的？"他惑然自问，百思莫解："可能吗？俞姑娘主婢不是庸手，不可能不加反抗，遗落绢巾岂是大意遗落的？绢巾揉成团而未散开……哎呀！来人一定是在上风用迷香暗算……可是，没听说过混江龙那些水寇中，有大量使用迷香的人才。按方位和距离，在上风用迷香，即使用量大得惊人，也不可能在五丈外把四个高手同时迷昏啦！"

正在胡思乱想，耳中听到脚步声，循声转身抬头，只觉眼前一亮。朝霞满天，官道中出现一位手挽小包裹，穿白底蓝色小衫衫裤的小村姑，同色花帕包头，虽是村姑打扮，但粉脸桃腮毫无风霜痕迹，一双深潭似的秋水明眸，焕发着顽皮慧黠的神采。

腰帕系得紧紧地，衬得小蛮腰不胜一握，因此把尚未发育完全的胸部，形成美妙的动人曲线，充满青春气息，小村姑看到了他，正离开官道，袅袅娜娜地穿越草丛，含笑向他所立的树林走来。

他几乎看呆了，心说："好灵秀的女孩子，鬼才相信她是个村姑。唔！她好大的胆子，好像是冲我而来的。"

小村姑在丈外止步，目灼灼无所畏惧地打量着他，瓜子脸绽放着动人的微笑。

"喂！你在发什么呆？"小村姑向他招呼。

他觉得脸上一热，回避对方的目光，答非所问地说："有事，是不是在下打扰姑娘了？"

"你在找什么？"小村姑问，目光落在他手上的半垂绢巾，微笑消失了。

"找人。"他说："找几个人。"

"我看到你手上有一条属于女人的绢巾。"

"是的，我在……"

"昨晚府城发现飞贼，侵入刘家的内院，偷走了不少首饰，是不是你做的好事？"

"咦！姑娘，我像个飞贼吗？"他有点恼火："你怎么说话这样随便？"

"刘家在府城为富不仁，所以我说你做的是好事。"小村姑沉下脸说："但你打昏了四名丫头侍女，又把刘家的大小姐捆了双手吊起来，那就是你的不对了。"

"你这位姑娘真是缠夹不清。"他摇头苦笑："青天白日大道之上，你凭什么咬定我是飞贼？真是岂有此理？"

"你否认？"小村姑咄咄逼人。

"我为何要否认？我……"

"你不否认就好。"小村姑听话只听半句："所以我要惩戒你，首先，把你那赃物包裹解下来给我。"

"姑娘，先把话说清楚……"

"你不解下来？"

"讲讲理好不好……"

"小村姑小手一伸，身形健进，纤纤玉手似乎幻化成百十个手指头，闪电似的抓向他挂在左肩的大包裹，快极。

他见多识广，大吃一惊，在指尖前疾退丈外叫："玉女摘花幻形手！你是……"

小村姑一怔落空，一发之差余劲不足，似乎有点感到意外，身形顿止，接着哼了一声，再次冲进叫："我不信你比我快。"

声到人到指到，速度骇人听闻，五指似乎已经把他笼罩在威力圈内，眼看可以手到擒来，他身形一晃，在指尖前逸出，撒腿便跑，大叫道："碧落山庄的姑娘，怎能不讲理？"

人的名，树的影，他不得不跑。江湖道上名家辈出，高手如云，这一代的高手名宿，除了少林武当等等名门大派的名人外，有所谓三魔三怪三菩萨，三邪三暴三残，都是武林中大名鼎鼎的顶尖儿人物，但论声誉之隆，得数武林三庄。

三庄中名列第一的是碧落山庄，武林世家名震宇内，庄主千幻剑李玉堂，与乃妻散花仙子张碧玉，夫妻俩并肩行道江湖三十年，侠名四播艺臻化境，连魔道中人也对他俩颇为尊敬。

最近十年来，碧落山庄的人极少在外走动，但声威犹在，想到碧落山庄挑衅的人最好自爱些。碧落山庄的人在外行走，宗旨是人不犯我我不犯人，先说道理论是非再决定行止，假使让他们在理字占了先，那就得理不饶人。

尤其是散花仙子的师父妙手慈航真如神尼，这位老尼姑号称慈航，据说从未开过杀戒，但她废人的手法，却令那些妖魔鬼怪心惊胆跳，不动手则已，动手就废了对方的任督二脉。

她老人家说得好，人只有躺在床上想一生的功过，才不会为非作歹——任督二脉毁了就成为废人。

周永旭虽然游戏风尘，天不怕地不怕，但却不想招惹碧落山庄的人。玉女摘花幻形手，正是散花仙子威镇江湖的绝学，速度之快攻袭之准，武林无出其右。因此，周永旭猜出小村姑的身分，避之大吉，希望对方讲理。

小村姑已认定他是飞贼，而且两招走空小性子大发，有理讲不清，也不想和他讲理。一个小姑娘修养有限，好胜心与自尊心特别强烈，不大注意理字，只知感情用事。

本来她对周永旭颇有好感，周永旭英俊魁伟，虽然穿得像个乡巴佬。可是，小姑娘两招落空，真恼啦！跟踪便追，冒火地叫："你敢走？我不信你能上天入地。"

他也火啦！鬼见愁四个人失踪，已令他心乱如麻，再碰上这小丫头无理取闹，怎能不冒火？碧落山庄没有什么了不起，神龙浪子绝不是脓包，拼上啦！

他脚下一用劲，越野飞掠而走。远出半里外，扭头一看，不由心中暗暗佩服。他已用了八成劲，小姑娘却从三丈余拉近至两丈左右，像一只轻灵的飞鸟，紧盯在他身后冉冉而来。

他又加了一成劲，窜低纵高去势如电射星飞，又远出里外，百忙中扭头回望，不错，小姑娘已落在三丈后，脸色已没有先前从容啦!

"先摆脱她,我还有正事待办呢。"他心中暗忖。

前面是山脚下的浓密树林,他已到了牛堵山的南麓,妙极了,他脚下一紧,以令人目眩的奇速钻入密林深处。

小村姑被他突然加快的身法吓了一大跳,不敢再追入,站在林外讶然自语:"咦!他先前并未用全力,怪事?居然还有比我快的人呢,好像比爹慢不了多少,这人是何门何派调教出来的轻功高手?"

小村姑调息片刻,脸上回复常态,含笑向林内叫:"喂!飞贼,我知道你躲在里面,你出来,我不找你的麻烦了,你贵姓呀?"

周永旭早已远出里外了,他向山西面掠走如飞,已听不到小村姑叫声。

小姑娘叫了两遍,摇摇头自语:"他这人很骄傲呢,可惜胆子太小了。"

她觅路东行,不久便找到东面的大官道,将包裹挂在树上,背着手向南眺望。

不久,南面蹄声入耳,六匹马五位骑士,渐来渐近,江南用马代步的人不多,五骑士有三位是穿青袍的中年人,两个是小后生,六匹鞍后都带了马包,鞍旁有剑囊。

小村姑取回包裹跶至路旁,远远地便举手叫:"赵叔,你们先走一步,到江宁镇等我。"

五骑士勒住坐骑,第一骑那位留八字胡紫红脸庞的赵叔愕然问:"小凤,你怎么啦?追上飞贼了?"

"没追上。"小凤用手向西南一指:"他逃入密林去了。赵叔,你们先走,我要等他出来。"

"等他?算了吧,好侄女,那小贼不算太坏,放过他算了。"

"小贼?我追了他将近三里路,未能拉近一尺半尺呢。"小凤脸红红地说。

"什么?小凤,你不是说真的吧?"

"真的，赵叔。"

"我不信。"赵叔笑答："天下间轻功的种类甚多，但比本山庄的流光遁影绝学强的，愚叔还没听说过。"

"真的嘛，我从五里亭追到此地来的。"

"那……那是什么人？"赵叔惊讶地问。

"一个年轻人，我一出手，他就知道是玉女摘花幻形手，他闪避的身法看似平常，但却快得不可思议。"

"哦！真有其事？你问过他的来路了？"

"他不、不接招就逃。"

"这是说，你碰上高明的人物了，愚叔怎能先走？"

"你走嘛，我随后赶来……"

"不行，万一你有了意外，庄主面前愚叔如何交代？小凤，别给我添麻烦好不好？你知道这趟陪你出来，愚叔担了多大的风险吗？这样吧，你办你的事，我们在旁暗中策应。"

"这……也好，但你们不能伤了他。"

"你的意思是……"

"他不像个坏人。"小凤的脸又红了："只是一个胆小鬼而已。"

"但愿如此，不过，小心些总不是坏事。愚叔倒得看看他是何来路，但愿不是本庄的仇家。"赵叔慎重地说，向同伴举手一挥："找地方安顿，走。"

周永旭前来牛堵山，并不完全是因为避免与碧落山庄冲突而逃来的，他摆脱了小村姑，到了山的西南麓，沿溪西行，找到一条小径。不久，他从水浅处涉过河北岸，这才正式到了牛堵山，沿小径折入一处林深草茂的山庄，前面出现一座三家村。

牛堵山是太平府的名胜区，山并不高，姑溪三面环绕，西麓伸入大江，那就是大名鼎鼎的采石矶。山自古以来就是兵家必争之地，建了可驻两三百官兵的兵垒谢公城。山东北是采石镇渡，是到和州的重要渡口，矶上的燃犀亭规模并不大，来赏江景的人士不多，据说每年夏汛期间，站在亭上偶或可以看到水怪，其实所谓水怪，只是大鱼或江豚而已。

距村口尚有百十步，路旁的草丛蹙出一位荷锄的中年村夫，欣然叫："咦！永旭老弟，是你吗？今天吹的什么风？"

他抱拳行礼，笑道："呵呵！两年不见，承先兄，你倒真的成了一个朴实的庄稼汉啦！"

"兄弟本来就是一个庄稼汉嘛！"承先兄放下锄，亲热地挽住他："上次我不是已经告诉你吗？人一上了年纪，对刀剑腻啦！洗净手脚第一件想起的事便是田地，觉得锄头毕竟比刀剑可爱多了。永旭，你年轻，讨厌锄头乃是天经地义的事。走，到我家好好聚一聚。"

"且慢。"他伸手相阻："嫂夫人在家？"

"在呀！她很惦念你呢，自从她知道是你从赤阳子手中救了我这条老命，并且送银子给我买田地洗手改邪归正，她一直要找机会向你道谢呢。"承先兄失声长叹："唉！这些年来，她真受了不少苦，我真对不起她，这两年由于生活安定，她的病全好了，我……"

"走，我们走远些。"他郑重地说。

"你……"

"我有话告诉你，这些事不能让大嫂知道。"

"哦！你的神色好沉重……"

他挽了承先兄往回走，远出里外一株大树下落坐，放下包裹说："你该知道赤阳子的师弟吧？"

"你是说无量天君？"承先兄在对面坐下："我不认识他，只知他名列第二暴。他师兄弟两人，极少走在一起，听说他们之间，因在师门授业乃师有所偏爱，所以彼此之间有些芥蒂。"

"那是鬼话，他俩面不和心和，是装给糊涂蛋看的，事实上他们暗通声气，各自为非作歹，必要时就联手对付仇家。"

"算了，我不再计较早年的事。老实说，我也不值得他师兄弟两人联手对付我，是吗？"

"可是，他已在附近现身……"

"什么？他俩……"

"我只看到无量天君。承先兄，我有了困难……"他将昨晚发生的事说了，最后说："我来找你的意思，一是要你提防这两个暴徒杀星，再就是向你打听混江龙布在太平府一带的秘舵情势。"

"糟！你的问题大了。"承先兄变色说。

"你的意思……"

"按你所说的现场景况估计，鬼见愁几个人并未落在混江龙手中，那水贼在太平府仅有两处秘舵，一在递运所东面的漕仓，利用一座废弃了的塌房活动；一在城西南三十里的东梁山下。如果他得手，必定立即下航躲到东梁山秘舵处置俘虏。"承先兄不住摇头，脸色凝重："你知道神武山吗？"

"是不是东面那几座山？"他向东一指："没去过，并不远嘛。"

"那里隐居着一个老魔，香海宫宫主司马秋雯，你应该不陌生。"

"哦！你是说，那女魔头躲到此地来了？哎呀！我该想到她的，她的绮罗香可迷昏上百条好汉。"周永旭拍着膝盖说："怪事，她的香海宫在浙江天台山，怎又迁到此地来了？"

"她的确在此地，你得相信。"承先兄斩钉截铁地说："她在此建了一座小小的香海宫，位于致雨峰与石楼峰之间，那女魔名列三魔中的二魔，两大嗜好无人不知，好财好健男臭名满江湖，如果我所料不差，鬼见愁几个倒霉鬼一定是落在她手中了。"

"糟透了！"周永旭叫苦不迭："可是……老女魔自视甚高，混江龙那混球能请得动无量天君，却不可能请得动香海宫主哪！"

"你忘了女魔爱财？"承先兄说："依我猜测，混江龙必定送了不少造孽钱给女魔，所以……"

"我得走。"周永旭急急地说，一蹦而起。

"你要……"

"我要赶在混江龙将人带走之前，向女魔讨人。"

"什么？你敢去找那女魔讨人，老天爷！那魔女连三菩萨也不敢招惹她，你……"

"为了鬼见愁几个人，上刀山我也不在乎。"

"兄弟，去不得。"承先兄拉住他叫："鬼见愁几个人自有官府替他们出头，不值得你伸手拼老命营救。兄弟，你惟一可做的事，是到太平府报官。"

"来不及了，混江龙如果把人弄到手，不把脑袋带走才是怪事。"

"可是你……"

"放心啦！我会小心应付那女魔的。"他立刻将包裹背上："为朋友两肋插刀，拼定了。"

"这……你等一等，我回去交代一声，陪你走一趟。"

"你给我呆在家里躲稳些，千万别让无量天君发现你。"

他夺过承先兄的锄头，扭掉锄头留下柄："不是我小看你，你恐怕连香海宫一名侍者也对付不了。呵呵！你是个累赘，知道吗？"

"这……你把我看成废物……"

"废物我可以丢掉，但我不能丢掉你。哈哈！替我向大嫂问好，再见了，谢谢你的消息。"他抱拳施礼，头也不回大踏步走了。

"这孩子……"承先兄冲他的背影直摇头："真是个天不怕地不怕的初生之犊。"

周永旭放开脚程向东急赶，救人如救火，迟延不得。

官道在望，他心中焦急，耳目未免有点不够灵敏，再就是官道左右不见有行旅，所以毫无戒心，耳中刚听到身后传来一个"打"字，还来不及有所反应，右胁的章门穴便挨了沉重一击，只感到浑身一震，本能的闪避反应和沉重的打击力道，把他的身躯向左前方弹出，撞向路左的浓密古松林。

砰一声大震，左肩和头部重重地斜撞在合抱粗的松干上。

章门穴被袭，事实上他的左半身已失去活动能力，变生仓促，袭击来得太突然，变化太快了，任何人难逃此劫。

在昏厥的前一刹那，他听到小村姑熟悉的惊叫声："哎呀！你怎不躲……"

不知过了多久，他终于从一片混沌中悠然醒来，首先嗅到了草木的清香和泥土的气息，张开眼，便看到了满头青翠的枫叶，这才发现自己躺在枫林下，身畔放置着他的包裹，甚至锄柄也靠在树干上。

"糟了！"他心中狂叫，挺身坐起。

从枝叶的缝隙中，他看到洒下的阳光，已经是午牌时分，太阳快当顶了。

救人如救火，他已经丧失了最宝贵的两个时辰。

东面十余步便是官道，右前方路旁的一座歇脚亭里，小村姑和一个青衣少年不住向官道的北端眺望。

相距约二十步左右，两人不知背后的周永旭已经苏醒了。

唔！头侧和左肩仍有些少隐痛，口中似乎留有淡淡的药香。

吸口气试聚丹田真气，发觉穴道并未受制。

"我落在她们手中了。"他想。

树下放着小村姑的小包裹，他当然知道他是被放在此地安歇的，并未受到监视。

"这不讲理的丫头可恶。"他心中在咒骂："血口喷人诬赖我是飞贼，真是岂有此理？"

他像个幽灵，悄然背起包裹，提了锄柄伏地潜行，无声无息退入枫林深处，溜之大吉。

远出里外，方敢奔出官道，看到了西北角有不少修竹的山岭。

"那是慈母山，我得往南走。"

他自语，以锄柄作杖，撒开大步向南奔。

慈母山距府城四十里左右，他必须及早赶到神武山香海宫救人。

路西的两株大树下，静静地拴着两匹健马，一位青袍中年人与一名青衣小后生，站在树旁歇脚，看清了快步而来的周永旭，两人脸色一变，不约而同举步到了路中，迎面拦住去路。周永旭远在三十步外，便看出有点不妙。

小后生的穿着打扮，与小村姑的同伴完全一样，不用猜想，也知道这两位仁兄是小村姑的同伴，拦住去路要留下他了，大概是小村姑已发现他失踪，用信号通知南北两地的同伴拦住他啦！

他在接近至二十步左右时，突然向东越野而走，脚下逐渐加快，去势如星跳丸掷，他要摆脱碧落山庄的人。

中年人与小后生不假思索地跟踪狂追，追了半里地，中年人骇然叫："小夏，你先赶回去看看小姐怎样了。这小贼的轻功的确可怕，小姐恐怕发生意外了。"

周永旭如飞而去，冉冉消失在两里外的深林茂草中。

不久，小村姑偕赵叔和四名伙伴，循踪乘马穷追不舍。

周永旭以往曾经两度途经太平府，但并未久耽，只知道府城附近的概略形势，不算是识途老马，因此必须沿途向村民打听通往神武山的路径，不得不放慢脚程，以免惊世骇俗。

追踪的人有坐骑，这一带不是往来要道，要打听一个陌生人的行踪，可说是易如反掌。

神武山又称藏云山，中峰悬峭五丈，是地方官旱祷的地方，如不是闹旱灾，很少有人到此地来游览。

峰左是致雨峰，再往左是石楼峰，三峰相连，颇为壮观。

小径从致雨石楼两峰之间的鞍部蜿蜒通向后山，有一座小山谷，那就是香海宫的所在地。

香海宫原址在浙江的天台山胜境，那是宇内三魔中，名列第二魔的女魔头司马秋雯的老巢，江湖朋友对这个称为香海宫主的女魔耳熟能详，黑道巨擘乐于与她交往，白道朋友却恨之入骨。

小山谷建了香海宫的事，江湖朋友知者不多，因为三年前有人购下这座山谷之后，便被划为禁地，相距最近的村庄也在十里外，本地的乡民谁也不敢接近，外来的人更是少之又少。

三年来，乡民只知山谷内住了一批神秘的男女，从不与地方人士打交道。

周永旭是从西面接近的，走了不少冤枉路，总算被他找到了神武山，在五里外便可见到悬峭的藏云峰和上面平坦的石楼峰，兴奋地加快脚步急赶。

这附近除了茂林修竹之外，已没有村庄，小径隐没在林荫下，视界有限。

已经是午牌末，人在林下行走，熏风仍带有些少凉意，他却感到热不可耐，经过长途奔跑，的确有点乏了。

小径向上升，坡顶上的林隙中，突然蹿出先前拦路的中年人，呵呵大笑道："小老弟，你才来呀？"

他吃了一惊，在二十步外站住了，抬头上望，缓缓解下包裹抓在左手中，深深吸入一口气，举目四顾。

"上来吧！你乏了，跑不掉的。"

中年人向他招手："家小姐说你是胆小鬼，真说对了呢，挺起胸膛上来歇歇，咱们好好谈谈。"

他知道麻烦来了，附近有人隐伏，可能真的跑不掉啦！他并不在乎对方称他为胆小鬼，但既然身陷重围，就没有什么好怕的了，他点着锄柄往上走，一面调息一面默察退路。

他的麻烦已经够多，何必再和碧落山庄的人结怨？能跑掉的话，他宁可示弱溜之大吉。

"唔！这才像话，胆气是后天锻炼培育出来的，怕事决难有所成就。"中年人摆出长辈嘴脸训他："你的轻功出类拔萃，艺业根基必定不会太差，人才仪表非俗，沦落成下九流的鸡鸣狗盗，未免委曲了你。"

他在中年人身前丈余止步，镇定地问："尊驾是碧落山庄的人？听说贵山庄的英雄豪侠，已多年不在江湖一现侠踪了。"

"不错，在下费鹏。本山庄的人确已多年不在江湖上走动了，但并未与江湖断绝往来。"

"哦！原来是多臂熊费前辈，失敬失敬。"他丢下包裹持棍行礼：“前辈是说，那位不讲理的小姑娘，是李庄主的千金？”

“呵呵！你猜对了。”

“难怪，她那玉女摘花幻形手的确值得骄傲。哦！在背后用暗器击中在下章门穴的人，一定是阁下了。怪事，大名鼎鼎的暗器名家，居然从背后偷袭，佩服佩服。”

“呵呵！你还真会挖苦人。”多臂熊不介意他的态度：“不过，用树枝打你的人是家小姐，她已经先出声招呼，无意射你的穴道，碰巧而已。”

“就算我差劲好了。”他苦笑：“你们打算怎样对付我？说吧。”

“咱们检查了你的包裹，看了你怀中的路引。”

“金银没少，谢谢手下留情。”他话中带刺：“费大侠，包裹中没有昨晚作案的首饰脏物，你们是不是很失望？捉贼捉赃，没有赃，你无法证明在下有罪，对不对？”

“但你那五六百两黄金，不无可疑。”

“费太侠，我可以告诉你，周某虽非百万富豪，但还不至于滥得去做贼。”他泰然地说：“昨晚在下根本没进城，在城外白白奔波了一夜，所以城内的案，与在下无关，在下有重要的急事待办，可否请阁下高抬贵手，不管在下的事？”

“这样吧，家小姐不久当可赶到，你向她去说。”

“可是，在下的事十万火急……”

“耽误不了多久的。年轻人，行事如果操之过急……”

“你阁下怎么强人所难穷缠夹？”他逐渐不耐：“在下没有听你摆布的必要，告辞。”

“呵呵！你想走？”多臂熊笑问。

“正是此意，请让路。”

“如果费某请你留下……”

“你留不住的。”他说，抓起包裹飞跃而起向右掠。

“我倒是不信。”多臂熊轻松地说，同时跃起横截。

他在两丈外着地，多臂熊也轻灵地落实，仍保持丈余距离，如影随形盯紧不舍。

他一声长笑,作势斜飞,仅踏出半步,身形突然折回,竟然从多臂熊先前落脚处飞纵而出。

这时,多臂熊估计错误,身形已起,离开了原位,被他乘隙穿越,已无法转折追截了。

他远出三丈外,脚刚沾地发力想连续纵跃,前面丈外的大树下人影闪出,迎面截住笑道:"赵某留客。"

他被逼出真火,叱道:"借路!"

锄柄长有六尺,沉重坚实,正是趁手的齐眉棍。

叱声中,他伸棍轻灵地单手点出。

赵叔哈哈一笑,大袖一飞,罡风乍起,斜搭点来的锄柄,从容潇洒不带丝毫火气,名家身手的确不同凡响。

眼看要将锄柄缠住,锄柄却突然折向上挑,周永旭身形渐进,柄尾急旋斜搭,左手的包裹同时前扬。

噗的一声响,柄尾敲中赵叔的右膝内侧,力道恰到好处。

交手时任何一方有轻敌的念头,必将自食其果,赵叔不但轻敌,而且有不屑与对方多动手脚的坏想法,要一招便夺棍擒人,所以大袖摇出,右手已进步探向周永旭的肩臂。

糟透了,右手的五指抓中迎面砸来的大包裹,左袖也落了空,包裹挡住了视线,右腿收不回来,被锄柄尾敲中膝内侧,阴沟里翻船,惊叫一声,向右便倒。

周永旭飞掠而过,捷逾电闪。

身后,多臂熊大叫:"小姐,不可大意……"

周永旭远出五六丈外,对面二十余步的小径中,小凤姑娘正偕同两位青衣小后生急掠而来,快逾星火,显然是从远处来策应的。

多臂熊的后方,埋伏截击的另一名青袍中年人,正掠过赵叔身侧,猛扑周永旭的背影。

双方的速度皆快得惊人,接触无可避免。小凤听到了多臂熊的叫声,也看到刚狼狈爬起的赵叔,提高了警觉,一声娇叱,缓下冲势招发"摘星换斗",双手几乎同时攻出,姑娘身材矮,形同仰攻,先天上就落于下风。

周永旭见情借势略偏,也大喝一声,锄柄顺势来一记"横扫千军",避招反击势如雷霆。

小凤在锄柄及体的前一刹那,间不容发地向下伏倒,手一着地,双腿也闪电似的斜扫而出,攻下盘灵活万分,反应之快骇人听闻。

周永旭从上空纵过,远出两丈外,双方照面交手,变化迅捷无伦,攻招变招因势利导,谁也没占便宜。

# 第七章　香海魔宫

　　小凤双腿落空,身形已转回原位,暴起跟踪猛扑,纤纤玉手奇快地光临周永旭的背心。

　　周永旭丢掉锄柄和包裹,右转大旋身用上了擒龙手,缠搭姑娘的腕脉,姑娘用徒手相搏,他当然得以徒手反击。双方都速度惊人,噗一声双掌接实,两人都不敢大意将招使老,因此皆及时改变手法接触,由于两人皆心存顾忌未用真力,一沾即分。

　　周永旭斜移一步,扭身踏进左掌拍向姑娘的右肩,以快打快抢制机先进攻。两人的身形逐渐加快,攻守之间险象环生,各攻了三二十招,掌指逐渐注入了内家真力。

　　小凤的人全部到齐,站在西首观战,赵叔神色凝重,向身旁的多臂熊说:"费兄,你能看出这小伙子的家数吗? 他攻敌的招术神奥已极,小凤恐怕支持不了多久呢。"

　　"看不出来。"多臂熊苦笑:"太快了,看不出门路家数,天下各门派的招术,大同小异相差不远,除非在生死关头使出绝学秘招,不然很难看出门路家数的,小姐的内力修为要差些,她不该逐渐加劲的。"

　　"费兄,你看不出小伙子出招的异象吗?"

　　"这……好像有点不对,三爷是否注意到他的眼神了?"多臂熊说。

　　"对眼神变化兄弟是外行,我指的是他发劲有异。"

　　"是的,兄弟在眼神中发现的,小伙子攻招时轻灵快捷,不带丝毫火气,像是毫无力道,但接触时真力勃发,雷霆万钧。"多臂熊凛然说:

"这是说,他的真力已修至收发由心境界,力不虚发,劲在接触时方突然发出,你只要留心他的眼神,便可看出他发劲的变化,他必定久斗不疲,小姐胜他不是易事。怪事,谁能调教出如此超凡的门人子弟?"

"我看,最好是逼他暴露出师门绝学来。"赵叔沉吟着说:"也好及早劝他改邪归正,这种人才沦落黑道,是武林难以弥补的损失"。

"你的意思是……"

"联手逼他。"赵叔断然说。

"这……这恐怕行不通,不要说小姐不肯,咱们也不能置武林规矩于不顾,自损碧落山庄的声誉。"多臂熊郑重地拒绝。

周永旭已接下小凤五六十招狂风暴雨似的快攻,逐渐打出真火,小凤也大为不耐,内家真力逐步加强,鬓角已现汗影,好胜心促使她下重手了。

噗一声响,两人的右肘斜向接触,力道奇重。这瞬间,姑娘一声娇叱,反掌拍向周永旭的面门,近身相搏,这一记阴掌如果不用内家真力,即使能击实也起不了多大作用。周永旭功行右臂,向上一抬,左掌从肘下斜劈而出,以攻还攻急袭姑娘的胸腹交界要害。

"啪"掌背击中周永旭的右小臂。

他感到整条右臂如中电殛,可怕的异劲直撼心脉,人向下一挫,攻出的左掌自然落空,他没料到姑娘突下重手,这一记阴掌几乎毁了他的右臂。

他大吃一惊,右足一点斜掠丈外,虎目彪圆咬牙说:"在下第二次上了你的当,咱们山不转路转,后会有期。"说完,他略为揉动右臂,大踏步走向丢置包裹的地方,拾起锄柄挑起包裹,举步便走。

小凤呆呆地站在原地,盯视着自己的手掌发怔。

赵叔身形疾闪横住去路说:"小兄弟,留步。"

他一咬牙,愤怒地取包裹背上,锄柄徐徐上扬,一字一吐地说:"阁下,你们无理取闹,纠缠了在下三个时辰,耽误了在下十万火急的救人大计。"

"小兄弟……"

"我警告你,周某的容忍度有限,碧落山庄的名头也唬不了我。"他逼进两步,像一头行将发威的猛虎:"在下要救的人命在呼吸间,如果他们有了三长两短,后果完全由你们负责,碧落山庄必将以百十倍的代价偿还,如果你阁下认为周某是虚声恫吓,那你算是瞎了眼聋了耳,你给我滚!"

最后一个滚字像一声焦雷,锄柄一挥,风雷聚发,以雷霆万钧之威向赵叔点去。

赵叔哼了一声,大袖急挥。蓬一声大震,罡风四逸,大袖化为千百碎片,向四方激射,赵叔像断了线的风筝,翻滚着倒飞两丈外,砰一声伏倒在地。

多臂熊大骇,截出叫:"慢来……"

"你也吃我一棍。"周永旭怒吼,抢进一棍扫出。

锄柄的啸风声如同隐隐阴雷,快逾电光一闪,多臂熊怎敢接?侧跃丈外,第二棍接踵而至,横腰扫到,比第一棍更凶猛更霸道。

多臂熊心中发寒,再次闪避。咱一声爆响,第三棍把一株合抱大的巨树齐腰击断,断处如被万斤巨斧所砍,断痕整整齐齐,在一阵枝断干折的暴响中,巨树轰然倒下了。

大乱中,周永旭身形暴起,向东冉冉而逝。

多臂熊惊得浑身冒冷汗,只感到手脚发软,掌心全是汗水,骇然叫:"这小子怕不有万斤神力?"

赵叔被一名小后生抱起,在巨树倒下的前一刹那跃离险境。他被放下时几乎仍难站稳,大袖不见了,露出皮肤沁血一片殷红的光赤小臂,毛骨悚然地说:"这小伙子竟然练成了九成罡气,怎么可能? 老天! 咱们是两世为人,如果他真的要杀我们,咱们六个人禁不起他全力一击。"

"咱们把事情弄糟了。"多臂熊余悸犹存,语音走了样:"我担心他刚才所说的那些话。"

"你是说……"

"他说我们耽误了他的事……"

"赵叔。"小凤脸色苍白地说:"我……我不该突然使用摧枯掌,我……"

"小凤,事情已经发生,用不着自责了。"赵叔摇头苦笑:"走吧,到应天府再打听他的事。"

六个人垂头丧气向西走,小凤一面走一面自怨自艾:"都怪我不好,我……真不该被逼急了使用摧枯掌的。"

走在前面的赵叔摇头苦笑:"这种人性情不稳定,初闯江湖缺乏经验,凡事一知半解,最为危险,今天咱们碰上了,总算不幸中之大幸。"

"他不像是初闯江湖的人呢。"多臂熊不以为然。

"错不了。"赵叔进一步解释:"这种人身怀绝学,而年轻血盛性格不稳定,对江湖情势一知半解,对前辈的高手名宿心中不无顾忌,所以不敢与咱们碧落山庄结怨冲突。由于身怀绝学,却又怕暴露身分,因此与人动手皆尽量压制自己的冲动,尽量隐藏自己的绝学奇技,不到生死关头,不会现出本来面目,所以这种人最为可怕。也许他会装成懦夫,让你把他打得半死,也许他会装疯卖傻,整得你啼笑皆非,但如果牵涉到生死大事,发起威来真令人毛骨悚然,岂止是可怕而已?记得大魔云龙三现欧阳春风年轻时的传闻吗?他被太行五丑折磨得死去活来,最后在要丢他进兽窟的紧要关头,他发起威来挣断鸭卵粗的巨链,一口气连屠十八名顶尖儿高手,火焚五虎庄,一百二十名剽悍黑道与绿林高手尸横遍地。二十年前扮走方郎中,为争诊金得罪了河南武林世家中州一剑,被中州一剑制住了任督二脉,诬陷他是江洋大盗送官究治,在大牢中受尽苦刑,最后屈打成招判了个秋决后,就在判决后的当晚,他挣脱铐镣越狱,知府大人午夜飞头,推官尸悬鼓楼。中州一剑一家五十六口,只留下两名病重的使女,江湖朋友提起这位大魔,谁不心惊胆跳?"

"你是说,这位周永旭也是与大魔性情相近的人?"多臂熊心惊胆跳地问。

"但愿我猜错了。"赵叔忧心忡忡地说:"如果不幸而料中,今后咱们碧落山庄,将有无穷风波发生。咦! 看前面那两个人……"

百十步外,一名花子打扮与一名村夫,正沿小径急步而来,花子手点打狗棍,村夫左手握了一个长布囊。

"咦! 那不是南乞吗?"多臂熊欣然叫:"南宫兄,别来无恙。"

双方脚下加快,渐来渐近。南乞在十余步外拱手大笑道:"呵呵!奇闻奇闻。碧落山庄的李庄主,十年来禁止门下士在江湖鬼混,怕出纰漏丢人现眼,今天竟然有两位长期食客出现在神武山左近,大概是太阳从西天升起来啦! 呵呵! 费兄赵兄,久违了。"

"南宫兄,你这一张嘴,仍是那么缺德。"赵叔行礼笑道:"近来如意吧?"

"好,好,太好。"南乞拍拍肚皮:"天天酒足饭饱,无忧无虑混日子,都快脑满肠肥啦! 呵呵! 当然没有你天罡手赵恒赵三爷活得惬意舒泰。你知道,年头不好,肯用大把钱财施舍的人不多了。来,我替你引见一位洗手归田的黑道朋友,就算他高攀好了。"

"在下姜承先,往昔的匪号是追魂使者。"村夫握着长布囊行礼:"目下是牛堵山下的庄稼汉。"

"哦! 原来是姜兄,失敬失敬。"天罡手客气地回礼:"在下赵恒,那两位是多臂熊费鹏兄,与生死判敖鸿兄。"

南乞目灼灼地打量小凤,笑道:"小姑娘,让老要饭的猜猜看……"

"不用猜。"天罡手笑答:"你曾经见过敝庄主……"

"对对,真像。"南乞说:"千幻剑人如临风玉树,他闺女哪能像个母夜叉? 呵呵!"

"大叔笑话了。"小凤羞笑行礼,向两个小后生说:"小春小夏,过来向南宫大侠请安。"

两个小后生是姑娘的侍女,女扮男装抱拳行礼。

"怪事,你们来神武山有何贵干?"南乞笑问:"是不是贵庄主大发慈悲,动了出山之念,重出江湖仗剑诛魔,先向二魔香海宫主开刀?"

"你说什么香海宫主?"天罡手愕然问:"我们是途经贵地的,本庄十年来已不过问江湖事,南宫兄忘了吗?"

"哦!我南宫乐记性真差。"南乞撇撇嘴说:"看你们身无寸铁,当然是修身养性不管他人瓦上霜啦!老要饭的与姜兄有大事待办,少陪了。"

"且慢。"天罡手伸手虚拦:"南宫兄行侠天下,见闻广博,兄弟想向你们打听一个人。"

"人?说说看。"

"一位姓周名永旭的人,这是路引上的姓名,不知是不是真名……"

"呵呵!你找对人了。"南乞怪笑:"他是最近两年来颇有名气的年轻人,绰号称神龙浪子,行事又白又黑,专向为非作歹的大户勒索。老要饭的正要去帮助他,他与姜兄交情不薄。你瞧,姜兄带了剑,为朋友不惜破戒重沾血腥。告诉你,老要饭的与姜兄这次前来助拳,八成儿是凶多吉少,但咱们甘愿上刀山,死而无怨。姜兄,走。"

小凤急抢两步,脸上变了颜色,急问:"南宫大叔,你是说他真的有重要的大事待办?"

"李姑娘!不关你碧落山庄的事。"南乞深深吸入一口气:"贵庄庄名碧落,高高在上,没有任何妖魔鬼怪,敢上穷碧落下黄泉登门讨野火,你们也不管黄泉的事。"

"大叔,请告诉晚辈有关详情。"

南乞怪眼一转,瞥了追魂使者一眼,笑道:"这件事是姜兄告诉我的,我与那小伙子有过多次见面之缘,你们与江湖断绝了往来,也许对江湖事并不算陌生。昨天,小伙子与南京大名鼎鼎的名捕同船抵达太平府……"

南乞将经过概略地说了,最后说:"老要饭的已打听出混江龙今早用十万火急的快船,到芜湖秘舵搬运价值万两银子的金银珠宝,向香海宫主换取南京双雄。老花子已算定金珠这时该已运到府城附近,那些恶贼一到香海宫,该是周小弟动手的时候了。我和姜兄的时辰不多啦!赶上替小兄弟摇旗也是好的。走吧,姜兄!"

"大叔,晚辈跟你走。"小凤抽口凉气说。

"小凤……"天罡手急叫。

"赵叔,我非去不可。"小凤坚决地说:"小春,到藏坐骑处取我的剑来,快!"

"李姑娘,你怎么啦?"南乞笑问。

"那位神龙浪子,把我和费兄都击败了……"天罡手苦笑着说。

"赵兄,怎么一回事?"南乞惊问:"你们还想去找他报复?"

"晚辈要助他一臂之力,因为一些小误会,我们白耽误了他重要救人大计。晚辈愿意用生命来补偿他。"小凤庄严地说:"他刚走不久,已没有多少时间让他策划救人大计了,我好后悔,我……"

"小夏,你也去,把坐骑全带来。"天罡手沉声说:"事已至此,必须断然行事。南宫兄,咱们一起走。"

"什么? 赵兄,你……"南乞急问,心中暗喜。

"碧落山庄并未退出江湖,庄主也未封剑。"天罡手大声说:"本庄不想过问江湖事,但碰上了不平事却不能不管,兄弟这次奉命陪伴小姐出外游历以增长见闻,庄主并未禁止兄弟行侠仗义。"

"哈哈哈哈……"南乞狂笑:"妙极了,真是妙不可言。你这一来,真是功德无量,李庄主自从在家纳福之后,你知道白道朋友如何在背地里骂他吗? 今天你管了这档子事,不啻替碧落山庄挽回摇摇欲坠的武林声誉。哈哈! 你真的决定插手了?"

"兄弟从不戏言。"

"好,壮哉! 咱们人手多,最好能分些人把混江龙的金珠半途截住,不让金珠到达香海宫,咱们便成功了一半。"南乞喜悦地说。

"对,咱们从长计议。"天罡手欣然同意。

周永旭正一步步走向虎穴龙潭,走向江湖朋友闻名变色的香海魔宫,他心中焦躁,眼看天色不早,救人如救火,已没有多少工夫让他从容策划救人大计。他只有一条路可走,那就是不顾一切,以勇敢果决的行动,直接向香海宫主索人。

距谷口约有两里地,他在一条小溪旁歇息片刻,吃掉经常携带的干粮,掏出一颗小丹丸捏成粉末,吸入鼻中方动身上路。

已经进入魔宫的势力范围,他不再心浮气躁,提高警觉步步小心,沿小径步步深入。

正走间,路右的灌木丛中,闪出两名村夫打扮的年轻大汉,其中一人踱至路中拦住去路,微笑着说:"请留步,私人别业,不欢迎外客。"

"在下求见香海宫主,相烦通报。"他也客气地表明来意。

"哦!很抱歉,这里没有什么香海宫主,你大概弄错了吧?"青年人一口否认:"这里是藏云谷小地方。"

"真人面前不说假话,在下如果见不到香海宫主,是不会罢休的。"他也表明态度,语气坚决:"在下姓周,名永旭,在江湖默默无闻,但也不是藏头露尾的混混。香海宫主一代魔头,决不会灭自己的威风改名换姓,躲在这里逃灾避祸,你说对不对?就算这里没有香海宫主其人吧,那么,在下要请见贵谷的主人,如何?"

"要见家主人,请走前谷,从石楼峰绕过去便可。"

"哦!绕得太远了,在下已没有余暇远绕。"

"那是你的问题,此路不通。"

"哦!你作得了主?"他不想在见到主人之前惹麻烦:"在下有重要的事与贵主人商量……"

"抱歉,你得走前谷。"年轻人拒绝通融:"在下奉命禁止任何人接近,只知奉命行事,不问其他。"

"即使是贵主人的贵宾……"

"即使是当今皇上驾到,也必须移驾前谷,别无商量,你请吧。"年轻人断然下逐客令。

"好吧,在下这就前往前谷。"

"在下派人领你前往。"年轻人举手一挥。

不远处站在树丛前监视的年轻人举步接近,阴森森地说:"随我来,有十几里路好走呢。"

"呵呵!大概路很不好走吧?劳驾了。"

“那是当然。”年轻人到了他身侧：“黄泉路当然是不好走……”

人算虎，虎亦算人；两个年轻人几乎同时动手擒人，周永旭也在同一瞬间发难。他早已看出这两位仁兄不怀好意，决不会活着带他走前谷，在对方动手扑上的刹那间，左手扣指疾弹，右手锄柄闪电似的点出分头取敌，时间急迫，必须速战速决，而且不能让对方发出警讯。

“砰！”先前与他打交道的人仰面摔倒，七坎大穴被指风击中穴道。“噗！”扑上伸手擒他的人也倒下了，锄柄也点在七坎穴上。

他将两人拖入灌木丛藏妥，解了穴道改制睡穴，不走小径越野急走。这一带的山都不高，更不峻陡，草木葱茏随处可上，他何必走小径浪费精力？他不信香海宫主有那么多人手满山放哨。

越过一处山坡，突然听到后面百十步的丛林中，传出两声似兽非兽的叫号声，声虽不大，但低沉刺耳，他心中暗惊，忖道：“原来布有伏桩，他们不出面拦截，定然另有阴谋。青天白日，想潜入是不可能的，我估低了女魔的实力，得另行设法进去，不然便得浪费不少精力，大批截击的高手可能已经在前面等候了。”

前面就是谷口右方的山脚，距谷口约有两里地，林荫蔽天，与林下的野草荆棘完全不同，像是经过清理的，草长及胫不生荆棘，视界可远及百步外，他略一迟疑，飞掠入林，这一带绝对无法隐起身形，必须以全速通过。

入林三五十步，砰一声大震，他重重地撞在一株大树干上，跌翻在地形同死人。

空间里，流动着醉人的幽香，原来他撞入江湖朋友心惊胆跳的香海大阵里了。

片刻，右方三十步外的地面出现一个坑洞，钻出两名魁伟的英俊年轻人，穿了草绿色劲装，拔剑在手小心地向他接近，在两丈外左右一分，一个在外围戒备，一个用剑指向他小心翼翼欺近。

剑尖先抵住他的心坎，“噗”一声响，靴尖踢在他胁下章门穴，剑收回去了，年轻人神情一懈，说：“完全昏厥了，穴道也制住了。”

"大罗天仙也难逃绮罗香阵。"另一年轻人收剑走近说:"捆起来再带走,小心些不至于误事。"

牛筋索分别捆住了他的手脚,另一位年轻人先搜他的身,没发现兵刃暗器,并未没收他怀中夹囊的零碎杂物,最后检查包裹,讶然叫:"老天!这么多黄金?会不会是专程向宫主送礼的客人?"

"咱们别管他是敌是友,送回去再说。"捆他的人说,发出一声讯号通知别处的伏桩,然后一个将他扛上肩,一个提了他的包裹和锄柄,匆匆走了。

小小的山谷中遍植奇花异草,像是别有洞天,在花木映掩中,可看到一座座玲珑雅致的精舍和亭台,每一座精舍都是独立的,布置得有章有法,是那么安详静谧,很难令人相信这是武林凶魔的住处。

他被安置在一座精舍的厅堂内,平搁在光滑的花砖地面,包裹和锄柄放在堂上的长案上。厅中有两名佩剑侍女监视着他,阵阵醉人的幽香在空间里流动,很难分辨是什么香。

不久,一名宫装少妇带了两名侍女匆匆入厅,少妇站在案旁仔细端详着他,向侍女说:"雄壮如狮,英伟照人,是个好人才,你们准备解药,我去禀明宫主定夺。"

"要不要先解绑解穴道?"一名侍女问。

"不必了,得看宫主准备如何发落他?"

"宫主正在接待宾客,不知何时方能前来验看,绑久了不要紧,穴道闭久了恐怕不妥当呢。"

"宫主会尽快赶到的。老实说,宫主对混江龙迟迟不将金珠送来十分不满,正打算下逐客令呢。"

少妇一走,两名侍女进入内室准备解药。厅中负责监视的两名侍女一在厅门向外警戒,另一名走近案旁,嘴角突然露出笑意,伸出玉手缓缓轻抚俘虏的印堂,似乎在欣赏一件心爱的物品,轻柔地将几根散发向上抹。久久,纤掌下移,轻抚他的鼻梁、嘴唇、脸颊……

他的双目突然睁开了,盯着侍女微笑。

侍女先是一怔,羞得粉脸绯红,赧然收回纤手,退了一步。最后似乎恍然醒悟,脸色一变,张口欲呼,可是,已来不及了,他双手一分,牛筋索寸裂而断,大手一伸,手指便奇准地点中侍女的胸正中鸠尾大穴。

他双脚的捆绳也无声自解,人如怒鹰猛扑厅门另一侍女的背影,双手一张一合,暖玉温香抱满怀,侍女在他手中失去知觉。

将两名昏了的侍女塞入厢房,他立即取包裹迅捷地换了一身蓝劲装,佩上侍女的剑,背上包裹,挟着锄柄向内堂悄然接近。

屋中似乎没有其他的人,在一间内房门外,他听到先前要少妇解穴的侍女向同伴说:"混江龙是个见钱眼开的蟊贼,贪婪小气爱财如命,竟然舍得用一万两银子买戚报应四条命,岂不可怪? 依我看,他必定心怀叵测没安好心,准有些什么鬼阴谋。"

"这件事其实毫无奇处,混江龙如果要不了戚报应鬼见愁的命,他就得把老命陪上,一万两银子买命,他不舍也得舍,反正他的金银多得连自己也数不清,他出得起价。哼! 他敢心怀叵测? 除非他不想活了。"另一侍女说。

"很难说,那水贼阴险得很呢。再说,他是一条无处不可躲藏的蛇,无处不钻的地老鼠,风声一紧,往阴暗污秽的角落一躲,本宫的人到何处去找他? 那些有名气的英雄豪杰并不可怕,小蟊贼地头蛇才真的难缠。哦! 后谷捉来的那个年轻人,你看是不是比宫主的四亲卫英俊得多?"

"小鬼头,你又胡思乱想啦! 小心宫主将你送给前宫管事快活。走吧,收了你的心猿意马,办事要紧。"

房门口,突然出现周永旭高大的身影,笑容可掬地说:"办什么事呀? 劳驾,解药给我。"

两侍女大吃一惊,一个惊叫:"咦! 你……你怎么……"

"你们不是替我准备解药嘛?"他毫无顾忌地入室:"我自己来拿,免得你们多跑一趟。咦! 这是药室嘛,贵宫主的寝宫可能就在附近。"

两侍女被他那轻松爽朗,从容悠闲的神态镇住了,忘了自己的处境,讶然盯视着他发呆,似乎失去了反应力。他从一名侍女手中接过一只玉瓶,目光扫过摆满瓶罐的大药橱,笑道:"这瓶一定是解绮罗香的独门解药了。哦!盛药的瓶瓶罐罐都是大型的,可知香海宫所用的迷魂药物不但数量多,种类亦不少,但不知解药的种类多不多?姑娘,告诉我哪些是解药好不好?劳驾劳驾,谢谢你啦!"

"最上一排小玉瓶是解药,共有四种。"侍女如受催眠,指指点点解释:"香共十种,两种用同一种解药。其实,任何一种解药都可解十种香,只是效力稍差而已,迷香的药性都差不多,不同的是香味各异而已。"

"谢谢你,姑娘。"他轻拍侍女的粉颊,然后选了五只解药瓶塞入包裹,转身出房,含笑拍拍两侍女的肩膀,扬长而去。

两侍女扭身坐倒,慢慢往地上一躺,迷迷糊糊睡着了。

他踱出厅门,站在阶上游目四顾,自语道:"女魔定然是玄门弟子,房舍以九宫格局排列。这里是兰台宫,难怪把药物藏在此地,外面那一列亭台,必定有高手警卫,前面那栋精舍,定然是绛宫了。女魔接见宾客,定然在尚书宫,我自己去见她。"

知道阵势的布局,一切困难皆迎刃而解,他避开各宫的警戒网,寻缝钻隙直趋尚书宫。

花径曲折,整齐的丈余高树篱隔绝了视线,亭台假山皆是警卫区,很可能安装了陷人的机关埋伏,走错了一步必定出纰漏,不懂阵势的人,进入迷魂阵就休想出来啦!

刚超越黄庭宫,在树篱折向处,迎面碰上一名俏侍女,他脸上笑容可掬,持着锄柄施礼抢先开口:"姑娘,宫主还没召见在下吗?在下等了很久呢,你知道,背着千两黄金怪重的,背久了的确难受,可否带在下去见宫主?谢谢你啦!姑娘。"说完,走近伸手在侍女的左肩颈轻轻一抹。

侍女先是一惊,然后是困惑,等到他近身,手一触肩头,神情便松懈下来了,微笑着说:"抱歉,我不能离开,你自己去找好了,宫主在尚书宫。"

"哦！姑娘，南京双雄囚禁在何处？"

"原先囚禁在天灵宫，目下在尚书宫等你们交换，一手交金珠一手交人，如果你们的金珠不够，那就改囚未尽宫五刑堂，等你们筹足金珠再来交换。"

"好，谢谢你。"他大摇大摆走了。侍女向树篱一栽，躺下了。

他一面走，一面自言自语："看了香海宫的格局，江湖朋友说这女魔贪财，那是不公平的，要维持偌大的香海九宫，没有大批金银怎么维持得了？她不贪财怎办？"

穿越一片如茵草地，踏入尚书宫前的万花墀。九级石阶共站了四名英俊魁伟的年轻警卫，两男两女，男的是一身白，女的却是绯色劲装，曲线玲珑貌美如花。

所有的人都怔住了，怎么平空出现这么一个怪人？那是不可能的。

他站在五彩缤纷，三丈见方，出于名匠手笔的万花筒墀上，左看看右看看，喝了一声彩，说："这是南京名石匠天锤地凿邓刚的传世名作，老天！真了不起，你们大概花了上千银子吧？要小心，被官府查获，要砍头的，平民百姓谁敢用这种奢侈物饰屋？"

两名警卫骇然冲到，大喝道："你是什么人？"

"咦！什么人？我是送金珠来的。"他拍拍背上的包裹："怎么啦？宫主不要金珠了？"

"谁领你进来的？"

"他们在后面，我急着先走一步。"他随手向后一指，泰然越过两名警卫，大踏步升阶。

"不对，他带了剑。"上面的两名警卫叫，拦住去路。

"不带剑能保得住金珠？废话，大惊小怪。"他说，从两人中间从容越过。

香海宫这两年来，从来没有外敌入侵，警卫们吃惯了太平安逸饭，对突然发生超出常情的意外，仓促间竟然失去了反应的本能，竟然不再拦阻查问。

真不巧，刚到了廊上，厅门口出现先前在兰台察看他的少妇，劈面碰上了，由于他换了装，少妇仓促间还没认出他的面貌，匆匆踏过门限，终于看清他了，惊叫道："是他，后谷擒来的人……"

他大踏步欺近，笑道："我是你们的贵宾。"

少妇一声娇叱，一掌劈在他的左肋要害上，他的左手也同时扣住了少妇的曲池，连肘带臂擒得结结实实，半推半拖踏入大厅笑道："来得鲁莽，宫主海涵。"

他信手一推，少妇直冲出两丈外，花容变色几乎摔倒。

大厅很大，足有五丈深四丈宽，雕花屏风后是华丽的木制雕花五彩池，三阶上面是乌木长案，下面铺了织金氍毹。案后是堆锦矮云床式的坐垫，坐着宫装打扮，珠翠满头，千娇百媚的锦裳丽人，后方左右分列了两男两女，打扮与警卫相同。

两厢，两排锦织坐褥上，分别盘膝围着八个人。右列，是四名年约三十上下，英俊魁梧的佩剑白袍人。

左列，首位是干瘦修长穿灰袍的无量天君，梳的是道髻，但量天尺并未带在身上；进入香海宫的宾客，是不许带兵刃的。第二位是个手长脚长，暴眼凸腮，满脸横肉的中年大汉，大江的水寇混江龙沈全。第三席是个中年美妇，高顶髻，荆钗布裙相当朴素，但脸上却有太多的脂粉。第四位是个身高不及五尺的瘦小矮子，大麻脸，獐头鼠目，留了灰色的山羊胡。

右厢的壁根下，戚报应四个人衣衫凌乱肮脏，而且有不少血渍，脸部发肿，神情委顿。鬼见愁似乎已奄奄一息，去死不远，可知四个人都受了苦刑，四人的手皆被反绑，坐在壁根下等死。俞霜姑娘似乎伤势略轻，看到了周永旭，无神的星眸突现异彩。

一旁站着两个人，飞鱼杨芳和姓李的，显然受到优待，但仍是俘虏身分，因为两侧共有八名青衣大汉，神色狞恶地看守六个俘虏。

厅外的警卫，堵住了厅门，有人迅速搬开大屏风，这一来，堂厅上的人便可以看到厅门外的动静了。

厅内的人，全都大吃一惊，右面的四名英俊白袍人，不约而同一跃而升,伸手拔剑。

"住手!退下。"上面的宫装美妇娇叱。

四人应声退至堂下,在花池与拜墀之间一字排开。

周永旭泰然踏入五彩夺目的万花池,用锄柄东敲敲西点点,发觉花池虽然是木刻的,但用特殊的漆料填平了刻纹,所以花朵虽然栩栩如生,但表面却是平滑的,内行人一眼便可看出,这不是摆门面的装饰品,而是作为歌舞用的舞池。

"难怪宫主以爱财出名,你装饰这间尚书宫大厅,最少也得花五千两银子。"他似笑非笑地说。

"你很大胆。"上面的宫装美妇媚笑着说。

"胆气也够,不错吧?"他也笑嘻嘻地答。

"你懂玄门九宫?"

"连明堂九宫区区也不陌生,本来就是读书人嘛。"

"你是本宫第一位不速之客。"

"宫主海涵。"

"你贵姓大名?"

厢壁下的飞鱼杨芳冒失地大叫:"他就是神龙浪子周永旭。"

"掌他的嘴!"香海宫主冷叱:"好没规矩。"

一名大汉抓小鸡似的揪住了杨芳,噼啪噼啪一阵暴响,十记正反阴阳耳光掴得结结实实。杨芳竟不敢叫号,脸红肿口溢血,死狗似的躺下了。

"周永旭是在下的真名姓。"周永旭双手支着锄柄满不在乎地说:"在下出道两年余,久闻宫主大名,如雷贯耳,名列宇内三魔,江湖朋友闻名色变。呵呵!原来传闻是不可靠的。"

"为何?"香海宫主笑问。

"宫主威震江湖半甲子,据说是个母夜叉似的老女魔,而在下所看到的,却是个比花花解语,比玉玉生香千娇百媚的俏佳人。"他谈笑风生,像在调情。

"你的嘴很甜,人更俊。"香海宫主喜上眉梢,眉梢眼角春情荡漾:

"你是否前来仗剑除魔？你这个勒索者不配称侠义门人哪！"

"我说过我是侠义门人吗？"

"那你为何而来？"

他取下包裹，将包了六百两金叶子的小包取出，噗一声丢在一名白袍人的脚下，说："六百两黄金，市价折银四千五百两左右，交换鬼见愁四个人。"

"你教我为难。"香海宫主说："混江龙已经出价银子一万两，怎么办？"

"请宫主高抬贵手，日后在下必定依限筹足五千五百两，银子送来，决不食言，信誉保证。"

"很抱歉，本宫从不赊欠，也不相信任何人的信誉。"香海宫主轻摇蝤首，满头珠翠闪闪生光："而且，本宫主看不惯鹰爪们的嘴脸，这两个什么南京双雄，态度更令人难耐，所以本宫主与混江龙交换人的条件中，有一条就是只许将人头带走。可是，你却是要救活他们的命，你要我怎办？"

"宫主可否特予通融改变初衷？"

"本宫主一向言出如山，无可更改。"

"那……"

"目下你只好承认失败了，因为你的出价太少，等混江龙的银子一到，便可将人头让他们带走。"香海宫主转向混江龙："混江龙，你交银的期限，好像已过了一刻以上了吧？今天不必再谈了，明天你得加一千两银子息金，你可以走了。"

"请宫主再宽限片刻，晚辈的人一定可以及时赶到缴交的。"混江龙向上拱手焦灼地说。

"这……"

"宫主不是说言出如山无可更改吗？"周永旭抓住机会说："呵呵！我是不是听错了？"

无量天君怒火上冲，怪眼怒睁，说："宫主受得这狂小子胡说八道吗？贫道可否擒下他交给宫主处置？"

"哈哈！你又和飞鱼杨芳一样没规没矩胡乱插嘴了。"周永旭用锄柄遥指着无量天君说："你是什么东西？"

无量天君气得脸色发青，挺身而起。这老杀星昨晚吃足了苦头，被蒙面人追得扮老鼠逃命，如果知道蒙面人是周永旭，岂敢如此托大？

三暴与三魔齐名，老杀星名列第二暴，坐在堂下与名列二魔的香海宫主谈条件，已经够委屈啦！被周永旭一激，不由无名火发，鹰目怒睁，灰髯无风自摇，灰袍暴涨，袍袂猎猎有声，无量天君已经发功了，咬牙切齿迈出第一步。

"道友稍安勿躁。"香海宫主沉声说："本宫主很欣赏这小后生的猖狂气概，请勿忘了作客之道，本宫主自有合理的安排。"

"仙长请息怒。"混江龙焦灼地恳求："这小子已是将死的人，仙长又何必和他计较？"

"周永旭你也未免太狂了。"香海宫主板着脸说："煽风拨火对你毫无好处，是吗？"

"你们这些人，就是听不得老实话。"他沉静地说："宫主，是不是在下已经输定了？"

"是的，你已经输定了，飞鱼杨芳说你是个赌徒，在船上你的手气顺，在这里你的手气转坏啦！你打算怎办？"

"宫主，你的决定，令在下十分为难。"

"有何为难？"

"因为在下必须把鬼见愁四个人救出去。"

"可是，你……"

"不管宫主如何决定，在下……"

"你的意思是硬要？"

"你我之间，已经有了许多无可避免的利害冲突，宫主既然判决在下输了，在下只好不顾一切与宫主赌上一场，看在下的手气到底是否有好转的希望。"他豪迈地说，系回包裹。

"你要赌什么？赌注呢？"

"六百两黄金,和在下的性命是赌注,赌宫主的香宫是否可以化为瓦砾场。"

"你小子可恶!"香海宫主气恼了。

"不是强龙不过江,在下敢来,生死当已置之度外。宫主,不要小看了敢于拼死的人,勇者无惧,仁者无敌,在下为保全这两位难能可贵的好官吏,心甘情愿赴汤蹈火。剑出鞘不是你死就是我活,是敌是友全在宫主一念之间。"他庄严地说,徐徐退至一侧:"宫主,务请权衡利害,三思而行。"

"我不和你赌,我要和你谈条件。"香海宫主说。

"什么条件?"

"其一,本宫主释放他们四个人,他们必须忘了这次所发生的事,决不可出动官兵损我香海宫一草一木。"

"这得由鬼见愁做主,在下不能越俎代庖。"

"周兄,我……我答……答应……"鬼见愁虚脱地说。

"其二,你要在香海宫伴我一年半载。"香海宫主说。

"抱歉,在下有大事在身,碍难应允。"他一口拒绝。

"你……你这不知好歹的……"

"宫主明鉴,在下事非得已……"

"拿下他!"香海宫主暴怒地叫。

无量天君早已蓄劲待发,突然疾冲而上。

这瞬间,金锣声震耳。

周永旭早已留心无量天君的举动,先下手为强,后下手遭殃,无量天君尚未扑到,他已突起发难,身形一闪便已迎上,大喝一声,锄柄来一记"沉香劈山",兜头便劈。

嘭一声大震,无量天君抬臂硬接,不但左臂如被刀切般齐肘而折,人也被无量神罡反震得仰面飞退,摔倒在丈外狂嚎,显然已被自己的无量神罡震伤了内腑,起不来了。

"你们上吧!"他横棍大吼。

两名白袍人本已冲近,被击散的无量神罡余劲震得身形一顿,大骇而退。大名鼎鼎的无量天君一招断臂,把所有的人惊得脸上变色。

香海宫主大惊,急叫:"退回来!"

一场空前惨烈的恶斗即将展开,双方决裂无可挽回。

金锣声从前谷传来,各处人影急动。

两名侍女狂奔入厅,急叫道:"启禀宫主,前宫总管派人前来禀报,碧落山庄大批人马占据了迎宾馆,押了混江龙的五名手下,坐索南京双雄。"

"什么?"香海宫主大惊失色:"混账!碧落山庄已有十年未在江湖走动了……"

"是真的,为首的是李庄主的千金李家凤,领先擒住前谷迎宾馆主的人,是碧落山庄十执事之一的天罡手赵恒,还有一个好管闲事的南乞南宫乐,正带了两个人在收集枯枝做火把,叫嚷着要火焚香海宫。"

"这些畜生欺人太甚。"香海宫主怒叫,戟指指向周永旭:"是你带他们来的? 你也是碧落山庄的人?"

"宫主,你别弄错了。"他困惑地说:"碧落山庄的人,整整追捕在下三个时辰,不然在下早就来了。在下的手臂,曾挨了那位小姑娘一记摧枯掌,淤血仍在呢。"

# 第八章　赶赴九华

碧落山庄的人，怎会来救南京双雄？他大感困惑。

"你……你也败在他们手中？"香海宫主惊问。

"这并不丢人，在下连一个小姑娘也接不下。"他故意危言耸听："第一次被击中章门穴被擒，第二次几乎一掌断臂，在下只有望影而逃。"

无量天君的真才实学，比香海宫主差不了多少，但接不下周永旭一招，目下奄奄一息去死不远。而周永旭却一而再的在碧落山庄的绝学下失手，竟然到了望影而逃的地步，想起来就令女魔毛骨悚然。

"启禀宫主。"侍女在催促："李家凤说，片刻之内不将人送出，他们就要进来放火了，南乞老狗又说，太平府的民壮正在途中，不久就可赶到合围……"

"传话下去，在香海阵埋葬他们。"香海宫主怒吼。

"且慢！"周永旭大叫："他们如果放火，你的香海大阵有何用处？"

"我要先杀这两个狗官……"

"你想到后果吗？碧落山庄传下侠义柬，官府行文天下，你逃得掉？宫主，三思而行，小不忍则乱大谋。"

"我忍不下这口恶气……"

"不忍也得忍。宫主，你如果一意孤行，不啻自掘坟墓。再说，要杀他们，你必须通过我这一关。"

"你……"

"我是当真的。我一动手，等于是里应外合。"

"你不是说他们在追捕你吗？同仇敌忾……"

"我怕他们，那些人可怕极了，我还不想送死呢。"他装得很像，持棍的手在发抖："你送他们出去，我从后面溜走，拜托拜托，请不要说出我的行踪来。"

他纵向长案，一把抓起他的金裹，丢了锄柄说："宫主，我可要躲在一旁等你，免得被他们看见。"

他一走，香海宫主更是心惊，向白袍人叫："把他们送出去。鬼见愁，你必须阻止官兵前来骚扰。"

人刚送走，右窗口出现周永旭的脸孔，亮声叫："宫主，谢谢你，后会有期。"

"你……"香海宫主急叫，他已经走了。

"你们还不走？"香海宫主向混江龙五个人说："从后谷走，我派人带你们出去。无量天君的后事有我办理，不必管他了。"

从香海宫到谷口宾馆约有里余，宾馆位于路左的山坡下，登上山坡，便可看到花木扶疏的香海宫，但仅可看到侧面或高出林梢的屋顶，美景如画，超尘脱俗，老女魔在这里的确花了不少心血。

生死判和多臂熊扼守住谷口，一位女扮男装的侍女则看守着左右的坐骑。南乞追魂使者则在山坡上堆集了不少枯枝，扎制了不少火把，有意让宫门楼的警卫看到那些枯枝。

不远处，一位侍女看守着八名宾馆的魔宫高手，和五名混江龙的爪牙，俘虏们捆了手脚一字排开坐成一列，两包沉重的金珠放在侍女脚下。

天罡手和小凤姑娘站在南乞身侧，目光落在远处的宫门楼上，所有的人除了南乞之外，都带了兵刃。小凤换了装，薰绿劲装同色披风，梳了三丫髻，显得刚健婀娜，与村姑打扮又是不同。

她黛眉深锁，向坐在远处垂头丧气的迎宾馆主问："你从实招来，今天在混江龙那些人进去之后，真的没有外人入谷吗？"

"我敢发誓，真的没有。"迎宾馆主坚决地说。

"暗入的人呢？"

"那是不可能的。"迎宾馆主说:"李姑娘,你可以看得到香海宫的形势,外围清溪围绕,然后是修整得平坦青翠的如茵草坪,宽有六七丈,连一只小老鼠在坪中行走也无能遁形。再内层是丈六高的树篱,每隔五六十步便布了一个伏桩,管制着里外的机关埋伏。宫内的九宫奇阵暗隐生克,步步杀机,连我们自己的人,也不敢擅离自己的警戒区。大白天,绝对不可能潜入的,任何方向有人接近,伏桩必可发出金铃警讯。如果宾馆得到警讯,你们想突袭成功,不啻痴人说梦,你们根本接近不了宾馆。"

"能不能从宫门混入?"

"更不可能。"迎宾馆主摇头:"入谷的人首须经过宾馆的查验,以信号通知宫门守卫。自小桥至宫门这半里花径,就是香海大阵重地,不分昼夜皆施放绮罗香,非本宫的,走不了五步便会昏迷不醒。李姑娘,入宫而没听到警铃的信号发出,只有一种人可以办到。"

"哪一种人?"

"死尸。"

"如果本姑娘找的人死了。"小凤杀机怒涌地说:"香海宫必将成为血海屠场。"

"魏馆主,你派回去的人已过了时限,至今宫主尚无动静。"天罡手阴森森地说:"你向上苍祷告吧,还来得及。"

香海宫突传出三声钟鸣,魏馆主呼出一口长气,如释重负地说:"宫主已答应了你们的条件,即将派人将你所要的人送出来了。"

不久,两个人用担架抬了鬼见愁,四人搀扶着戚报应和俞霜姑娘主婢,缓缓到达宾馆。

一阵忙碌,天罡手纵走了宾馆的人,南乞与鬼见愁小有交情,接到人欣然问:"俞头儿,大难不死,必有后福,受得了吗?"

"哦!老哥哥,没想到真是你。"鬼见愁似乎精力恢复了:"我……像在做梦,两世为人。"

"如果不是碧落山庄的李家凤姑娘,一百个老南乞也救不了你。来,老花子替你引见。"

双方引见毕,戚报应诚恳地向众人道谢。

俞霜姑娘到了小凤姑娘面前,向忧形于色的小凤怯怯地说:"李姐姐,恕我冒昧,小妹有些话,不知该不该说。"

小凤的目光落在远处的香海宫,魂不守舍地说:"你先养养神,大概你吃了不少苦头。老天!怎么里面没有丝毫动静?"

身侧,坐在地上的鬼见愁向老花子问:"老哥哥,你怎会知道小弟和戚兄陷身在内的?"

"我怎会知道呢?那是神龙浪子周老弟做的好事。"南乞大声说:"这件事只有姜老弟知道内情。"

"很糟!"追魂使者不胜忧虑地说:"永旭老弟先一步入谷去救你们,至今毫无动静,老天!我真不敢想,恐怕他已经遭了毒手了。"

"放心啦!"戚报应说:"如果没有他及时现身,咱们几个早就成了五刑室的僵尸啦!"

"戚前辈。"小凤惊喜地急问:"你们见过他了。"

"岂止是见过他?"戚报应竖起大拇指:"那是真了不起,不愧称神龙。唉!看了他那谈笑自若,嬉笑怒骂,视魔宫如无物,不亢不卑无畏无惧的英风豪气,我只有一个想法,那就是我戚报应垂垂老矣!"

"戚前辈,请详加解释好不好?"小凤急急接口。

"他怎样入宫我不清楚,反正知道他出现在大厅时,似乎魔宫的人都大吃一惊,不知其所自来……"

戚报应将所发生的事故经过说了,最后说:"香海宫主一代魔头,凶残自负目无余子,就不敢下令围攻。周老弟一招毁了无量天君,老魔胆都快吓破了,真要翻脸动手,我相信香海宫幸存的人将寥寥无几,我们四个人也不免肝脑涂地。幸而李姑娘诸位碧落山庄的豪杰及时赶到,免了这场大劫,香海宫主如果知道感恩,相信,也会向周老弟致谢的。"

"周老弟不是好杀的人。"追魂使者说:"他毁了无量天君,用意是为你我除去胸腹之患,他这人真难得。哦!看样子,他不会来找我们了。"

俞霜姑娘突然在小凤身前盈盈下拜,颤声说:"李姐姐,请放过他,求求你……"

小凤一把挽起她,苦笑道:"俞姐姐,恐怕你误会了,今后,不是小妹不放过他,而是他是否肯放过我,他在魔宫向老女魔所说的话,没有一句是真的。事实是我误会了他,他根本不屑与我交手,赵叔和费叔也栽在他手下。老天!幸而你们能平安脱险,不然小妹的处境十分可怕,如果你听了他向我所说的那些饱含怨毒威胁的可怕的话,你也会为我捏一把冷汗的……"她将双方误会交手的经过一一说了。

所有的人皆在注意倾听,一个个神色凝重。

"哈哈哈哈……"南乞突发怪笑:"李姑娘,放心啦!那小伙子不是个记仇的人,他会感谢你们的。走吧,俞老弟不良于行,你们四个百劫余生的可怜虫都需要调治,快到府城安顿,我相信那小鬼会来找你们的。"

"可是……他如果出不了魔宫……"小凤不肯走。

"敢和我老花子打赌吗?"南乞笑问:"他能无声无息地进入,自然可以神不知鬼不觉溜出,我赌他这时早已离开,可能躲在附近看我们穷紧张呢。"

"这样吧,太平府不安全,反正咱们同道,顺便护送戚兄四人返金陵,如何?"天罡手及时岔开话题。

"那……周老弟可能去找我,我先走一步。"追魂使者说。

"他并不知道你也来了。"戚报应说:"我们四人既然已经脱险,他也不会来找我们的,他在九华有约会,可能已经动身了。"

"他在九华有约会?"天罡手讶然问:"九华即将风风雨雨,大魔云龙三现与大邪神行无影清算过节,群魔乱舞高手齐集,他为何与人约会?他帮谁?那些家伙没一个是好东西。"

"他不是去助拳的,而是去追缉一个人。"戚报应说。

"谁?"众人同声问。

"可能是茶炭山陕的顺天王廖麻子。"戚报应凛然地说:"他没说,我只是猜想而已,希望诸位千万守秘。"

"我的天！顺天王满天星。戚兄，你不是开玩笑吧？"天罡手骇然地说："那巨寇玄功盖世，道术通玄，宇内无出其右，咱们武林人谁是他的敌手？幸而他无意称霸武林，志在逐鹿天下，不然武林危矣！"

"所以我希望猜测错误，顺天王不是周老弟所要找的人，可是……"鬼见愁说不下去了，不住摇头苦笑。

"顺天王可能会在九华现身。"追魂使者郑重地说："三月前，我在燃犀亭旁的草丛中练功，天刚破晓，亭中到了两位不速之客，都是老相好的，百毒真君和蓝胡子，两人在亭中约会话旧，没料到有人藏在草中。听蓝胡子说，顺天王蓝延瑞兵败中计伏诛，满天星廖麻子却只身遁脱，重新打起顺天王的旗号攻入四川，那时便与毒龙柳絮攀上了交情。后来毒龙东下，在鄱阳安窑立舵，明里是湖寇，暗中却是南昌宁王府的把势头儿。顺天王兵败水道渡，只身逃离四川下落不明，可能和毒龙搭上线，隐身宁王府准备东山再起。宁王府的天师李自然，道术与顺天王不相上下，据说他与顺天王早年先后学道于仙坛元都观，同为妖道葛仙翁的门人。顺天王投奔宁王府，李自然才是真正的引进人，与毒龙并无多少关联。这次九华大会，表面上是一魔一邪大斗法，骨子里却是在替毒龙柳絮招请江湖高手罗为羽翼，不但毒龙要亲自前来暗中主持，顺天王必定随行暗中物色人才。那巨寇道术通玄，千变万化鬼神莫测，永旭老弟并不认识这巨寇。世间只知那巨寇满脸麻子，其实那只是他的化身而已。万一，永旭老弟上当，做了毒龙或顺天王的羽翼，那就万事皆休。宁王的铁卫军已经分别潜在九江、安庆一带待机，反旗一举，大兵直趋南京，他势必成为宁王的铁卫先锋，后果可怕。宁王即将举兵造反的事，除了当今皇上之外，恐怕普天下无人不知，举世皆晓了。目下大江上下各州县，皆奉到提督江西的王大人王守仁的密札，暗中召集民壮应变。安庆的知府张文锦，亲自到桐城潜山一带秘密召训义军，府城丁勇云集，混江龙一群水贼不无戒心，所以要阻止俞兄前往安庆挖他的老根。总之宁王造反已迫在眉睫，但决难成功。永旭老弟如果不幸陷身其中，日后抄家灭族的惨祸势必落在他头上。兄弟这条命是他救的，受人之恩不可忘，我得先走一步安顿家小,然后赶往九华替他尽力,死而无怨,告辞。"

追魂使者不理会众人的反应,匆匆走了。

"姜兄是黑道中消息最灵通的人,他的判断大概不会错。"南乞正色说:"那小伙子年纪轻,少经验。可能上当,那多可惜?老花子也得跑一趟,告辞。"

"南宫前辈,可否一同前往?"小凤伸手虚拦:"前辈久走江湖,见多识广,有前辈的智慧和经验,加上碧落山庄的实力,相信对周……周兄不无少助,是吗?"

"你们也去?这……"

"庄主的两位少爷可能已到达池州。"天罡手说:"家驹贤侄剑下无三招之敌,家骅一支剑千变万化不下于庄主,这两个捣蛋鬼惟恐天下不乱,有他们在,天下大可去得。南宫兄,有兴趣吗?"

"哈哈!我明白了。"南乞的大手指几乎点在天罡手的鼻尖上:"你们碧落山庄大举出山,原来是有意向江湖示威,李庄主大概想通了,不甘寂寞,不愿躲在山庄挨骂啦!老花子真是老糊涂了,还以为李庄主真有乌龟肚量呢!哈哈!妙哉,老要饭的跟定你们了,至少可以不必沿门伸手罗!走!到府城安顿这四个可怜虫,我们再动身南下大干一场,能把顺天王和毒龙毙了,保证可以多救千万生灵,功德无量。"

"有我和俞兄在,保证可以获得官府的助力。"戚报应拍拍胸膛说:"请不要丢下我们。"

"以后从长计议,有你们在,咱们方便多多。"南乞说:"为免走漏消息,这五个混江龙的爪牙废了他罢。"

"可是,他们已是俘虏……"

"你们公门中人不可私自执法,老花子可不是公门人。"南乞冷冷地说:"你知道这些水贼弄沉了多少船?杀了多少人?饶他们不得,你们闭上眼睛,装作没看见好了,由我来动手。"

看守水贼的侍女已抢先一步下手,一掌拍在一名水贼的后脑上。水贼眼一瞪,呲牙咧嘴成了白痴。

同一时间,后谷的偏僻山径上,周永旭伏在路旁的草丛中,锐利的目光,落在下面的幽暗小径附近,像一头伺伏的金钱大豹,浑身散发着危险的气息。

猎物终于出现了,他眼中出现重重杀机。

五个人影缓缓出现,走在最前面的人,是那位大麻脸小矮子,灰色的山羊胡子走一步翘一翘。后面,高顶髻中年美妇袅袅娜娜从容而行,美妙的身材一扭一扭地,乳波臀浪惹人想入非非,混江龙走在第三,姓李的扶着双颊浮肿的飞鱼杨芳殿后,脚下依然灵光。

"那小子到底是何来路?"中年美妇说:"人倒是一表人才,怪俊的。无量天君的无量神罡是武林一绝,怎么竟禁不起他一击?定然那小子棒中有鬼,暗藏了些什么毒玩意。"

"在下曾听说过这号人物。"矮麻子说:"怪就怪在这一点,听说他出道不到两年,只是一个跑得快,会诈会骗的浪子而已,曾经与他交过手的人,大多是江湖二流人物,而他胜的机会固然多,败的时候也不少,是个不折不扣的所谓赖汉,怎会一棍就把无量天君打得半死的?这其中定有古怪。"

"有何古怪?"

"香海宫主已在茶水中弄了手脚,暗算了无量天君,指使小畜生毁了无量天君,以至无量神罡一击即散。"矮麻子恨恨地说:"你相信大白天,那小子能无声无息进入香海宫?鬼才相信。老女魔不是肚量大的人,她为何不下令围攻?哼,我敢说,那小子定是老女魔的面首,此仇不报,何以为人。太爷将带几个人来找老魔算总账,以免老友无量天君死不瞑目。同时派人告诉赤阳子,老道不找老女魔拼命才是怪事……咦!"

"你们现在才来呀?"长身而起的周永旭,怪笑着盯着矮麻子,笑得矮麻子心中发冷。

中年美妇抢先两步迎上,媚笑着问:"小兄弟,你为何不将木棒带来?"

"那是锄柄。"他说:"很管用是不是?丢了很可惜。武林朋友杀人放火用刀剑,等到被仇家打得头破血流,雄心已死壮志全消,便会觉得锄头可贵,丢了刀剑重新拾起可爱的锄头啦!只有锄头才能令人活下去,你要不要我送你一把?"

"那我就先谢谢你啦!拿来。"中年美妇说,手几乎伸到他的胸口,媚目中异彩涌现。

"哦!你袖底的小管打造得真灵巧,好香。"他也向对方微笑:"好像是荡魂香。呵呵!我有点想入非非了。还有你那教人想做梦的明眸,我真意乱情迷啦!迷魂魔眼已令在下入魔了。呵呵!我这里雾失楼台,月迷津渡,桃源望断无寻处……咦!厉害!"

他展开双臂,摆出登徒子风流贼的姿态,轻狂的要暖玉温香抱满怀,却被美娇娘在他胸口七坎大穴连点了三指头。

他手一抬,反握住中年美妇的掌背,举至嘴前香了一吻,放手笑道:"姑娘,珍惜美好的人生,不要再在江湖作践你自己,要像一朵出污泥的白莲,祝福你能找到美满的归宿,我要诚意恭送你走向幸福美丽的光明大道,请。"

中年美妇如同中魔,吃惊地退了两步,久久,突然脸一红,羞态可掬,盈盈行礼,深情地低声说:"谢谢你的祝福,也祝福你。"

中年美妇头也不回地走了。

矮麻子大骇,惶然问:"你……你把她怎样了?"

"我唤醒了她的良知,赞美她的善良本性。"他泰然地说:"加上我至诚的祝福,玉山狐殷五姑身世坎坷,那不是她的错,她只是被人引诱走错了路,但却是一位本性善良的好姑娘,至少我没听说过她残杀无辜。至于你!"

"你想怎样?"

"我要领教你的天生神力,和五行遁术。"

"你说什么?"

"呵呵!你装得很像呢,你不是麻面虎梁彪吧?"

"我不懂你的话。"

"你懂的。"他逼进两步"你脚下有土,抓把泥土遁给我看看?"

"你这人岂有此理,你以为太爷是变戏法的巫师?"

他解下从侍女身上夺获的佩剑,抛过说:"那你就施金遁法吧,看你能不能把本命元神附在剑上遁走?"

不远处的混江龙鬼精灵,向同伴暗打手势,三人悄然向草丛中一钻,溜之大吉。

矮麻子不知身后事,接过剑拔剑随手丢掉剑鞘,大叫道:"混江龙,咱们联手埋葬了他。"

"他们都溜掉了。"他笑着说。

剑虹一闪,矮麻子出其不意刺向他丹田要害。他更快,功行百脉,虎目紧吸住对方的眼神,扭身就是一腿,快逾电光石火,噗一声响,踢中矮麻子的胸口。

砰一声大震,矮麻子仰面摔出丈外,滑了丈余声息全无,剑脱手抛出五丈外去了。

"咦!"他讶然叫,火速奔去,一看矮麻子的脸色,便知一切都嫌晚了。但他仍然动手检查已经断气的尸体,最后颓然放手说:"不是尸解,我杀错了人。"

他立即用剑拨开一个草坑,丢入尸体以剑掘土,草草将尸体埋了,丢了剑取回藏在草中的包裹,仔细搜寻混江龙留下的足迹,草深及腰,不难找到痕迹。

混江龙与两名同伴是分开逃命的。这恶贼鬼精灵,不走小径走密林,避开空敞的荒野,看准方向逃命。半个时辰后,前面出现南北大官道,道上行旅往来不绝。

"谢谢天!有人的地方我就安全了。"恶贼兴高采烈地说,向官道奔去。

跃过一条小溪,对面竹丛中蓝影乍现。

"算定你也该到了。"蓝影说,是周永旭。

"你……你……"混江龙语不成声,恐惧地往后退。

"你瞧。"周永旭向混江龙身后一指:"我跟着你到达那座小山坡的密林,算定你会从这里走向官道,所以我先走一步,在右面的小村买了一副谷箩,花两百文。"

他伸手从竹林下抓起一根扁担,两端各吊了一只大谷箩。这种箩是有盖的,比平常的宽口谷箩小些,只能盛五十斤谷,普通的宽口谷箩可盛八十斤,一百六十斤算一担。

混江龙如见鬼魄,撒腿便跑。

片刻,混江龙躺在箩旁像条病狗。

周永旭从一只箩中取出包裹,开始换村夫装,一面换一面说:"沈舵主沈当家,你说吧,你想睡觉呢,抑或是捆住手脚勒上勒口布堆成一团。"

"你……你要把我……"

"我要将你交给鬼见愁。你知道,我这人懒得很,多一事不如少一事,如果我放了你,下月中我还得跑一趟安庆去捉你,不如就在此地办妥省些劲。"他开始捆紧扎腰带:"你可安逸得很,坐在箩里进城,我可苦了肩膀和两条腿,如何啊? 你要进箩了,决定了没有?"

"你就点我的睡穴。"混江龙绝望地说。

"你并不笨呢,捆住手脚勒住嘴塞在里面,比点穴难受多了,咱们这就动身。"

农民进城,身分比任何人都高,当然比读书人差一级。只要穿了村夫装戴了斗笠,城门的巡检照例不加检查盘问。如果真挑了米谷进城,连仕绅的车轿也得一旁让道。

周永旭挑了米箩进城,神气地在大西门附近住进远东客栈,天黑之前,他在城内各处逛了一圈。

南乞带了碧落山庄的人,住在北大街的太平老店。掌灯时分,西院的食厅摆了两桌酒菜,男女分桌,除了鬼见愁还不能上桌之外,其他的人都到齐了。

南乞年岁高,当然坐在上席,一面喝酒,一面把周永旭大闹乌江镇的事娓娓道来,最后说:"老要饭的居然走了眼,居然想助他一臂之力呢,更妄想阻止他开杀戒,认为他年轻人血气方刚未定型,开了杀戒就无法回头。你们想想看,宇内的高手名宿中,有谁能调教出这种超尘拔俗的门人子弟?"

"很可能是宇内三仙的某一位仙长。"天罡手肯定地说:"可是我们仍然有点怀疑,宇内三仙只是传说中的人物,谁知道是否真有其人?"

下首一桌,小凤姑娘缠住了俞姑娘,逼她说出与周永旭结识的经过。

俞姑娘能说些什么呢?她说:"李姐姐,我的确不知道他的底细,只知他上月行脚南京,无意中助家叔擒住了几个江洋大盗。他们在北城指挥司衙门混了不少日子,临行在对岸的江浦县,借故生事敲了江浦地低三尺三百两黄金。这些事还是在船上时,家叔告诉我的,在船上他根本不和我说话,似乎他很瞧不起我们女孩子。"

"你想,他会回来找你们吗?"小凤追问。

"不知道,他已和家叔约定,下月中旬在安庆见面。"

"你去不去?"

"这……得看家叔的意思,我很想去。"

厅口出现店伙的身影,向里叫:"哪一位是戚爷?有位大哥送来一担礼物,现放在天井里,请来查收好不好,礼物重得很,还贴了封条呢。"

戚报应一怔,离坐问:"送礼物的人呢?"

"走了。"店伙说,匆匆而去。

南乞与天罡手从天井提回两只谷箩,拉断捆绳,两人怔住了。

南乞说:"小伙子走了。"

一些石块,一个盛了五百两黄金的包裹,一个人是混江龙。两张笺,一张写了龙飞凤舞的狂草:千金散尽还复来。另一张写着:速返南京销案,须防劫牢反狱。

有了混江龙,戚报应与鬼见愁只好押着要犯返南京。

俞霜姑娘主婢俩,也只好闷闷不乐地随乃叔动身。

次日一早,南乞独自南行,后面两里地,小凤六人六骑缓缓启程。

周永旭当天在府城,准备新的行装,摇身一变,变成文质彬彬的游学书生。

花了十两银子,雇了一个十五岁的小顽童替他挑行囊书箧,游学书生怎能没有仆人?小顽童叫小虎,是在府前街一带鬼混的孤儿,偷鸡摸狗门门精,可知是个聪明机警顽皮刁泼的小无赖,接了他十两银子和两套衣裤,答应扮书童扮到铜陵,然后领了十两赏钱自己走回头路,两人施施然上道,沿途谈谈笑笑颇不寂寞。

小虎的担子其实很轻,但却沿途叫苦,肩痛腰痛肚子疼怪点子真不少,用意是要他雇轿子请挑夫或雇一辆小车。

这天一早,出了芜湖城,首先经过河南市。

河南市也叫河口街。

这条街北倚城南靠河,东西长十里,北县城繁荣得多,可说是市肆的精华所在,也是龙蛇混杂的问题地区。

进入街口,后面跟来了三名青衣大汉,大嗓门像打雷:"好狗不挡路。书虫,让路。"

他让至路旁,并未介意,挑了担的小虎却不是省油灯,一面嚷一面嘀咕:"街宽得可以抬七八具棺材,竟然有活人嫌窄了。"

"你这小狗说什么?"走在前面的大汉冒火了,一把抓住扁担厉声问。

"咦! 你怎么这么凶? 想吃人吗?"小虎也怪叫。

"大爷先揍你个半死再说。"大汉怒叫,左掌举起了。

对街站着一个虬髯大汉,敞开衣襟,露出胸毛成簇的胸膛,左胁下夹了一根镔铁齐眉棍,铜铃眼一翻,用洪钟似的嗓门大叫:"干什么? 要打人? 你他娘的混账! 站在那儿牛高马大,居然和一个小孩子计较? 放了你的狗爪子,放慢了大爷给你卸下来。"

三大汉突然像老鼠见猫,狼狈而遁,虬须大汉不但身材像一座塔,那根乌黑的镔铁齐眉棍粗有一握,没有五十二斤也有四十八,挨上一棍那还了得?

"谢谢你,老兄。"小虎挥手示意道谢。

虬须大汉瞥了周永旭一眼,大踏步跟在小虎身后,把周永旭挤到身后去了,一面走一面说:"小兄弟,别怕,我送你走一程。那三个混账东西,是河口街的地老鼠,也许会在桥头找你的麻烦。"

"兄台。"周永旭在后面说:"他们敢在大街行凶? 难道这地方没有王法了?"

"很难说,有时候,王法反而保护了这种地老鼠。"虬须大汉说,语气有怒意:"他们吃定了这地方,把你们打个半死,你敢怎样?告官吧,告官需三头六证,你到哪儿找证人?这些街坊的怕事鬼,谁敢出头指证他们是凶手?你们明白了吗?"

"呵呵!你倒是个明事理的人呢,贵姓呀?我姓周。"

"唔!你不像个读书人,穿的却是儒衫。"

虬须大汉不是个蠢笨的人。

"我怎么不像读书人?"

"读书人不是自称小生吗?"

"哈哈!那就自称小生好了。小生姓周,名旭,字永旭。兄台……"

"在下姓韦,韦胜。你们……"

"小生南下游历,兄台不像本地人。"

"在下是个江湖人,正要往南走。"

"何不结伴同行?"

"谢了,在下脚程快,同时,阮囊羞涩,多耽误一天,便多花一天钱。"韦胜毫不脸红地说,谈吐不俗。

"放心啦!住宿吃食全由小生负责,如何?听说近来人心惶惶,将有大乱发生,道路不靖,有韦兄这根大铁棍,宵小毛贼至少有所顾忌,是吗?"

谈说间,到了通济桥头,六七名大汉站在桥头两侧,两个獐头鼠目的家伙堵在路中心,桥是浮桥,第一艘船的两端,先前找麻烦的三名大汉和两名泼皮,分据两侧怒目而视。

桥上本来行人甚多,这时纷纷走避。

"他们真要大干呢。"韦胜说:"你们先等一等,我打发他们走路再过去。"

脚步声到了身后,一位身材修长,留了三绺长须,穿了青袍的佩剑中年人,从容超越他们向前走,后面跟着一位背了大包裹的健仆。

"这里要出人命了。"中年人沉静地说:"这些痞棍可恶,柳福,赶他们走。"

健仆应喏一声,急走两步到了堵在路中的两个泼皮面前,喝道:"滚到一边去!滚!"

泼皮们有意生事,倚仗人多谁也不怕,两个家伙凶眼一翻,突然同时扑上抓人。

健仆柳福大喝一声,迎上、跃起、出腿,快逾电光石火,但见人影一闪而过,快靴着肉暴起。

"啊……"两个家伙和伸出去抓人的手臂,被重重地踢中,抛跌出丈外挣命。

这一记快速美妙的"江河分流",不但双腿分开时形成一字,而且配合身法、速度、攻击的时空位置等等,无一不臻上乘,力道也锐不可当。

"好!"有人喝彩,是一位佩了剑的中年老道:"山东济南府柳条沟柳家的柳絮随风七十二踢,果然名不虚传,牛刀小试极具功力。"

"多谢夸奖"。

中年人抱拳含笑向老道招呼。

韦胜单手握棍,大踏步上前说:"在下也放翻几个意思意思。"

痞棍怎敢撒野?狼奔豕突一哄而散。

小虎紧跟在韦胜身后,上了浮桥。

老道与中年人走了个并排,笑道:"贫道玄清,俗家姓杨。施主……"

"哦!原来是绝剑玄清道长,失敬失敬。"中年人再次抱拳行礼:"在下柳鸿,到九华见识见识。"

"果然是神腿柳二爷,幸会幸会,贫道也是到九华开开眼界的,正好结伴同行。"

周永旭在前面十余步之遥,但身后两个人的话他听得一清二楚,心说:看样子,南北高手似乎都赶来了。

绝剑玄清,是闽浙边区的武林高手,在江湖颇有名气,剑术出类拔萃,性情有点怪,喜怒无常,剑出鞘必定伤人,所以绰号叫绝剑。

辰牌末,踏入了鲁港镇。

这座镇是芜湖与繁昌两县的交界点,设有巡检司,是芜湖四大镇之一,市面繁荣,客商云集,南至繁昌整整六十里。

一进镇口,小虎便捧着肚皮嚷嚷:"公子爷,肚子闹空城计啦!歇歇肩找地方祭祭五脏庙,可好?"

"你一天到底要吃我几顿?"周永旭笑问。

"公子爷忘了小的正在长?"

"好吧,找地方歇歇脚也好。"他同意。

"县南鲁港驿对面,有一家食店酒菜不坏。"韦胜唧着大嘴说:"这条路我走过两趟,所以记得。"

不是进食的时光,食店的客人不多,大食厅摆了二十余张桌面,只四桌有人,显得空荡荡地。

他们占了一张食桌,店伙送来茶水,周永旭向店伙说:"小二哥,替我们来几壶酒,几道下酒菜,来大盘的,我这位虬须朋友今早没吃饱,喝完酒再准备饭菜。"

店伙走了,韦胜脸红脖子粗苦笑道:"公子爷,你真是活神仙,不瞒你说,在下不但今早没吃饱,从五天前,每天只有五六文钱买食物充饥。"

"哦!韦兄,你有了困难。"他真诚地说:"请问,你打算投奔何处?出门人囊中无钱,日子是很难过的,长此下去终非了局哪!"

"我打算尽快赶往九江,投奔九江镖局的朋友混碗饭吃。"

"韦兄府上是……"

"地小方,山东费县,家早就没有了,流落江湖有一天过一天。"

"你从没想到安定下来生根落叶?"

"我能做些什么呢?从小种庄稼,种山打熬筋骨气力,种田的人哪有好结果。地主说一声收回,就得另谋出路,所以我一气之下,宁可到江湖鬼混,过一天算一天。"韦胜不胜感慨地说:"前些年我替济南车行赶车,然后到徐州替人作保镖,最后在南京替人四出押货,目下就只有再吃镖行饭了。"

"哦!你不知道九江镖局已经关门大吉了吗?"

"什么?"韦胜惶然问:"九江镖局关门了?"

"是的,那是今年二月的事,一连丢了五趟镖,镖局主目下关在大牢里吃官司,赔不出镖,牢坐定了。"

"你是说,我这次是白跑一趟,进退无路了。"

"大概是的,除非你另有门路。"

"天哪! 这岂不是有意绝我的路吗?"韦胜顿足叫苦。

接二连三来了不少食客,说巧真巧,绝剑玄清和神腿柳鸿恰好占了右首的一席。

等酒菜送上,附近五桌皆有客人了。

周永旭接过韦胜递来已斟满的酒杯,放低声音说:"韦兄,这些人都带了刀剑,大概和你一样都是江湖人吧?"

"是的。"韦胜也低声说:"公子爷请小心,别招惹了这些人。"

左首一桌,是个戴儒巾穿儒衫的佩剑中年人,留了掩口须,明亮的大眼中精光四射,人才仪表非俗。

再往左,是一位佩了雁翎刀的黑劲装大汉。

绝剑玄清的邻桌,是一位不忘荤酒的带发头陀,巨大的铁缘钵搁在桌上,一旁放了一根打磨得光芒四射的木鱼锤,对面一张食桌,有一位鹑衣百结的中年花子,胸前挂着八宝袋,偏凳旁搁了一根打狗棍,狮子鼻鲶鱼嘴,一双猪眼白多黑少。

门口绿影入目,香风入鼻,一位持龙首杖的老太婆,领着两位俏丽的绿裳少女和两名稚环,缓步入店。

老太婆说:"进去泡盏茶解渴,他们也该到了。"

两位少女真是貌美如花,美秀的明眸亮如星星,十七八岁花样年华,丰满的身材吸引了所有的目光。

两个小丫环年约十二三,蓝短衫梳辫,也是两个小美人,每个人背了一个包裹,挟了漆金长匣。

老太婆鹤发如银,似乎脚下不太健朗,走路一颠一颠地,一双三角眼阴晴不定,说起话来有点透风,表示牙齿快掉光啦!

她们沿中间的走道向里走,似乎不介意那些贪婪的目光。

当第二位少女刚经过带发头陀身旁时,头陀的右手悄然从下面伸出,眼看要摸到少女的臀部了。

少女身后第一名丫头哼了一声,左手一拂,小手指以奇速划向头陀的肘尖。

少女像是背后长了眼,倏然扭娇躯玉指出袖,"二龙争珠"插向头陀的双目,奇快绝伦。

变化快极,看清的旁观者少之又少。

头陀了不起,连人带凳斜移五尺,站起大笑道:"苏杭二娇,你们才来呀? 哈哈! 贫僧等得你们好苦。"

老太婆龙杖一伸,像是电光一闪,但见杖一动,巨大的铁缘钵已经挑在杖尾上了。

"五毒头陀,你给老娘安分些。"老太婆阴森森地说:"你不想要吃饭的家伙了? 嗯?"

"阴婆,客气点好不好?"五毒头陀嗓嗓笑:"郎老哥派贫僧迎客,你好意思砸贫僧的吃饭家伙? 就在这一桌坐吧! 还有什么人要来?"

阴婆放回铁缘钵,大马金刀坐下了,说:"醉仙翁与笑怪马五常,头陀,你得准备好酒。"

"那是当然。"

头陀落座,立即叫来店伙。

醉仙翁姓成名亮,九大杀星的三残之首。

笑怪马五常,三怪中排名第三。

三怪并不是穷凶极恶的人,只是性情古怪喜怒无常的怪物而已。

亦正亦邪声誉甚隆,但三残却是江湖朋友痛恨的杀星,凶暴残忍人见人怕。

醉仙翁名列三残,居然与笑怪走在一起,委实令人大感惊讶。

"哈哈哈哈……"

门外笑声震耳,秃了顶挟了大酒葫芦,矮矮胖胖红光满脸的醉仙翁踏入店门,说:"阴婆,到了多久啦?"

"刚到,成老来早了些吧? 坐。"阴婆离座迎客:"马老请上坐,五毒头陀正在叫酒菜呢?"

随在醉仙翁身后的笑怪马五常满脸笑容,花甲年纪脸上却皱纹甚少,脸团团笑容常挂,佩的剑似乎很沉重。

后面跟入一个眉目清秀的少年,十四五岁,穿的却是天蓝色长袍,那双黑白分明的大眼有点古怪,又清又亮水汪汪地,站在门口高叫道:"还没到五月初五,怎么毒虫恶豹都出来了。"

门口左方又钻出一个年龄差不多,但穿了灰直裰的清秀小后生,接口叫:"好啊! 盛会盛会,瞧,一僧一道,九儒十丐,上二流与下二流的狗男女都到齐了! 真是年头不对,群魔乱舞……"

"哈哈哈哈……"笑怪突然狂笑着回头猛扑,大袖猛挥。

两个小后生向两侧一闪不见了,溜了,好快。

店中大乱,有不少人往外抢。

两个小后生骂得太恶毒,激怒了这些妖魔鬼怪。

笑怪马五常名列第三怪,艺业深不可测,转身袭击身后一个小娃娃,大袖一挥之下,可怕的潜劲山涌,按理断无落空之理。可是,两个小娃娃一闪不见,分向门两侧窜走了,可怕的袖风涌出门外,劈面袭向匆匆入店门来的一名高瘦中年人。

中年人总算反应了得,而且先一刹那听到那怪笑声,本能地止步双手拍出叫道:"住手……"

蓬一声闷响,内家掌劲与袖风接触,劲气四散,像是突然刮来一阵狂风,中年人退了两步,脸上变了颜色。

笑怪已抢出门外,冷笑道:"老夫会找到你们两个小畜生的。"

随后出来的是穿儒衫的中年人和中年花子,最后是五毒头陀。

"那两个小鬼是何来路?"五毒头陀大声问:"谁知道他们的底细?"

接了袖风的中年人哼了一声说:"你们真没出息,怎会与两个小娃娃计较?"

"隆老,你不知那两个小鬼骂得多毒。"中年花子愤愤地说:"我霸王丐发誓要找他们算账。"

隆老不再理会头陀,向笑怪苦笑道:"好哇,马老,你这一袖几乎把区区的内腑震散了呢。"

# 第九章　挹秀姬家

"抱歉抱歉。"笑怪抱拳致歉:"急怒之下转身发招,不知隆老突然出现,休怪休怪。呵呵! 你擎天手如果接不下区区的铁袖功,还用在江湖叫字号? 请进,里面谈。"

先前大乱的刹那间,苏杭双娇的大娇在抢出时经过周永旭身侧,有意无意地轻拂翠袖,袖中飘下一条罗帕,悠然坠落在他的双膝上,扭头冲他甜甜一笑再向外走。

罗帕传出阵阵幽香,他正想拾起,左首的韦胜已不假思索地伸手一拂,罗帕轻飘飘地飘落在走道上。

麻烦大了,这情景,恰好被大娇扭头看到,水汪汪的明眸不再可爱了,杀机怒涌的凌厉眼神,死死地瞪了韦胜一眼。

韦胜脸色一变,低声说:"公子爷,赶快进食,得赶快离开了,不然大祸将至。"

"怎么一回事?"他问,装糊涂装得真像。

"别多问,快进食。"

"好,不问就不问。"他微笑着说。

所有的人皆回到店中,但不再分开,男男女女分坐两桌,旁若无人。

苏杭双娇的目光,不断地向周永旭暗送秋波,也狠狠地打量韦胜。

擎天手隆老坐在上首,可知地位甚高,扫了众人一眼说:"好像还有几位尚未赶来呢。"

"谁？隆老另邀了他人？"五毒头陀问："郎老目下在何处？"

"不错，还有几位朋友，诸位大概都不算陌生。看样子，他们不会赶来了，可能直接到九华去啦！"

擎天手不介意地说，并未将未到的人说出："郎老兄目下坐镇九华，接待各地赶来助拳的朋友，未克分身前来迎迓，特命兄弟赶来相请，并有事转告。"

"有何要事，隆老你就赶快说吧。"霸王丐不耐烦地说。

"郎老兄的意思，是请诸位不必急于赶赴九华会晤，可在外打探对方的实力。这几天，山下来了几位功力奇高，而且年轻英俊，来路不明的人，郎老兄猜想是大魔请来助拳的人，因此不无顾忌，特请诸位留些神，摸清他们的来路。哦！刚才那两个小娃娃，到底是怎么一回事？"

霸王丐将小娃娃的事说了，最后切齿说："如果在下所料不差，这两个小杂种定然是大魔的人，有意侮辱咱们这些助拳朋友，在下发誓要刨出他们的根底，找他们的长辈理论，我霸王丐忍不下这口恶气。"

周永旭已进食毕，正偕同韦胜出店，小虎挑了行囊，跟在后面扬长而去。

苏杭双娇互相一打眼色，大娇离座说："隆老，就这么说定啦！咱们俩在会期之前入山，等候郎老的通知，我们先走一步了。"

"好吧，两位姑娘请便。"擎天手客气地说。

双娇含笑向众人颔首告辞，偕同老太婆与两小婢匆匆出店，远远地盯在周永旭身后，出镇走上南行大道。

韦胜一出镇，便催促永旭快走。

永旭糊涂装到底，问："韦兄，到底怎么啦？这顿酒食被你像失火般猛催，吃得真不痛快，怎么在路上又在紧催？"

"咱们走快些，那几个妖女就追不上了。"韦胜一面说，一面回头察看。

"那几个是妖女？狐狸精？五通神？会法术吗？"

"差不多，但比狐狸精五通神……"

"呵呵！她们不是美丽大方又可爱的吗？"

"公子爷,你不是江湖人,不知道这些女人的可怕,她们已看上你了。"

"看上我？呵呵！小生今年二十一岁,尚未娶妻呢,如果她们……"

"如果她们有意,公子爷可以一箭双雕。"小虎大声说:"那两个小丫环留给我,老太婆就留给韦大个儿吧。"

"你们尽量想入非非吧,到时候你们就得求老天爷保佑了。"韦胜苦笑着说:"那老虔婆绰号叫阴婆,是两女的保镖,一个杀人不眨眼,阴狠毒辣的古怪老太婆。两女是江湖上大名鼎鼎的苏杭双娇,姓牛,所以也称牛姓双娇,两个恶名昭彰的淫妇,被她们勾引到手的男人,活不了几天就会在世间消失。你们回头看吧,她们已经追来了。如果你们想在牡丹花下死的话,你就慢慢走好了。"

永旭脚下一紧,意似不信地说:"韦兄,你弄错了吧？这么出色的美女,怎会是淫妇？"

"在下跑了半辈子江湖,不会弄错的。记住,万一她们不怕惊世骇俗追上来搭讪,千万不可离开我左右。"

"韦兄不怕她们？"

"一比一,在下不在乎;一比二,可支持百招;一比三,那……但愿她们不敢在阳关大道上行凶掳人。"

"咦！她们不见了。"后面的小虎叫:"大个儿,你在唬人吗？"

后面官道上有不少旅客往来,双娇五个人踪迹不见。

"她们不会死心的。"韦胜说:"如果我所料不差,她们必定抄小道赶到前面去了。牛大娇已将罗帕丢在公子爷身上,算是下了订定啦！她决不会放手的,老实说,像公子爷这种人才,不要说苏杭双娇,恐怕连眼高于顶一向瞧不起男人的凌波仙子,也会芳心暗许呢。"

"谁是凌波仙子呀？"永旭问。

"哦！那是一个亦正亦邪的年轻女人,姓雍名璧,出道三四年,把江湖上那些好色之徒整得焦头烂额,也把武林中五大世家的年轻子弟,逗得晕头转向。"

官道通过一座桑园,向左一折,路左出现一座丘陵,满丘青翠中,现出一座六角凉亭。路旁的大树下传出数声怪笑,钻出先前闹店的两小童,拦住去路怪笑,一个说:"诸位,丘上的凉亭正好歇脚,上去吧!"

韦胜超越永旭,大声说:"不行,我们要赶路。"

"赶黄泉路吗?嘻嘻!"

"胡说八道,你……"

"姓韦的,你心里比谁都明白,是吗?"

"咦!你认识我?"韦胜讶然问。

"不但知道你韦胜的根底,而且知道你到九华所为何来?"小童老练地说,说的话与年龄不大相称:"知道你是癞怪的侄儿的人,天下间没有几个,对不对?"

"咦!你……"

"少说废话吧!我兄弟俩是善意的,你挡不住苏杭双娇的乾坤剑,也抗不住她们的空灵暗香。请吧!家主人在上面等得不耐烦了。"

"好吧,依你。"韦胜无可奈何地说,转向永旭:"公子爷,请在此稍候。"

"一起上去好了,在路上等算什么?"小童盯着永旭说,顽皮地眨眨眼做鬼脸:"双娇不是为了这位公子爷动了春心吗?他留在此地太危险了。"

"走就走。"永旭含笑说:"小兄弟,你几岁了?贵姓呀?小生姓周。"

"十八岁。"小童说,咧嘴一笑;"奇怪吗?我也不知道自己姓什么,你叫我日童子好了。那是我弟弟月童子,我们是双胞兄弟,他晚出娘胎一步,只好做弟弟罗。"

"哦!日月童子,好名字嘛!你的主人大概是位玄门方士罗!"他一面走一面信口说。

"正相反,家主人最恨的就是方外人。"日童子笑嘻嘻地说。

登上凉亭,永旭眼前一亮。

亭栏上,分别坐着四个人,主人年约半百,团团脸慈眉善目,红光满面一团和气,穿了天蓝色长袍,佩的剑古色斑斓烂。

一位中年妇人穿墨绿色衫裙,高髻玉钗珠耳坠,眉目如画清丽出尘,虽然也带了剑,但未流露丝毫英气,却可看出外在的端庄高贵风华。

另一位梳三丫髻的十六七岁少女,内穿宝蓝色劲装,外罩同色的短披风,佩的也是剑,瓜子脸蛋粉颊上泛着健康的光泽,那双像一泓秋水似的明眸十分动人。看脸型,就知她是中年美妇的女儿。

最外侧是位梳双丫髻的侍女,十五六岁秀气中流露出三分英气,佩了一把专供女流使用的两尺六寸的饰剑。

韦胜持棍行礼,惑然道:"如果在下所料不差,尊驾定然是天台把秀山庄的姬少庄主,幸遇幸遇,但不知少庄主宠召,有何见教?"

"呵呵!韦兄不愧称老江湖。"姬少庄主回礼说:"能一眼便看出姬某身分的人,少之又少。把秀山庄姬家的子弟,甚少在江湖中行走,三年前令叔曾经行脚敝地,曾至寒舍盘桓半月之久。"

"家叔曾提及此事,但语焉不详,在下是从少庄主的豪曹剑,而猜出少庄主的身分。"

"所以说韦兄不愧称老江湖。令叔近来可好?"姬少庄主问,目光却落在在旁含笑背手而立的永旭身上。

"托少庄主的福,一切尚算如意。"

"这次九华大会,令叔是否会来参加?"

"很难说,家叔游戏风尘,飘忽无定,在下已经两年不曾与家叔见面了,年初曾接他的手书,说今夏可能到江南一游,并未提及九华之事。"韦胜支吾着说,脸上发赤。

"令叔是风尘怪杰,可能会来的,九华群魔乱舞,他不会置之不理。韦兄,你知道店中那群人的来历吗?"

"他们并未隐起身分,那是大邪邀来助拳的人。"韦胜说:"少庄主与他们是否有过节？"

"这件事说来话长。"姬少庄主说："韦兄,可否为贵伴当引见？这是拙荆……"

中年美妇是少庄主的妻子商氏；少女是他的爱女姬惠,与侍女小笙；日月童子是他的侍童。

韦胜将与永旭结交的经过说了,毫不隐瞒囊中羞涩的窘境。最后将店中所发生的变故,以及苏杭双娇的牛大娇丢帕勾引,不得不匆匆离开的事说了。

最后说："这些江湖上的凶神恶煞如不结伴,在下不见得怕他们,但目下他们已在擎天手隆江的接待下结成一伙,在下不得不早些脱身为妙。周公子一介书生,在下委实无法照顾他,走远些图个平安。"

"牛大娇不会放过你们的。"姬少庄主说："她们已经绕道急走,在前面等候你们。这样吧,韦兄与周公子何不与我们结伴同行？"

"哦！少庄主之意……"

"敝庄的人分三批赶路,前后各距十里,苏杭双娇不惹事就算了,当然她们不敢与敝庄公然叫阵。"

姬少庄主向北一指："敝庄第二批子弟,目前该已到了鲁港镇。不瞒韦兄说,这次将韦兄请来,的确有事情商。"

"少庄主有事但请吩咐。"韦胜诚恳表示。

"九华大会将于月中举行,本来与在下无关,敝庄根本不过问这些不足为外人道的江湖恩怨。"姬少庄主郑重地说："在下于浙江动身时,还不知九华大会的事呢。"

"原来少庄主并非来予会的。"

"可是,会期不幸与敝庄的行程冲突。"

"少庄主之意……"

"三年前,敝庄请到一位通儒任教席,以教育庄中子弟。他是台州的退职教谕,也是浙东的名儒,姓毕名隐字潜樵,湖广夷陵州人氏。这次他夫妇辞馆返乡,家父因毕夫子年事已高,返乡旅程万里迢迢恐生意外,特命在下带人护送。毕夫子喜游各地名胜,性好山水,动身前便表示要游一趟九华,这就是敝庄子弟前来九华的缘故。"

"这……少庄主何不在青阳逗留一些时日,等会后再伴毕夫子游山?"

"在下的确有此打算,但问题不在九华山。"

"在下不明白……"

"上月中旬途经句容,无意中碰上二邪三眼天尊公冶长虹。那次合该有事,三眼天尊正在大道上行凶追杀两个江湖晚辈,被毕夫子骂了几句,恼羞成怒拔剑行凶,被区区在十招之内击中他一剑,结下了梁子。据在下所知,二邪与大邪神行无影郎君实交情不薄,已经潜抵九华附近,也可能已发现了敝庄子弟的行踪,必定唆使大邪的党羽,明暗之间不择手段报复。"

"哦!少庄主的意思……"

"防人之心不可无,三眼天尊为人凶残恶毒,睚眦必报,他可能已在准备动手了。"姬少庄主不胜忧虑地说:"当发现韦兄的行踪时,兄弟大感欣慰,可否请韦兄将令叔请来此一晤?令叔与蒲团尊者交情深厚,年来结伴遨游天下,很可能已经风闻赶来看热闹。如果有令叔与蒲团尊者出面相助,大邪与三眼天尊会知难而退的。"

"这……"

"韦兄真的不知令叔的行踪?"

"年初接到他的手书,说届时在青阳见面,不知他老人家是否会来……他并没提及与蒲团尊者同来。蒲团尊者伽叶大师是三菩萨之首,这位菩萨如果出面,少庄主,事情恐怕会闹得不可收拾呢。他这位和尚脾气坏得很,嫉恶如仇,自以为是,虽然从来没有开过杀戒,但废人的手段却令人畏之如虎……"

韦胜不善说谎,被少庄主套出了实话。

"你放心,我会好好处理的,只要两邪知难而退,兄弟也不想生事。"

"少庄主的对策是……"

"如果韦兄肯相助,那就请韦兄找机会透露身分,大事定矣!江湖朋友皆知令叔近来与蒲团尊者结伴遨游，想招惹韦兄的人，必须先考虑后果。令叔的声望，可说威镇武林，宵小闻名丧胆。"姬少庄主眉飞色舞地说："就由苏杭双娇身上着手，韦兄意下如何？"

"这个……"

"她们必定在前面相候，你我结伴同行。"

天台山的揽秀山庄，庄主魔剑姬岚，是浙东少数武林世家之一，家学渊源，剑上的造诣出类拔萃。

但在江湖道上，姬庄主的声望并起不了多大作用，原因是姬家的子弟很少在江湖行道，再就是天台山地处偏僻，很少有江湖朋友光临。

因此提起揽秀山庄姬家，江湖朋友并没有多少印象，魔剑姬岚的名号，知道的人也不太多。

一直在旁倾听的永旭突然接口道："韦兄，你们的话虽然我听不懂多少，但却知道你们可能要动刀动剑，这太危险了，我害怕，你和姬少庄主走吧，我和小虎……"

"你这人怎么这样不识好歹？"少女姬惠白了他一眼不客气地说："说来说去，我们还不是为了你？"

"为了我？"他惶然问。

"当然是为了你，苏杭双娇要捉你，你知不知道？"姬惠不屑地撇撇嘴："我们是为了保护你才替你打算的。"

"她们为何要捉我？我又没惹她们，又没……"

"跟你说简直是对牛弹琴。"姬惠不悦地说："少废话了，跟我们走就是。"

"我不跟你们走。"他坚决地说："我不相信天下间有不讲理的人，谁要敢行凶，我到繁昌去告他一状……"

"周昶，你们读书人是不明白的。"姬少庄主拍拍他的肩膀微笑着说。永旭通名未通字，所以姬少庄主叫他周昶，连名带姓一起叫："武林人的事，很难向你解释，跟我们一起走吧，对你有好处的。"

"公子爷，你就不必推托了吧。"小虎也附和着说："路上多一个人,也多壮一分胆,我在城里混,知道的事比你多,走吧! 错不了。"

"周公子,你放心好了,我们会照顾你的。"韦胜诚恳地说:"真的,你如果自己走,双娇会把你掳走的,她们不怕你告状,你也没有机会告状,走吧。"

姬少庄主不管他肯不肯,打发日月双童先行。

两童不走官道,老鼠似的绕道下岗。

韦胜向姬少庄主一打手势,领着永旭和小虎先走。姬家一男三女,在后面二三十步缓缓前行。

永旭一面走,一面向左首的韦胜说:"韦兄,你对姬少庄主知道多少?"

"不多,家叔曾经概略地提起过而已。"韦胜坦然地说。

"你相信他是伴同大子游山的?"

"大概不会假吧? 姬家在武林颇有地位呢。"

"从五台到夷陵州,走句容南京远了多少路,你知道吗? 走江西要近多少?"

"这……人家沿途访胜嘛!"

"在鲁港食店,日月童子向那些人挑衅你该知道吧?"

"唔! 不错……"

"姬少庄主不像个怕大邪的人,令叔的声望,真的会令大邪二邪害怕吗?"

"这个……也许……"

"那个什么蒲团尊者,罩得住大邪二邪?"

"一比一,他们都差不多,蒲团尊者比较高明些。哦! 你的意思是……"

"你自己去想好了,我不懂你们这些武夫的事。"永旭泰然地说,他已经说得很露骨了:"那位姬姑娘美得像天仙,对我的态度却恶劣得很,我宁可看苏杭双骄的迷人笑靥,也不愿……"

"你可不要胡思乱想,落在双娇手中,你可就惨啦?"韦胜阻止他胡说八道:"唔! 依你说,好像真有点不对劲,可是,姬少庄主这样做,不是双方都有利吗?"

"问题是对谁最有利,与后果如何。"

"唔! 真得小心才是。"韦胜自言自语。

"呵呵! 你这时才想到要小心,恐怕已由不得你了。"永旭半开玩笑半认真地说。

走了十余里,前面出现一座大松林,官道穿林而过,南来北往的旅客,皆在松林歇歇腿。

小虎挑着行囊健步如飞向前抢,兴高采烈地说:"公子爷,歇歇腿,但愿有凉亭找碗茶解渴。"

"不能歇腿。"韦胜说:"歇腿必须找村落,我不希望有麻烦。"

"见鬼罗,歇歇腿也有麻烦?"小虎极不情愿地嘀咕。

"后面有挹秀山庄的英雄好汉,有麻烦也不算麻烦。"永旭笑嘻嘻地说。

"入林百十步,林左传出一声怪异的鸟鸣。

走在后面二三十步的姬少庄主举手一挥,姬姑娘与侍女小笙脚下一紧,超越而到了小虎身后,向前叫:"韦大叔,前面小心了,劫路的已久候多时。"

韦胜颔首示意,向永旭低声说:"公子爷,如果有事发生,切记退至姬姑娘的附近,不可胡乱走动。"

"你是说,有强盗劫路?"他问。

"可能是苏杭双娇。"

"你怎知道?"

"刚才是日童子示警,大概错不了。"

"哦! 那声鸟鸣就是日童子?"

"是的,那两个小兄弟身怀绝技,你不要小看了他们。"韦胜关切地叮咛:"要是发生事故,他们有力量帮助你的,届时你要听他们的话,知道吗?"

路右一株松树后,闪出牛大娇丰满动人的身影,香风入鼻,荡笑声入耳,轻灵地到了路中,拦住去路媚笑道:"哟! 小书生居然找来了保镖的。喂！小姑娘，古往今来，只听说有护花使者，却没听说有护汉子的娇娘，小姑娘，你这是算什么？"

小笙应喏一声，突然一跃而上。

大娇说得粗野恶劣，姬姑娘凤目中杀机怒涌，向侍女小笙冷冷地说："教训她！"

大娇一声轻笑，大袖一拂，罡风骤发，潜劲山涌，两尺长的袖桩，奇快地拂向扑来的小笙。

她小看了小笙，以为这一袖稳可把小侍女拂得连翻两个筋斗呢。

糟了，浑雄的内劲阻不住小笙，小笙已无畏地排劲直入，右手一抄，抓住了袖桩逼进，下面连足疾挑，闪电似的猛攻小腹要害，又快又狠辛辣无比。

牛大娇袖被抓住，便知大事不好，骇然扭身暴退，一照面便落了下风。嗤一声裂帛响，袖子被拉断了。

小笙的靴尖，也以一发之差掠过她的左胯外侧，身形尚未稳住，小笙如影随形跟到，将撕在手中的断袖桩凶猛地抽出，身形健进无所畏惧。

牛大娇笑不出来了，骇然暴退，百忙中拔剑出鞘，招发"云封雾锁"，先自保再说。

"嗤嗤……"袖桩被剑削成五六段，小笙仍然冲进，奇快地拔出佩剑，娇叱一声，冲破剑网长驱直入，细小的锋尖已透网点到大娇的右胸前，直指高耸的乳尖。

牛大娇心胆俱寒，骇然向左后方飞退，退出路面，闪入一株松树后，总算逃过一剑贯胸之危，危极险极。

小笙毫不放松地追击，冲上叫："为何不接招？"

牛大娇怎敢再接招？

双方的修为相去甚远，只有绕树逃避自保，逐渐向松林深处退走。

"饶她算了。"姬惠高叫。

小笙应声止步徐徐后退。

路左另一株松树后，踱出腿部不太灵光的老太婆，点着龙首杖阴森森地说："一个侍女的造诣也超尘拔俗，主人的来头必定不小，小丫头，亮名号。"

韦胜铁棍一伸，点手叫："阴婆，冲韦某来。"

"你算什么东西？"阴婆狞笑着说："看你愣头愣脑，定然是个四肢发达，心智不全的奴才，你配向老身叫阵？叫你那些人都上吧。"

姬少庄主夫妻早就到了，站在小虎身后背手含笑注视着斗场。

"阴婆，不要自抬身价。"韦胜大声说："在下韦胜，瘌怪韦公的侄儿，配不配向你叫阵？老太婆，你们走吧，在下不计较你们无礼。"

阴婆一怔，讶然问："你真是瘌怪的侄儿？"

韦胜拍拍胸膛说："如假包换。老太婆，要不要试试求证？你上呀！"

"老身连瘌怪也没放在眼下，你……"

韦胜懒得与对方斗口，一声怪叫，急进两步冲上，以行动作为答复，铁棍拦腰便扫，棍沉力猛势出如山崩，速度也快逾星火。

阴婆冷哼一声，龙首杖劈出便接，啪一声大震，杖棍相交，木制的龙首杖竟然不怕沉重的铁棍。

两人俱皆感到对方的内力霸道，同时向侧飘退八尺。

一声虎吼，韦胜再次冲进发招，来一记"老树盘根"，攻向阴婆的下盘。

阴婆毫不相让，"金针定海"仍然硬接，杖尾下沉插入地中。

啪一声巨响，铁棍竟然反弹而出，不但未能击断龙首杖，而且反震的力道，把韦胜震得斜退两步方稳下马步。

这瞬间，两侧人影急现，大娇二娇同时到达，两名小婢也急掠而至。

"你也接老身一杖。"阴婆冷叱。

杖尾闪电似的点出，这一招"毒龙出洞"平常得很，但在阴婆手中发出，不但势急劲猛，而且中含无穷诡变，看她左手握杖的手势，不上不下半左半右，便可看出这一招是半实半虚，后势难测。

不等韦胜接招，人影一闪，少庄主的妻子商氏已从中切入，轻灵的剑不可思议地搭住了杖尾，淡淡一笑道："老太太，你的两仪真气火候不错，你可以发阳罡猛劲力，请手下留情，不要震毁妾身的佩剑。"

阴婆大惊失色，沉杖收劲骇然问："你的太乙玄功火候十分精纯，不知出于何人门下？"

商氏脸上的微笑突然消失无踪，星眸中涌起无边煞气，沉下脸阴森森地说："无可奉告。同时，妾身从没听说过什么太乙玄功。老太太，你进招吧。"

阴婆惊骇地后退，手中的龙首杖在颤抖，目光充满恐怖的神色，一步步向后退。

旁观者清，当商氏以不可思议的奇奥身法闪出时，永旭的虎目中，便涌起阵阵疑云，等到听阴婆说出太乙玄功四字，虎目中异彩涌现，不转瞬地盯视着商氏的背影，若有所思。同时，冷冷地瞥了身畔的姬少庄主一眼。

"拨云见日，曙光初现。"他啸啸地自语。

商氏步步进逼，剑徐徐引伸。

阴婆步步后退，如见鬼魅。

双娇一看不对，双剑左右齐出。

一声冷叱，商氏身形暴进，剑发似流光逸电，淡淡剑芒破空疾射，攻向脸无人色的阴婆。

一个已丧胆的人，斗志一失大事去矣！

阴婆手足无措，本能地举杖慌乱地招架。

双娇及时抢救，双剑左右夹击。

可是，已来不及了，咔一声轻响，龙首杖从中折断，商氏的剑长驱直入，然后向两侧分张。

同一瞬间，双娇双剑齐锷而折，云鬓披散，失魂似的向左右飘退，狼狈已极。

"放她们一马。"姬少庄主及时呼叫。

正欲追及的商氏及时止步，从容收剑而退。

牛大娇逃出五六丈外，切齿叫："姓韦的，你的人杀了阴婆，血债血偿，自会有人向你讨公道的，山长水远，后会有期。"

韦胜脸红耳赤地急叫："牛大娇，你……"

双娇已带了两侍女逃出十丈外，如飞而遁。

姬少庄主到了韦胜身侧，伸手拍拍他的肩膀笑道："韦兄，不必放在心上，刀剑无眼，交手拼命难免会有死伤，怨不得人，阴婆不是想用两仪真气置你于死地吗？这件事自有兄弟担当，放心啦！"

永旭在一旁直发抖，惊恐地说："老天爷！真出了人命啦！吓死人了，我……我不跟你们走……"

姬惠哼了一声，撇撇嘴说："你已经脱不了干连，不跟我们走也是死路一条。"

他不加理会，拉了小虎惶恐地说："我们回头，再往前走，真要把小命送掉呢。"

姬惠向小笙打手势，小笙柳眉一挑，走近寒着脸向小虎叱道："挑起竹囊，准备跟我们走。"

"但是……公子爷爷……他……"小虎也战栗着说。

"他也要走，不走就连你们也杀了。"小笙大声威吓，转向周永旭沉声问："你走不走？说！"

"你……你们……"

"我们在保护你，你知道吗？"小笙理直气壮地说。

"不要和他废话，赶他走。"姬惠不耐烦地说："不走就用树枝抽他。"

"公子爷，不要固执了。"韦胜走近劝解："真的，你如果独自离开，必定死无葬身之地，双娇该已发出求援讯号，大邪的党羽八方齐聚，你怎么逃得掉？可以说，人命因你而起，你就是祸起的根源，他们决不会放过你的。你是读书人，不懂江湖人的事，江湖仇杀恩怨牵缠，刀来剑去杀人如屠狗，平常得很，到了繁昌县，在下再设法替你安顿，好不好？"

"好吧，我信任你。"他无可奈何地说："到县城我就住下，你可不要食言。"

"好吧，到县城再说。"

交涉期间，姬少庄主已发出讯号，隐身林中的日月双童应讯而出，与姬少庄主密商片刻，拖了阴婆的尸体走了。

"走吧。"姬少庄主领先举步："双娇即使将讯传出，没有高手支援岂敢妄动？大概明天才能纠众寻仇报复，今天大概不会有麻烦了。"

韦胜走在少庄主的左首，苦笑道："少庄主，尊夫人不该杀阴婆的，这一来，恐怕会激怒那些牛鬼蛇神，今后……"

"呵呵！韦兄，阴婆如果不死，大邪怎肯出面？"姬少庄主轻松地说："他只会派一些小光棍捣乱而已。"

"哦！少庄主是有意让大邪……"

"不错，在下希望见到他，请他管束他的党羽，不要打扰敝庄的贵宾毕夫子，也希望他向三眼天尊情商，化解句容的过节。"

"那……尊夫人更不该杀阴婆了，阴婆与大邪二人交情不薄，杀了他岂不是火上添油？"

"韦兄，你以为大邪是省油灯？"姬少庄主冷冷地说："武林朋友重视的是实力，道义又算得了什么？你不露出强大的实力，他会听你的解释？放心啦！我可以保证这件事定能圆满解决。惟一遗憾的是，拙荆未能先亮出本庄的名号，不然会晤之期可能提前些，我相信二邪该已秘密到达青阳附近了。明日之会，希望韦兄能鼎力相助。"

"这个……"

"我也相信令叔与蒲团尊者，这一两天可以到了。"

"家叔的行踪，连我也毫无所知，少庄主又何从知悉？"韦胜惑然问。

"猜想而已，韦兄真的不知？"

"不瞒你说，如果知道，在下岂会穷途末路，依附姓周的书生同行？一钱逼死英雄汉，无可奈何。"

"但愿兄弟的猜测不错。"姬少庄主得意地微笑："咱们结伴而行，加上令叔与蒲团尊者，该算是一魔一邪以外的第三势力，稳可左右两方的胜负机契，韦兄以为然否？从中取利该是最好时机，韦兄，你希望何方取胜？"

"最好是两败俱伤。"韦胜郑重地说："一魔一邪都不是好东西，这次九华大会，可能隐有可怕的阴谋，也可能是一次武林大劫的初兆，介入的人愈多，日后祸患愈烈，所以少庄主千万谨慎行事。"

"当然我会谨慎从事，无如情势有时不易控制，发生意外在所难免。"姬少庄主进一步解释："以阴婆来说，拙荆并不想将她置于死地，依原定计划，只是要击伤她意思意思。让她知道我们的来历，借她的口传话而已。可是，她竟胡说八道，自寻死路，可以说，这次兄弟的两件事都没有办成，遗憾之至。"

"哦！阴婆胡说了些什么？"韦胜问，颇感疑惑。

"这……她说没将令叔放在眼下，岂不是瞧不起我们所有的人吗？拙荆最受不了激，老阴婆命该如此。"

走在后面的永旭不时回顾似乎害怕有人追来，其实他耳力极为锐敏，把少庄主与韦胜两人的对话，听了个字字入耳。

小虎这个小痞棍机灵得很，故意放慢脚步，逐渐拉后，突然低声说："公子爷，你知道危险吗？"

"什么危险？"他问。

"这些江湖人心狠手辣，十分可怕，如果你不能早早摆脱他们，死定了。"

"有这么严重？"

"半点不假，他们在利用你，利用完了就要灭口的。"

"那……你先前不是主张与他们同行吗？"

"彼一时此一时，出了人命，你知道吗？记住，一进城我们就往人多的地方钻，他们如果阻拦就大叫救命。"

"好，依你。"他低声说："只怕没有机会了。"

"没有机会?"

"是的,大麻烦就要来了,如果发生事故,你要放机警些,往路旁的水沟中一躺,天塌了也不管或能平安大吉,别忘了。"他的目光落在官道远处,淡淡一笑:"等会儿我给你一些银子,有机会你就回家。"

"公子爷……"

"记住我的话,有机会就溜,不要管我的行囊……"

"你们在嘀咕什么?"前面十余步的姬惠不悦地扭头问:"走不动了是不是?快赶上来。"

永旭脚下一紧,微笑着说:"我和小虎只顾说话,几乎忘了赶路啦。"

"在说些什么?"

"说苏杭双娇。"他仍在笑:"那么美丽出色的俏佳人,天姿国色貌美如花,怎么看也不像是杀人劫路的女强盗。真是年头不对世情大变,连本该下厨房的姑娘家,也提刀动剑与男人比赛杀人放火啦!天知道她们哪一天才能找到不怕女强盗的婆家?可惜啊!可惜。"

祸从口出,他信口胡说八道,可把姬姑娘说得火冒三千丈,真恼啦,猛地转身纤手疾伸,一把揪住他的胸襟向下拉,大发雌威厉声骂:"你这狂妄的无用书生真该死,居然连损带骂挖苦本姑娘……"

"姑娘饶命!"他身躯下挫慌乱地叫:"小……小生说……说错了什么?"

姬姑娘的右手本已扬起,作势要掴他的耳光,看到他慌乱害怕的神情,大概心中一软,掌迟疑并未落下。

他人生得高大,相貌堂堂,穿起儒生服,居然洵洵温文带了七八分书卷气,平时也笑容常挂。

正是属于女孩子一见难忘的俊秀书生型人物,这时装出可怜兮兮的狼狈相,与对方贴身而立,女孩子真不忍下手揍他。

"你……你分明在藉苏杭双娇骂我。"姑娘又好气又好笑地说。

"小……小生怎敢？姑娘请……请不要多心……"

前面，走远了的姬少庄主扭头叫："丫头，怎么啦？"

姬姑娘把手一推，把他推坐在地，哼了一声说："下次再要是胡说八道，你给我小心了。"

"小生不敢，小生不敢……"他坐在地上拱手。

姬姑娘气消了，噗嗤一笑转身赶路。

有意思了，这一笑表示她对永旭已有了好感。

年轻的姑娘如果生得美，而又在娇生惯养的优裕环境里长大，加上有五七分聪明，七八分自负，那么，眼睛就会长在头顶上，异性如果和她硬碰硬顶撞，后果是不言可喻。

要冲淡她的怒火，惟一的手段是逆来顺受，满足她的优越感。

当然，这种手段仅可用于尚有良知的姑娘身上，如果碰上心狠手辣的母老虎，逆来顺受同样会出大纰漏。

小虎到了他身旁，摇头苦笑道："公子爷，我看你是晦气照命，走到哪儿都会走霉运，八成你是完蛋了。"

他站起拍拍衣后的尘埃，也苦笑道："谁说不是呢？我这一次游学前后不过一年半载，就不知碰上了多少倒霉事，要不了多久就厄运当头走投无路了。"

"不要说这种丧气话了，走吧。"

前面出现一片青翠的竹林，官道绕林西而过。

走在前面的韦胜和姬少庄主距竹林尚有百十步，一声刺耳的鬼啸从竹林深处传出，尖厉高亢不像是发自人口，大白天也令人闻之毛骨悚然。

姬少庄主高举右手，示意后面的人止步。

永旭悄然拉下小虎的扁担，低声说："看到路旁的水沟吗？"

"看到了，公子爷……"

"好像有一个人那么深，躲在里面睡一觉，等有大批旅客经过时，你再爬出来回家去吧。"他一面说，一面取出行囊，掏出两锭银子塞入小虎怀中："马上就要有祸事，不知要有多少人被杀，你必须走。记住，我叫你逃，你就往沟里跳，记住了没有？"

"这……记住了，小的……"小虎语不成声："公子爷你……你呢？"

"我如果也走，他们就会抓你了，不要出声！"

姬少庄主神色有点异样，向韦胜说："听这鬼啸声中气充足，隐含可令人眩晕的可怕力道，韦兄可曾听说过可用音制人的高手吗？"

"精于此道的高手并不多，略有成就的人却不少。在鲁港小店现身的笑怪马五常，他的笑音也可令人气血翻腾。"韦胜有点紧张，脸色凝重："这人的功力，比笑怪高出甚多，笑怪与家叔齐名，名列三怪之末，在下对付他已感吃力，要对付比他更高明的人，这……"

"等一等再走，兄弟招呼后面一批人赶来再说。"姬少庄主说完，仰天发出一声震天长啸。

等不了片刻，前面竹林人影倏现，两个青衣大汉分别揪住日月两童的发结，拖死狗似的拖至路中，一个朗声说："姓姬的，你如果怕死不过来，派一个人过来替这两个小鬼收尸吧，太爷要宰他们了。"

姬少庄主神色沉重，脸有惊容，吸入一口长气说："我料错他们了，高手全在此地，真不该过早放了双骄的，一步错全盘皆输。"

"要不要等爹来？"商氏也不安地问。

"等不及了，日月童子落在他们手中，我们已别无选择，走吧，是福不是祸，是祸躲不过，但愿能拖延片刻。"姬少庄主说，沉静地迈步。

两大汉目的已达，拖了日月双童，洋洋得意地隐入竹林。

等他们到达竹林，附近鬼影俱无，近路边的一株巨竹上，用锐利的铁器刻了一行字："幸生不生，必死不死。"

另一株竹枝上，挂了一幅衣角，那是从日童子外衣上撕下来的。

一条小径通向竹林深处，不知通至何方。

姬少庄主一怔，不知是否该进入竹林，脚下迟疑，久久方向后面的姬惠说："惠儿，你留在这里等你爷爷。"

远远地，竹丛下出现一个大汉亮声叫："你们都是怕死鬼吗？进来吧，没有人再请你们的，来不来悉听尊便，反正你们都是死定了的人。"说完，隐入深深茂草中，一闪不见。

# 第十章　装相脱身

"留下太危险,进去吧,爹。"姬惠说。

鬼啸又起,这次啸声特别刺耳,不但令人毛发悚然,而且头脑眩晕耳中发疼。

小虎大叫一声,丢下扁担抱耳摔倒在地乱滚。

永旭惊叫一声,也抱头跌倒在小虎身上。

"走!"姬少庄主断然下令,踏入小径。

韦胜抓起了小虎,一手按在小虎的命门上,一手压住天灵盖说:"不要怕,做深长的呼吸,快!"

姬惠略一迟疑,向小笙说:"你去帮那个书虫。"

"小姐,小婢的内力……"小笙苦着脸说,脸色苍白,呼吸急促,似乎正在行功抗拒鬼啸,自顾不暇。

"哎唷……我……我的头要炸了。"永旭在地上尖叫。

姬惠走近两步,却又踟躇不前,最后银牙一咬下唇,像是下定决心,扶起永旭依样葫芦上按天灵盖,下按命门低叫:"不要叫,做深长的呼吸定下神。"

幸而鬼啸声为期不久,终于停止了。

前面,姬少庄主夫妇已经远出二十余步外。

"丫头,不要管他们了,丢下他们。"姬少庄主叫。

"爹,留在此地他们死定了,这附近定然有人潜伏,女儿带着他们好了。"姬惠说,拉住永旭的手便走。

韦胜也挽了小虎,跟在后面急走。

永旭脚下踉跄,感到拉住他的小手柔若无骨,又滑又嫩,鼻中嗅入一丝属于少女身上特有的芳香,不由俊面发赤,想挣脱却又舍不得放手,心说:"这丫头虽然高傲无礼,但心地却是善良的。"

小径左盘右旋,不久眼前一亮,原来已经出了竹林,前面出现一座高五六丈小岗,坡地长约里余,遍生及膝茅草,间有一些小片灌木丛。

二十丈外,草地上一列排开十二名男女,其中有苏杭双娇和她们的两名侍女,两大汉分押着日月双童。

中间为首的人身材高瘦,大马脸八字胡,一双鹰目厉光闪闪,穿一袭绿袍佩了剑,背手而立满脸怒容。

右首那人年约半百,灰发如飞蓬,火眼金睛狮鼻鲶鱼嘴,一身黑衣,腰带上插了一柄双刃斧。

左首那人壮得像巨熊,秃脑袋山羊胡,三角眼阴晴不定,胁下吊了一口大号革囊,手点一根招魂幡。

幡构造得十分奇特,皮制的两尺八寸长幡带宽约五寸,两侧各有一排锋利的双刃钩,几条幡带也是带有倒钩的链子。

这是说,这玩意仅外形有点像招魂幡而已,其实却是一根奇特的桿棒。虽然幡带比虬龙棒短得多。杖长七尺,展开来连幡可远及丈外,前端三尺可以折向,搭上身即可钩下对方一排皮肉,击实就不用说了,准死,可说歹毒绝伦。

姬少庄主看到这根招魂幡,脸色大变,脱口叫:"招魂鬼魔缪勇!你的招魂魔啸已修至化境了。"

"小辈,你认识我,不是无名小卒,通名。"招魂鬼魔用打雷似的大嗓门叫。

"天台姬家,在下姬岚。"

"哦!挹秀山庄的小人物,少见少见。"招魂鬼魔傲然地说:"你好大的狗胆,叫那杀阴婆的小女人上前答话,郎老弟有话问她。"

左方的灌木丛中,踱出九名男女,领先的大邪神行无影郎君实五短身材,一字眉暴眼凸腮,脸色阴沉青中带灰,腰间缠了他那威镇江湖,形如软鞭乌光闪闪的夺魂索,阴森森地说:"缪兄,何不将戎前辈与路前辈的名号说给他们听听?也可令他们死得明明白白。"

"老夫自报名号。"中间的绿袍佩剑人说,声如狼嗥:"天凶星戎毅。"

"地杀星路威。"佩双刃斧的人嘎声说:"不知道天地双煞的人,绝不是江湖朋友。"

押着日月童子的两大汉,一掌拍开两童的穴道,向前一推,一个说:"滚回去!等会儿让你们死得瞑目,你两个小鬼很不错,该给你们决斗而死的好机会。"

两童踉跄向下走。

日童子扭头叫:"不要脸!你们除了用迷魂香暗算之外,还有些什么绝活?小太爷等会儿就向你们两个大笨狗叫阵,你等着好了。"

姬少庄主示意自己的人止步,独自上前淡淡一笑道:"郎兄,贵友三眼天尊公冶长虹,目前何在?"

"你少给我称兄道弟。"神行无影冷冷地说:"这几天他就可以赶到了,你问他有何用意?"

"真可惜,他还没赶来。"

"什么可惜?"

"如果他来了,你老兄就可以知道他在句容道上,所遭遇的不幸变故了,阁下也许不会对姬某如此傲慢了。"

"小辈你……"

"呵呵!郎兄,稍安勿躁。"姬少庄主轻松地说:"首先,在下为阴婆之死向郎兄致歉,拙荆失手剑毙阴婆,乃事出意外……"

"你那泼妇是故意杀她的。"牛大娇尖叫。

"别吵!让他说。"天凶星微愠地喝止大娇叫嚷。

"姓姬的,你派那两个小鬼在鲁港食店,辱骂郎某的朋友在先,杀郎某的朋友在后,你心目中还有我大邪在?"神行无影声色俱厉,杀气直透华盖:"你,一个边区小小武林世家的小人物,居然狂妄地如此对付郎某,简直是胆大包天。少废话了,你们一个个上前送死吧。"

"盛怒之下,很难听得进忠言。郎兄,可否暂息雷霆之怒,听在下……"

"去你的!惟一可做的事,是全毙了你们替阴婆报仇。娄老弟,出去叫阵。"神行无影怒叫。

日童子一跃而出,指着先前押着他的大汉叫:"大笨狗,你来,小爷再想见识见识你的下五门迷香,滚出来。"

一名手长脚长的中年人缓步而出,阴笑道:"小鬼,没你的事,你该死在最后,我浪里蛟娄辰要和你的主子玩玩,滚到一边快活去吧。"

"找我也是一样。"日童子说,急冲而上。

浪里蛟手按分水刀的刀把,不悦地叫:"本太爷不和小孩子……"

话未完,日童子冲上的速度突然加快了两倍,眨眼间便已近身,向下一挫,小脚疾扫而出。

浪里蛟吃了一惊,虎跳侧跃。

糟了,日童子像条蛇,贴地跟到小手一扬,噗一声响碎泥飞溅,一团干泥击中浪里蛟的下裆,左脚又到,猛踢浪里蛟的膝骨。

下阴是要害,虽说是一团泥,浪里蛟也大感吃不消,身形一顿,右膝又挨了一脚,被踢得向侧急退,怒叫道:"小狗你该死……"一面骂,一面急拔分水刀。

可是,已没有机会了,日童子右手一抄一抖,系在腰间的腰带突然弹出,闪电似的卷住了浪里蛟的左脚胫猛地一带。

"砰!"浪里蛟被拖倒了,分水刀仍未拔出。

日童子敏捷得像一头豹,一把扣住浪里蛟的足踝猛地一扭,左脚已踏在浪里蛟的裆下,怪笑道:"哈哈!你一动不要紧,命根子非碎不可。"

姬少庄主由于日月两童已经安全返回,心中已无顾忌,心情开朗多了,叫道:"礼尚往来,你也要放他一马,回来。"

日童子依言收了腰带,踢了浪里蛟一脚:"该你滚到一边快活去了。"说完,徐徐退回。

不但大邪吃了一惊,连天地双煞星也大惑不解,一大一小交手不过片刻,功力甚高的浪里蛟怎么竟毫无还手之力？一个小娃娃力道有限,浪里蛟是怎么一回事？

如果他们知道日月双童的实际年龄已经有十八岁,便知道轻敌的浪里蛟失败并非无因了。

月童子接着纵出叫:"叫那个用迷香暗算小爷的大笨狗滚出来,小爷也要好好叫他快活。"

大汉恼羞成怒,不等神行无影招呼,大踏步行出冷笑道:"太爷就陪你玩玩,你不动腰带,太爷也不拔刀,你上吧。"

月童子冲上,左手向前一探。

大汉知道是虚招,冷哼一声,不理会伸来的手,挫身一脚探出,用的脚招居然是日童子对付浪里蛟的腿法。

月童子稍退半步,左手下沉"玄乌划沙"反击大汉的膝骨。两人各怀戒心,招一发即收不敢使老,立即展开一场快速猛烈的快攻,拳来脚往各展所学,缠上了。

远远地,永旭从担中取出两个包裹系在一起,向小虎低声说:"小虎,会学狗爬吗？"

"学狗爬？你……"小虎惑然问。

"对,学狗爬,我相信你做过偷鸡摸狗的勾当。"

"这……"

"爬回竹林,身子要低,而且不能太快,入林便往北走赶快逃命。"

"哦！那里面如果有人……"

"没有人,这些人自负得很,没派人埋伏。"他颇为自信地说:"要小心,决不可沿小路走。"

"为什么？林子里荆棘很多……"

"荆棘总比被杀可爱吧？姬少庄主的人已经赶到了,就在后面半里地,碰上了准倒霉。是时候了,快爬。"

"公子爷,你……你也走吧……"

"我一走,姬姑娘便会追来,你逃得掉？爬！"

月童子与大汉正斗得天昏地黑,吸引了所有的目光。

小虎向下一仆，手脚并用爬走了。

永旭将包裹挂在肩下，鬼魅似的接近十余步外正全神观战的姬姑娘，脚下毫无声息，在姑娘身后约两步左右止步，状极悠闲。

不久，他扭头回顾，心说："大援到了，但愿里面有我要找的人。"

小虎一走，他一身轻松，开始留意察看大邪一群蛇神牛鬼，心中在预谋对策。

场中一声清叱，激斗中的一对倏然分开，大汉跌出丈外，连滚两匝方退出险境，脸色苍白，腰直不起了。

月童子双手叉腰，做个鬼脸撇撇嘴说："你的迷香不灵光了，要是不服气的话，把你的牛黄马宝全抖出来吧，小爷等了。"

大汉哼了一声，咬牙切齿伸手拔刀。

"退回来！"招魂鬼魔怒叫："这样胡搞，咱们多没面子？老夫要替他们招魂。"

姬少庄主向韦胜说："韦兄，鬼魔的招魂幡是重家伙，与韦兄的镔铁棍旗鼓相当，如何？"

"在下不是老鬼魔的敌手。"韦胜苦笑着说。

"韦兄斗阴婆，仅用了三成劲。"少庄主笑得蹊跷。

"姬少庄主……"韦胜脸上发赤。

"呵呵！韦兄，如果韦兄不堪大任，令叔岂敢派你独自走在前面探测虎穴龙潭？"

招魂鬼魔已经大踏步出来了，突然仰天长啸，声震九霄，刺耳的可怕啸音，令人头部欲裂，耳膜欲炸。

"哎呀！那书生……"姬姑娘惊叫，扭头便跑，砰一声响，把站在她身后的永旭撞翻在地。

永旭正双手掩耳抱头，脸色发青，脸上的痛苦表情几可乱真。

"老天，你怎么站在身后……"姑娘情急地叫，俯身挽他。

这瞬间，狂笑声似殷雷，从后面白竹林发出，笑声与啸声一合，反而有安神作用，啸声的威力立即消散于无形。

"好了，爷爷终于赶来了。"姬姑娘如释重负地说，温柔地扶起了永旭:"真该打发你走的,可怜!"

岂仅是可怜?他像是崩溃了,脸色苍白,冷汗直冒,有气无力近乎虚脱地叫:"哎……我……的头痛,我的胸口也……"

他软绵绵地往姬惠身上倒,不由姑娘不手忙脚乱地挽扶他,这情景真够瞧的。姬惠真被他闹了个手足无措,扶也不是,不扶也不是,本来就红的脸颊更红了。

"你……你坐下来好了,定下神就不痛啦!"姬惠慌乱地说,感到浑身燥热,粉颊发烧。

男女授受不亲,这句话听来刺耳,顽固得不近人情。

但以环境论,却又不无道理。往昔的内外分界严得不可再严,大户人家内无三尺之童,男女分开长大,直到长大成人,这期间可说极少机会接触异性,一旦猝然肌肤相接,只有白痴才不会发生变化,一有变化问题就多啦!

永旭久走江湖,江湖儿女接触面广,接触异性的机会多,多就见怪不怪,脸皮厚不在乎,他有意栽花,姬姑娘却是无心插柳,上当乃是意料中事。

这丫头起初对永旭不假辞色,这是说她对永旭的印象不坏,表面上保持姑娘家的矜持和自负,暗地里却是留了心。

第一次助永旭抗拒魔啸,肌肤接触便感到不对,那种神奇的感觉令她芳心紊乱,自然而然地开始关心永旭,这种转变连她自己也不知其然。

再经这一次更亲密的接触,她内心的变化已经形于表面了,羞急之情溢于言表。

幸好小径出现的人影,吸引了双方的注意,即使注意他也没有人感到奇怪,救人嘛,谁还计较男女之防?江湖儿女对世俗的看法,本来就比普通的人开通得多。

八名青衣剑手四前四后,拥簇着两乘山轿沿小径而来。

最前面,是一位灰髯老人,带了两名健仆,看相貌便知是姬少庄主的尊亲,父子俩相貌差不多。

后面,三名壮年大汉断后,带着四名备用轿夫,相貌威猛,佩的兵刃是沉重的雁翎刀。

除了姬庄主之外,每个人都背了包裹,一看便知是赶长程的人。

山轿放下,姬庄主独自上前。

姬少庄主转身迎接行礼,神色凝重地说:"爹,不速之客实力之强……"

"我知道,岚儿,不要紧。"姬庄主微笑着说:"待为父与他们打交道。"

轿门开处,出来一双年届古稀的老夫妇。

老人穿青袍,戴儒巾,留了兜腮灰髯,老眼似乎有点昏花,身材修伟,并无武林人特有的傲岸气质,点着一根竹手杖,倒有点仙风道骨的气概。

老妇穿蓝衣裙,鸡皮鹤发老态龙钟,似乎外表比老人要显得苍老些,手点寿星杖,傍着老人静静地向前面注视,口中喃喃低语,不知在说些什么。

侧方不远处坐在地上歇息的永旭,向站在身侧的姬姑娘问:"姑娘,那位老人家是你爷爷吧?"

"对,你看他老人家是不是龙马精神?"姑娘得意地说,手向那双老夫妇一指:"那就是毕夫子毕隐和他的老伴,敝庄的西席夫子,道德文章没话说。"

"哦!他真教你们读经书?"他信口问,但星目却在捕捉姑娘的眼神变化。

"当然啦!咦!你怎么问这些话?"

"你也跟男孩子一起念书?"他抬头问。

"是的。废话!姑娘家就不能读书吗?"

"这是说,你是他的学生,也读了几年书了。"

"咦!你怎么啦?尽说些废话。"姑娘娇嗔,表情倒是怪可爱的。

"我看,你们对读书人并不怎么尊敬……"

"你……"

"我记得,你曾经叫我做书虫。"他摇头晃脑地说:"再就是你爹说毕夫子隐字潜樵,你直称夫子的名,没错吧?在读书人来说,这是大不敬的事……"

"咦!你怎么这样噜嗦?"姑娘有点恼了:"鸡蛋里挑骨头是不是?咦!小虎他人呢?"

"大概逃掉了。"他拍拍身旁的包裹说:"你们杀人打架,他鬼精灵不逃才怪。"

"逃掉了?这小畜生可恶。你怎么不逃?"

"我腿都软了,怎么逃?能逃我会逃的。"

"别怕,我会保护你的。"姬姑娘柔声说:"真的,我念了不少书,我不会欺负你们读书人。并不是我对毕夫子不敬,而是武林人对手无缚鸡之力的文人不怎么太……太重……重视……"

"你不要瞧不起读书人,在学舍里就读的士子,同样也要练武跨马弯弓,以我来说……"

"你会双腿发软,你会怕得要死。"姑娘接口:"你练了武?别笑死人了。"

"你笑吧。"他说,挣扎着站起:"真要拼老命,提刀拿枪跑马射箭我哪一样不会?姬姑娘,他们会不会打起来?你爷爷想和他们说理呢。"

姬老庄主的确没有动手的意思,背着手向大邪一群人慢慢走去。

招魂鬼魔也一步步迎来,怒声问:"说,谁用笑声压制老夫的招魂鬼啸?"

"缪老兄,偌大年纪,没想到火气却是旺得很呢。"姬老庄主笑吟吟地说:"呵呵!我那些子弟修为不够,不得不用笑声助他们渡过难关,抱歉抱歉。"

"你是谁?"

"兄弟姬宏。缪老兄,幸会幸会。"

"呸!你配与老夫称兄道弟?你来得好,老夫正好替你们招魂……"招魂鬼魔怒冲冲地说,缓缓逼进。

"呵呵！缪老兄,打不得,咱们都老了,老不以筋骨为能,是不是?可否让兄弟先与郎老弟谈谈?"

"没有什么可谈的,我不认识你。"远处的大邪愤怒地叫:"你的媳妇杀了阴婆,你把秀山庄的人全得抵命。"

"呵呵！郎老弟,兄弟还不知其事呢,请暂候片刻,兄弟问清……"

"老夫等得不耐烦了,招你的魂再言其他。"招魂鬼魔狞笑着说,急进两步接近至八尺以内,先下手为强,招魂幡一阵怪响,风生八步,罡气袭人,闪电似的斜扫而出,威力圈远及丈外,凶猛绝伦。

姬老庄主仍是笑容满面,身形一晃,鬼魅幻形似的钻出招魂幡的威力圈,不可思议地出现在招魂鬼魔的右侧方,背着手笑道:"缪老兄,且慢动手……"

招魂鬼魔不听他的,扭身前进,幡反手抽出攻向下盘,身幡俱进急如星火,势如山崩。

姬老庄主从容不迫地背着手避招,脚下如行云流水,左扭右移倏进倏退,在漫天幡影中飘忽如烟,连避鬼魔六七招,最后掠出两丈外,沉喝道:"住手！你这人未免太不知趣了。"

招魂鬼魔脸上傲态全消,居然听喝收招,讶然叫:"你用什么鬼身法避招? 是鬼影功吗?"

"缪老兄,轻功火候纯青,任何门派的绝技都相差无几,鬼影功如果仅练了三五成火候,也并不比其他轻功高明多少。"姬老庄主脸上的怒气消失了,换上了笑容:"动武解决不了问题,可否平心静气谈谈?"

天凶星戎毅手按剑把向前走,用他那狼嗥似的刺耳怪嗓说:"有点不对。把秀山庄那几手不登大雅之堂的鬼画符,老夫知之甚详。怎么突然变得如此高明的? 姓姬的,也许这几年来,阁下参悟出什么惊世绝学了,老夫却是不信。缪兄,退下,我天凶星倒要见识见识阁下的惊世绝学有多少斤两。"

"戎老兄,敝庄……"

"胜得我戎某手中剑,有话再说尚未为晚。"天凶星狞笑着说:"你为何不带剑? 去找剑来。"

"戎老兄……"

"阁下即使没有剑,戎某同样会用剑杀你。"天凶星狠狠地说,剑徐徐出鞘。

姬老庄主摇头苦笑,扭身向少庄主招手,说:"好吧,既然阁下眼中只能看得见剑,兄只好让你如愿以偿了,就让犬子陪你练练吧。"

少庄主已经到了,冷冷地拔剑出鞘,剑出鞘电芒耀目,森森剑气慑人心魄,好一把吹毛可断洞金穿玉的利器。

"剑名豪曹,可切玉断金。"姬少庄主庄严地说:"当然不是古越三宝的豪曹,而是后人仿名的伪制品,但的确是无坚不摧的武林至宝。阁下,区区候教。"

"老夫知道贵庄之所以能以未入流的剑术,而在武林获得小小名望,全凭这把欺世盗名的伪剑。"天凶星不屑地说:"今天,这把剑必定易主了。小辈,你准备好了没有……"

话未完,姬少庄主已身剑合一攻到,淡淡的电芒破空飞射,速度之快,令人目眩神移。

天凶星一惊,挥剑接招,"铮铮铮"三声暴响,火星飞溅,人影急剧闪动,剑气飞腾中,响起天凶星一声惊呼,人影倏分。

姬少庄主屹立原地,冷冷地徐徐收剑入鞘。

天凶星侧飘丈外,脸色泛青,呼吸一阵紧,眼中凶光乍敛,持剑的手有点颤抖,目光死死地盯视着右肋。

那儿,衣袍裂了一条五寸长的细缝。

"兄弟再让诸位开开眼界,也许可令诸位回心转意,愿与兄弟平心静气地谈谈。"姬老庄主微笑着说,举手一挥:"敝庄的子弟现在出来了,哪一位老兄肯下场赐教?"

原在人群后负责后面安全的三大汉之一,已大踏步到达,向姬老庄主抱拳欠身行礼,一言不发,那双鹰目冷电四射,眼角含着令人心寒的冷笑。

"去领教武林高手的奇学,最好不要伤人。"姬老庄主泰然地说,口气平和,但骨子里却是强硬无比。

"是,属下理会得。"大汉低声答,两丈外的人决难听清他的话。

声落,大踏步越过徐徐退回的姬少庄主,在众凶魔之前五丈左右,铮一声拔出雁翎刀,抱刀而立向众凶魔冷冷一笑,像在说:来吧!等你们送死。

雁翎刀外形有点像阔锋剑,属于硬碰硬的拼命利器,刀沉力猛硬砍硬劈,一刀下去,可以把马脖子劈成两段。

"这小子傲慢可恶,老夫要毙了他。"地杀星狞恶地说,取下双刃斧一步步迎上。

双刃斧柄长两尺四寸,与开山斧使用的劲道不同,但也算是重家伙,因为斧头重运劲不易。

地杀星这柄双刃斧长一尺二寸,不长不短,但刃口宽而薄,锋利无比,不像是可以硬碰的斧头。

两人的神色皆傲慢无礼,谁也不肯相让,狞恶地接近,两双怪眼死盯着对方。

片刻,蓦地两声虎吼,双方同时凶猛地扑上、接触、攻招,雁翎刀先发一刹那,"力劈华山"宛若天雷下击。

双刃斧用"天河倒挂"抢攻,两人同用的是以力胜的进手家数。

"当!"刀与斧斜面接触,似乎势均力敌,雁翎刀一顿,立即冲刺。双刃斧移位斜架,地杀星斜撞而入。

但雁翎刀收势奇疾,大汉身形一转,刀光划出一道可怖的快速光弧,闪电似的光临地杀星的右胯。

"铮!"斧崩开了致命一刀,顺势砍向大汉的胸腹要害,攻入了中宫。

可是,大汉更了得,"铮"一声一刀斜封,身形疾转,刀啸似云天远处传来的隐隐殷雷,化不可能为可能,借封势人似狂风,刀似怒龙,以可怖的奇速掠过地杀星的左侧,嗤一声裂帛响,地杀星的左手大袖与一幅衣袂随刀而落。接着,刀以全速回旋,排空直入,猛扑地杀星。

"够了!"姬老庄主及时高叫。

地杀星踉跄斜冲丈外,脸色死灰。

如果大汉不及时收招,这一刀很可能从百忙中封出的斧侧切入,在地杀星的右背砍开一条大缝。

大汉熟练地收刀,大踏步转身扬长而去。

地杀星凶焰尽消,这刹那间的接触,生死的分野微乎其微,大汉那气吞河岳的快速进攻,把这不可一世凶残恶毒的宇内凶人镇住了。

姬老庄主举手一挥,另两名大汉一言不发向前走,一前一后方向略偏,相距约三步而立,两人不仅步伐相同,连拔刀的手法也整齐合一,一举一动沉稳中剽悍之气外露,神色冷静而杀气腾腾。

"哪几位老兄肯会一会敝庄子弟的鸳鸯阵?"姬老庄主向失色的群魔朗声说:"一两个上不嫌少,七八个不嫌多。诸位请留意,这不是乾坤剑阵,如果用破两仪剑阵的招式应付,后果不堪设想。"

连输了四场,群魔大感震骇,对方只派出二三流身分的人,便已占尽了上风,一流人物如果出场,那还了得?

只要看了两大汉列阵的怪异位置,与阴狠凶悍的无畏神情,不服气的人如果想出去亮剑,真得考虑考虑后果。

因此,你看我我看你,场面十分尴尬。

姬老庄主已看出对方的怯意,见好即收,唤回两大汉,独自上前说:"郎老弟,首先,兄弟为了贵伴当阴婆的死,致上万分歉意;其次,兄弟希望与诸位亲近亲近,彼此友好地谈谈,幸勿见怪,兄弟是诚心的。"

"你有什么可谈的?"大邪色厉内荏沉声问。

"可惜三眼天尊比兄弟晚到……"

"他明天一定可以到达。"

"很好很好。这样吧,明日午后,兄弟专诚拜会,但不知老弟台落脚在何处?"

"会期再见,在下落脚东崖禅寺。你来吧,咱们的朋友会接待你的。"大邪冷冷地说,低手一挥,群魔匆匆撤走,片刻间便隐入茂林修竹间失去踪迹。

　　这里到九华还远得很呢,东崖禅寺更远在九华深处,地近绝顶。这是说,大邪已拒绝姬老庄主明日拜会的建议。无意商谈善后问题。

　　"爹为何不拦阻他们?"姬少庄主低声问。

　　"岚儿,操之过急必定偾事。"姬老庄主沉静地说:"第二邪赶到,咱们便可以控制情势了,走吧。"

　　"要不要找大魔云龙三现接头?"

　　"放心啦!那老狐狸消息灵通得很,他会派人前来试探我们的。"姬老庄主颇具信心地说:"哦!为父不是一而再告诉你,不可下杀手激起众怒吗?为何杀了阴婆?"

　　"那老鬼婆知道得太多了,竟然一眼便指出婉如用的是太乙玄功,不杀她她便会胡说八道,传出去恐怕对咱们不利呢。在未正式与他们打交道以前,必须隐藏自己的实力……"

　　"什么?老鬼婆怎么知道的?"姬老庄主问。

　　"岚儿不知道,也许她曾经……"

　　"说,还有什么人知道?"姬老庄主懔然地问:"当时还有些什么人在场?"

　　"这……苏杭双娇和她们的两名侍女。"

　　姬少庄主脸色变了,已发觉乃父的神情有异:"爹,其实即使泄漏了出去,也并没有什么……"

　　"在明日之前,必须把双娇和她们的侍女解决掉。"姬老庄主阴森森地说:"也许还来得及灭口,快派人跟踪,迟延不得。"

　　"爹的神色好怕人,真有那么严重吗?"

　　"是的,天下间知道太乙玄功来历的人不多,知道的人将是咱们最大的心腹之患,至于为什么,为父不能告诉你,你必须记住,凡是知道的人,杀无赦。"姬老庄主凶狠地说,眼中杀机怒涌。

　　姬少庄主不敢再问,向两名青衣剑手叮咛一番,打发两人追踪大邪一群凶魔的去向,方下令登程。

　　姬老庄主回到轿旁,与毕夫子夫妇低声商量片刻,扭头瞥了不远处的永旭一眼,突然不悦地问:"惠丫头,那是什么人?"

姬惠正与永旭并肩而立,有说有笑气氛融洽,闻声转身笑答:"爷爷,是一位游学书生。"

"叫他走。"姬老庄主说,似乎心情有点不安。

"爷爷……"

"你怎么啦?"姬老庄主不悦地问:"要动身了你知道吗?快叫他走!"

永旭挂好包裹,笑道:"姬姑娘,我已经说过,尊府对读书人并不尊重,不错吧?呵呵!后会有期。"

"周公子,你……"

姬姑娘不胜依依地说:"去游九华吧,我……我希望在那儿能见到你……"

"呵呵!我会去的,我们一定可以重逢的,行再相见,姑娘珍重。"

他笑吟吟地说,大踏步上道,临行,向不远处低头沉思,心事重重的韦胜挥手示意,扬长走了。

姬少庄主夫妇,正在专心地分派人手,竟未留意他的离开。

韦胜魂不守舍,也没看到他挥手示意告别。

等日月双童准备停当,正要出发时,韦胜方从沉思中醒来,向身侧的姬少庄主说:"姬少庄主,在下该告辞了,日后再……"

"姬少庄主淡淡一笑,抢着说:"韦兄,为何不同行?等令叔到达后,再与令叔联系岂不甚好?"

"不,在下得独自上路,沿途打探消息……"

"何必呢?韦兄,一同走吧,沿途的食宿,不劳韦兄费心张罗。再说,韦兄不怕大邪在前途相候?"

"在下即隐起行藏,谅他们也奈何我不,告辞了……"

"且慢,韦兄一定要走?"

"是的,在下……"

"大邪必定在途中明暗俱来,为武林道义,兄弟不能让你独自涉险。"

姬少庄主语气坚决,摆出大仁大义嘴脸,理直气壮留客。

"少庄主……"

"咱们同行,该动身了。咦! 惠丫头,那书虫呢?"

"已经走了片刻啦!"姑娘闷闷不乐回答。

"什么? 你让他走了? 你……"

"是爷爷要他走的嘛。"

"糟糕!"姬少庄主跌脚叫:"你这丫头怎么恁地不懂事,快,带一个人去追他。"

"岚儿,怎么一回事?"姬老庄主讶然问。

"爹,苏杭双娇是为了那小书虫而出面掳人,与阴婆交手时,小书虫在旁听得一清二楚……"

"哎呀! 你真没有用。"姬老庄主急叫:"去,追上他抓回来。"

韦胜吃了一惊,叫道:"姬老庄主,他一个书生……"

"没你的事。"姬老庄主冷冷地说:"你就是韦胜吧? 令叔何时可到?"

韦胜已看出危机,撒腿向下狂奔。

四名青衣剑手更快,青影连闪,迎面拦住去路,四人一字排开,手按剑鞘冷然注视,脸上一无表情。

韦胜知道不妙,止步转身问:"姬老庄主,这是什么意思?"

这时,姬姑娘已带了侍女小笙,追赶永旭去了。

"韦胜,你必须明白自己的处境了。"姬老庄主冷冷地说:"沿途老夫派了不少江湖高手眼线,前后百里内前往九华的武林高手江湖名宿,老夫了如指掌。你,正是招引令叔蒲团尊者的人,老夫需要令叔与蒲团尊者的合作,因此才命岚儿接近你的,这是你的幸运,知道吗?"

"你……"

"你如果认为可以平安离开,请便。"

"阁下有何用意?"

"届时自知,你必须自爱些安分些,用人之际,老夫不希望你出意外。"

"好吧,在下认栽。"

韦胜无可奈何地说,后悔已来不及了。

"沿途你必须检点些,你不是糊涂的人。"姬老庄主狞笑着说,举手一挥叫:"岚儿,你先动身,抓住那书生,一了百了。"

"是,爹。"姬少庄主恭敬地答。

一行人接近官道,方看到姬惠主婢俩站在道上发呆。

"人呢?"姬少庄主急问。

"就是奇怪,人不见了。"

姬惠惑然地说:"按脚程,他最多只能走一里半里,可是不但人不在小径,女儿追到这里,根本没发现他的踪影,女儿和小笙分向两端追了两里地,没见到人才转回来的,他像……"

"快搜这附近,他一定躲起来了,搜!"

搜遍附近的竹林,鬼影俱无。

等姬老庄主的人到达加入搜索,仍然毫无发现。

永旭根本不曾走远,他离开姬惠,人一进竹林便躲在一旁,仔细察看动静,不但看到韦胜被胁迫的经过,更知道了姬老庄主捉到他灭口的可怕阴谋。

他等姬老庄主动身后,从另一方向越野而走,放开脚程南下,先一步走在姬少庄主的前面。

繁昌到九华,有两条路,路程相当不远。

大路是经铜陵到青阳,小路是经南陵到青阳,九华在青阳的南境。

大江上下涌来九华朝山的信徒,九月初地藏菩萨佛诞,十余万信徒涌到,下江来的人在铜陵登岸,上江的人,则在池州起旱,盛况空前,任何事都可能发生,每年要死掉三五百人,偷、抢、拐、骗、劫、病疫……

可是,信徒们仍然前仆后继年年来朝山进香,埋骨沟渠死也甘心。

即使是平时,进香的人仍然全年不绝。

他并未换装,不再雇小厮担行李,背了包裹提了书篓,一口气赶到繁昌,雇了一乘山轿,走南陵直奔青阳。

他知道姬少庄主必定已将消息传出,所以雇轿掩起行藏。

南陵到青阳有一百四十余里,分两日程。

这天午后不久,轿抵吴潭镇,距青阳尚有二十五里。

这是一座小镇,当地土著称为竹木潭,约有六七十户人家。

镇南,是九华山伸出来的余脉,岗阜小山连绵不绝,满山青翠,田野一片青绿,风景相当优美,一切皆显得和平安谧,道上行旅不多,看不出任何异象。

轿一进镇口,他便从轿帘的缝隙中看出不吉之兆。

按理,正届农忙时节,镇中不会有许多闲散的人走动,但街道两旁站了不少人,老少妇孺甚多,全都脸带惊恐和好奇,一个个昂首向西望,那儿正是镇中心的惟一十字街口。

十字街围了不少看热闹的人,但都站得远远的,所有的目光,皆向西街左首第一家店铺集中。

那是一家杂货店,店门外的棚柱上,挂着些草鞋、香包、竹扇、小型提篮、竹扒……等等出售杂物。

长凳上,安坐着两位丰神绝世,玉面朱唇,身材修伟的年轻书生。

看相貌,一眼便可看出是兄弟俩,年长的不过二十二三,弟弟大概年届及冠。

戴儒巾,穿月白色博袍,佩剑的姿势与众不同,挂钩甚低,因此剑把高高地伸至左肩下。

这是儒生的传统佩剑式,平时左手挽在剑锷附近,像在抱剑。

这种佩剑拔剑不易,而且必须反手向上提拔,麻烦得很,读书人本来就不愿意用剑来评理。

两兄弟笑容可掬,坐在长凳上泰然自若。

棚口,两名佩了短剑的十三四岁小书童,正分别揪住一名大汉的发结向后下方拉,一手擒住大汉的右臂扭至身后,用迫肘屈腕术制得稳稳地。

大汉身材高,书童身材矮,因此,两大汉头向后仰,肚子向前挺,不易站稳而且重心不稳要向后倒,呲虎咧嘴吃足了苦头。

"叫他们招供。"

年长的书生笑嘻嘻地说:"强买强卖,都该送官究治。谁先招出贼伙在何处聚会,谁就可以少吃苦头早些滚蛋。"

"听见了没有?谁先招?"一名书童问,右手逐渐加劲,大汉的腕部徐徐向内迫紧。

"放手!放……手!"大汉鬼叫:"他……他们都……都走了,在……在下不……不知道他们到何处去了。"

"你大概骨头生得贱。"小书童微笑着说,劲头渐增。

"哎……哎唷……请……请不要……"大汉厉叫。

轿子到了,轿内的永旭叫:"停下来。"

轿停下了,永旭掀起窗帘,笑道:"喂!这里不是衙门的刑堂,怎么有人用刑?"

"呵呵!在这里审强盗呢。"年长的书生说:"要不要看看?将来兄台如果中魁外放,这种手段可能用得着呢。"

他掀开轿帘出轿,向轿夫说:"到前面找食店进食等我,我就来。"

他向店棚走来,笑道:"哈哈!两位如果将来中魁外放,必定是不折不扣的酷吏,他们怎么啦?"

"十几个毛贼逃经此地,入店购物与店主发生口角,把店堂砸了,殴伤店主,劫了不少货物一哄而散,被我兄弟捉住了两个腿慢的,正要他们招出贼伙的下落。怎样?你不是他们一伙的吧?"

"呵呵!我额上刻了贼伙两个字吗?"

"差不多。"年长的书生笑道:"你,修为已臻由神返虚境界,穿了儒衫也不见得斯文。"

"对,高明高明。"他心中暗暗佩服:"你瞧,我就不会扫地,等到斯文得学扫地,那就算读书有成啦!哈哈,这两位仁兄面熟得很,放了他们吧,两条小鱼,不值得两位用大锅猛火来煎。"

"兄台认识他们？"

"醉仙翁成亮的跑腿，成老鬼名列三残之首，目下正在替大邪摇旗呐喊，大概快到了。他那一群货色落在我后面一日程，也许更多些，因为他们可能另有要事待办。"他轻松地说，对两个假冒斯文的英俊书生有十分好感："没收他们的金银赔偿小店的损失算了，两位意下如何？"

"好，最好连衣裤也剥下来抵偿。"年轻的弟弟鼓掌同意。

两书童立即动手，搜光两大汉身上的零碎，剥下外衣，然后在他们的臀部踹了一脚，喝声滚，两大汉狼狈而遁。

"在下周昶。"他行礼通名："两位兄台尊姓大名？"

"李驹，那是舍弟骅，小书童紫电与青霜。"

"西面有一家小食店，我作东，请你喝两杯，如何？"

"妙！有酒有肉多朋友，咱们就交个朋友吧，走！"

紫电青霜两书童相当老练，进入小店与被打伤的店主交涉，把从两大汉身上搜得的金银杂物交与店主，告诉店主如何通知里正街坊，如何报官，只要在官府落案，行凶的贼人便不敢重来生事报复了。

料理毕，五人扑奔西街，到了一家挂了酒招子的食店，恰好永旭的轿夫也在这家食店进食相候。李驹叫了酒菜，两书童也入席坐在下首。

"周兄从何处来？"李驹问："我们在青阳落脚，到处走走寻幽探胜，无意中碰上了这档子事，暂扮了片刻酷吏，很好笑是不是？"

"呵呵！李驹兄，这件事并不好笑，而是贤昆仲欠缺经验，办得并不妥当。"永旭率直地说："我从南京来，走江湖闯天下，看看天底下人间世的冷暖炎凉。"

"哦！周兄，为何办得不妥？"

"江湖人管闲事，宗旨是见好即收，如非必要，决不在大庭广众下惊世骇俗，此其一。追踪可疑事物，以暗查为上，不可公然在街市逼问口供，此其二。逼取口供，必须避开现场与不落外耳，此其三。"他有条不紊地分析，神态诚恳："两位落脚青阳寻幽探胜，却不该沿官道东下,幽胜该在九华,南出小天台可至黄山,这里有什么可探呢? 所以我知道两位必是出身武林世家,少在江湖闯荡的公子哥儿,不错吧?"

"承教了。"李骈脸红耳赤抱拳道谢:"不瞒你说,我兄弟离家不足三月,而且是第一次独自办事。周兄,我们脸上的神色,真有那么明显吗?"

"是的。李骈兄,你邀请我意欲折节下交,可知你心地宽宏,胸无城府,没带有防人之心,可说并非你有知人之明,而是凭一时好感结交。呵呵! 你怎知我是不是脸呈忠厚,心怀奸诈的歹徒恶棍? 这又违反了江湖人的戒律。"

酒菜上来了,永旭执壶亲自替李氏兄弟斟酒:"九华即将风起云涌,龙虎际会,不相关的人,千万不可卷入漩涡,以免日后恩怨牵缠难以善后。相见也是有缘,我敬贤昆仲一杯水酒借花献佛,酒足饭饱之后,贤昆仲速行返城,带了贵伴当远离是非之地,好吗?"

他举杯敬酒,李骈喝了半杯,迟疑地说:"周兄,你的好意我们感激不尽,可是,我们是历练而来,岂能放过这次大好的机会? 你知道九华群魔大会的内情吗?"

"如果不知道,我就不会来自找麻烦了。"

"一魔一邪大会九华,闹得不像话呢。"李骈接口道:"这半月来,我们得到不少惊人的消息。"

"会期去年中秋就传出去了,消息并不惊人。"他若无其事地说。

"是这样的……"李骈放低声音:"江西南昌的宁王,派来不少高手,要网罗这些江湖妖魔鬼怪做羽翼,为首的主脑文的是天师李自然,武的是鄱阳巨寇毒龙柳絮。魔邪火并我们可以袖手旁观,但却不允许他们投入宁王府助王兴兵造反。周兄,你以为然否?"

"唔! 不错,你们的消息相当正确。"他喝了一杯酒,笑容可掬:"这些消息,绝不是贤昆仲得来的吧。"

"这……兄弟带来了几位伴当,他们都是在江湖经验丰富的长辈,现在县城潜伏。"

"你们的消息大部分正确,但有一件事犯了最大的错误。"

"周兄是说……"

"宁王府派来的主脑人物,文的不是天师李自然,那妖道玄通盖世,道术通玄颇具神通,贤昆仲虽然艺业超尘拔俗,但绝不是妖道的敌手,武的不是毒龙,而是另有其人,这人的出身来历我已有些少眉目,正在留意证实。毒龙固然了得,将修至金刚法体,是宁王府第一位无敌把势,但他已在去年秋死在山东。目前的毒龙是假的,这人不会在会中与人较技动武。"

"咦!毒龙死了?"兄弟俩同时惊问。

"对,去年我在山东鬼混……"

"这恶寇刀枪不入,宝刀难伤。年未半百,怎么会死了?该不是谣言吧?"李驹仍是不信。

"消息绝对正确。"永旭肯定地说:"他和妖道到山东招诱山东响马余孽入伙,却被山东响马杀了,妖道也受伤逃出山东,回来却不敢宣示毒龙被杀的消息,以免影响士气,找出一个与毒龙身材相貌差不多的人冒充毒龙而已。"

"周兄,你能对付得了妖道吗?"

"没碰面,很难说。"永旭淡淡一笑:"但可怕的不是妖道,而是在暗中主持网罗魔邪的人。"

"周兄,无论如何,你得带我们见识见识。"李驹兴奋地说:"你的话充满信心,你的气质狂放自然,足以做我们的良师益友……"

"且慢且慢!"永旭苦笑:"你还不明白?我请你们回家,江湖不闯也罢。"

李驹笑吟吟地抓住他的手臂,问:"周兄,不谈那些,你今年贵庚?"

"二十一,你……"

"我二十三,舍弟及冠。我称你为弟,骅弟称你为兄,你就不会赶我们回家去了吧?嗯?"

"妙!"李骅鼓掌叫:"咱们兄弟相称,就叫风尘三侠,为武林留一佳话。"

"这怎么可以?"他一口拒绝:"江湖禁忌甚多,我不会将底细奉告,你们也不可能将家世告诉我……"

"旭弟,你的为人令我佩服,可就是婆婆妈妈。"李驹大声说:"相交贵在知心,贵在意气相投,贵在彼此光明正大无怍无愧,重视的是现在与将来,家世与出身算得了什么?你要是瞧不起我们,我们把九华山闹他个天翻地覆,一切后果由你负责。"

"咦!你倒会放赖?"他笑骂:"这简直是无赖泼皮,岂有此理。"

"那么你答应了?"李驹喜悦地问。

"你们真不想回家?"他问。

"回去丢人现眼吗?"李驹说:"我们要历练三年两载,以增见识获取经验教训,三个月就害怕得逃回家享福,这会光彩吗?说,我们等你一句话。"

"好,首先,我得声明我做人处世的态度。"永旭郑重地说:"这可以让你们认识我的为人。我这人不拘小节,小事可以马虎,大事决不含糊,必要时装疯扮傻,有时不妨狂放不羁。我不奢言行侠,但碰上不平事就伸手,小丑跳梁可以不计较,但决不容忍心肠恶毒的歹徒。不到生死关头,尽可能克制自己少开杀戒。我认为人生的道路是崎岖的,不必以夫子道学的眼光来严格批评人生百态,如果你们自命不凡,以英雄豪杰的姿态君临江湖,那么,最好离开我远一些。"

"我问你,当今之世,有几个人可称得上英雄豪杰?"李驹正色地问:"你见过了吗?"

"这……英雄豪杰的意义,很难下定论,每个人的看法都有不同,得从你由那一方面看来决定。人有七情六欲,亲痛仇快在所难免,所以我的看法是帮助过我的都是英雄,够了吗?"

"你在回避我的问题。"

"不错,你明白就好。"

"哈哈!大概我们都是成不了英雄豪杰的朽木,三个猖狂的假书生,正好携手在九华浑水摸鱼,你不反对吧?"李驹大笑着说。

"你知道要冒多大的风险吗?"永旭问。

"人活着,哪能没有风险?"

"你知道我们要与多少妖魔鬼怪周旋吗?"

"你害怕?"李驹相当无礼地反问。

"不怕是假,但必须搅散群魔大会,免得他们荼毒天下人,不许我们退缩。"他轻描淡写地说:"酒不可过量,餐罢我们到郊外走一趟。"

"哦!你的意思……"

"我必须先了解你们的艺业火候,以决定如何方能集三人之力,应付未来的困难险阻。"永旭诚恳地说:"不要怪我托大,事实是我在江湖闯荡多年,经验要比你们丰富些,不怪我吧?"

"你又来婆婆妈妈啦!"李驹拍拍他的肩膀说:"真的,我和弟弟要学的东西太多了,今后,惟你马首是瞻。"

食毕,永旭重赏了轿夫,打发轿夫回程,三人偕书童大踏步奔向青阳城。

远出五六里,永旭领着众人登上路左的一座小山,到了坡后的一处草坪,放下包裹说:"就在这里试试看,骅弟借剑一用。"

李骅解剑奉上。

他拔剑出鞘略微试力,将鞘递回给李骅,到下首亮剑叫:"大哥,全力进招。"

李驹先是一怔,接着自负地说:"旭弟,你进手……"

糟了,话未完,永旭已剑如奔电,可怖的剑虹以骇人听闻的奇速,漫天彻地而至,森森剑气直迫丈外,剑虹尚远在三尺外,剑气已先一步及体。

李驹大骇,彻骨奇寒的剑气已令他毛骨悚然,那难测来路的电虹更令他心惊,百忙中急速飞退,连闪八次方位,方才摆脱连续狂攻的霸道剑虹。

永旭垂下剑,神色肃穆地说:"大哥,今后千万不可轻敌。神色间你尽可松懈狂诞,但心中必须防意如绳。能闪避小弟出其不意的狂攻十招,大哥的身法已臻化境,佩服佩服。"

　　李驹拭掉脸上的冷汗,摇头苦笑道:"旭弟,别骂人了,不瞒你说,愚兄从没将人放在眼下,自负得以为天下间大可去得,可是你……我好惭愧,你如果有意伤我,恐怕我闪不开第三招。"

　　"不要失去信心,大哥。"永旭郑重地说:"其实,你应该在第七招陷入绝境。不是小弟自命不凡,即使是大魔云龙三现,在这种场合里也逃不出第三招。现在,请金刀出手。记住:剑出鞘有敌无我,我们不是在印证。"

　　李驹岂敢再大意?徐徐撤剑出鞘,庄严地亮剑,一声轻叱,无畏地放手抢攻,剑幻千朵白莲,气吞河岳势如排山倒海,要在剑术上争一口气。

# 第十一章  兄弟结拜

永旭的神色却安详而活泼，剑气轻灵的吞吐，在对方诡异万分霸道绝伦的抢攻下，封锁了李驹绵绵不绝猛烈无匹三十余招快攻，最后撤招斜掠丈外，收势讶然道："大哥，你的剑术奇奥绝伦，却又似乎劲道不足，是不是绝招？抑或是内力不足？"

"这……"

"我明白了。"永旭恍然地笑道："不忍下手是不是？骅弟，看你的了。"

李骅接过乃兄的剑，拍拍胸膛说："二哥小心，我一口气攻你五十招。"

"来吧！别客气。"

"着！"李骅出其不意抢攻，展开了空前猛烈的袭击，人影进退如电，剑虹幻化重重剑山，比乃兄勇猛泼辣得多，速度似乎也略为迅疾些。

但攻至三十招，仍未能取得绝对优势，永旭反击的剑影，始终给他无比的威胁，无法主宰全局，攻势终于缓慢下来了。

四十招，永旭又轻易的撤出圈子，笑道："够了，再斗下去要出人命啦！骅弟也没用绝招。"

"二哥认为我们可派用场吗？"李骅欣然问。

"岂止可派用场？咱们三支剑保证可令群魔丧胆。"永旭满意地说："你们急于返城吗？"

"不急，二哥之意……"

"我在想，我们该在应付群殴方面下功夫。"他郑重地说："联手的默契最为重要，我们要把三个人的长处凝结起来。妖魔鬼怪们人多势众，他们不会照武林规矩和我们公平决斗的。来，我们辛苦些，试练我的乱洒星罗剑阵，这是我三位恩师功参造化的奇学，看我们能否配合得上？"

晚霞满天，他们踏入城关，由李驹在前领路，直趋城西位于殷家山下的九华老店，青阳城小得可怜，城周四里多一点，城内却有山水，街道曲折凌乱，客店倒是不少，来投宿的人，几乎全是游山客和进香徒。

九华老店是颇负盛名的老店，规模数全镇第一，一次可容纳三四百名香客，当然住的是大统铺。

两跨院倒有两列上房。

李驹兄弟拥有两间。

上房皆有内间，一进房，两书童便把外间的铺盖搬到邻房去了，把外间让给永旭。

洗漱毕，青霜奉上香茗说："启禀公子，靳爷说，这时可否进见？"

"快请。"李驹说，转向永旭："昶弟，我替你引见两位大叔，他们是舍下照管外务的执事。"

两位执事一叫靳义。另一位叫侯刚，都是年约半百相貌堂堂的长者。

李驹兄弟称他们靳叔、侯叔。

另一位是年约花甲的老仆李忠，一个毫不起眼的干瘦老人。

李驹兄弟也称他为忠叔，据说是从小把兄弟俩带大的老仆。

永旭神目如电，一眼便看出这三位称叔的人，都是身怀绝技的内家高手，也知道必是李驹兄弟的保镖，少不了客气一番。

就寝前，李驹到了邻房。

靳义低声问："家驹侄，你们在山背后怎么逗留了好半天？像在交手，又像在练剑，是怎么一回事？"

"在练剑阵。"李驹得意洋洋地将经过说了。

"这么说来，愚叔倒是放心了。"靳义沉吟着说："听你的口气，他的剑上造诣真的比你高明？"

"岂止高明而已？靳叔不是小侄灭自己的威风，真要把家传绝学用上，也占不了丝毫上风，他的剑术诡异得难以想像，小侄还没见过如此难测的邪门剑术呢。以他的乱洒星罗剑阵来说，步法的奇奥身法的配合走位固然可怕，而配合出手的剑招简直匪夷所思，简单、凶猛、实用、辛辣、出人意表令人防不胜防，真有鬼神莫测的威力。他是阵的中枢，还不知在真正与人交手时，他会出什么神奇妙着呢。"

"贤侄，依你说来，这是一个深不可测的可怕人物，在未摸清他的底细之前，愚叔反对你与他密切往来。"靳义不安地说。

"靳叔请放心，小侄完全信任他。"李驹坦然地说。

"交朋友必须小心谨慎，万一他是妖道李自然的……"

"妖道如有这种艺业深如瀚海的党羽，根本用不着派出去做眼线，请相信小侄的判断力。"

"好吧，愚叔留意些就是。"

次日早膳毕，李驹兴高采烈地说："昶弟，今天到九华走走先勘察一下形势，如何？"

"大哥是不是手痒了？"永旭笑问。

"手痒？这……"

"昨天那两位仁兄，该已将消息传出去了，小弟猜想，不但我们附近已受到严密的监视，路上也保证可以找到伺机报复的人，大哥是不是打算公然露面？"

"哈哈！那不是正好吗？"

"好就好，那就在九华逗留吧，来回要两天工夫，行囊不必带，到寺里借宿，带上剑便可。"他欣然同意。

"你的剑呢？"

"我不带剑。呵呵！带了剑，就不像个文弱书生啦！"他疯疯癫癫地说:"儒以文乱政,读书人本来就令人讨厌;侠以武犯禁,带剑更令人害怕;儒与侠联在一起,不天下大乱者,几稀。"

"二哥说得不错。"李骅也含笑接口:"听说江湖道上,有一个人感到头痛的邪道高手,姓富名春申,绰号叫穷儒,是个心狠手辣无所不为的可怕人物,一个深藏不露艺臻化境的煞神。世间如果多几个这种人,真要天下大乱啦!"

"要不了几天,你就可以看到这号人物了。"永旭轻描淡写地说。

"这家伙要来?"李驹问。

"不错,早些天我在鲁港镇食店看到他,好像三残的醉仙翁成亮,和三怪的笑怪马五常这两个高手名宿,并未看出这位煞神的身分呢。"永旭一面穿衣一面说:"这家伙的确满腹文章,但却不走正途,在江湖出没如神龙,真正知道他身分的人并不多。日后碰上他,你们得小心些,他极少与人当面冲突,背地里却阴狠毒辣,睚眦必报,暗算的手段高人一等,他会像冤鬼般死缠不休。"

"他会来九华?"

"会来的,大概是大邪请来助拳的高手。也许,目前他已离开大邪那些妖孽,正在跟踪挹秀山庄的人,因为挹秀山庄两个小鬼,在鲁港镇食店骂人骂得太毒。"

永旭将鲁港镇所发生的事说了,最后说:"其实,穷儒的为人固然可恶,但也有可爱的一面,至少,他不会主动地欺凌弱小,肯宽恕无知的人,因此,见面最好不要用话损他,最好能设法让他和大邪反目,也许会成为我们的臂助呢。"

他们预计要在九华逗留三天,以窥探群魔动静和察看地势,不带书童随行。

靳义同行张罗食宿琐务,其他的人仍在客店。

李驹虽是名义上的大哥,但永旭两年前曾经到过九华,可说是识途老马,李驹便名正言顺要他担任对外交涉的发言人,凡事皆由他做主。

日上三竿，四人施施然上路。

远望九华诸峰，如同九朵青莲参天而起，气象万千。

大道沿山谷蛇蜒伸展，青山绿水风景清幽，令人心旷神怡。

沿途间或可以遇见一些虔诚的香客，背了行囊捧了信香，一面走一面喃喃祝祷，表情木然形如痴呆，颇令人心动。

一个时辰后，到达山脚的二圣帝殿。

这里距城二十五里，远道的香客通常不在县城投宿，直接到此地找宿处，因此附近有不少简陋的客栈。

卖香烛法器的店铺形成一条小街。

街尾那间专门接待香客的大客店门关得紧紧地，必须到八月底开门接待香客，到九月初，这家店伙即有三百名以上之多，可知道规模之大。

踏入店前的小街，劈面碰上一名彪形大汉，双手叉腰挡住去路，翻着怪眼用破锣似的大嗓门说："你们来了？算定你们也该来了。"

永旭轻摇着随手折来的树枝，笑吟吟地迎上说："嗯！这不是来了吗？哦！酒席都准备好了是不是？该请的人都来了吧？还缺几个？"

李驹大惑，这位新结交的二弟怎么有功夫在这儿请客？

彪形大汉一头雾水，讶然问："你说什么？"

"蠢材！不是要你在这里迎客吗？"永旭煞有介事地说："哪些客人未到？"

"咦！你胡说些什么？"大汉更是迷糊。

"啪"永旭给大汉一耳光，沉下脸说："不中用东西！你忘了你是迎客的奴才？"

大汉被耳光打醒了，掩住左颊怒叫："太爷要迎的是你，还有他，他……"他，是指李驹和李骅。

靳义笑嘻嘻地上前，指着自己的鼻尖说："还有我呢，你没忘了吧？"

李驹忍不住大笑，说："蠢材，你怎么你你他他的？无礼！你知道我是谁？"

"昨天，你在竹木潭打了咱们的人。"大汉终于有机会说出来意："咱们在此地等你们。"

"备好酒菜没有？"

永旭接口："早些说清楚岂不免去无谓的误会？我还以为你是我派在这里请客的奴才呢。呵呵！得罪得罪。"

大汉怒火中烧，大吼一声，劈面捣出一记快速的"黑虎偷心"，要扳回一记耳光的老本。

"救命！"永旭退后叫："秀才遇到兵，有理说不清，君子动口不动手……"

"先动手的是你！"大汉怪叫，逼进又是一拳攻出。

李驹从斜刺里伸出大手，奇准地抓住了大汉的大拳头，笑道："打不得，你这大拳头会伤人的。哦！谁叫你在此迎客的？"

大汉不但收不回大拳头，而且浑身在发抖，凶睛的厉光消失，苍白着脸恐惧地说："在下奉……奉尹……尹爷之命，来……来领你们去……去赴会……"

"赴会，尹爷又是谁？"

"恨天无把尹……尹寅。"

"在何处？"

"头天门。"

"你走吧，咱们随后就到。"李驹放手说。

大汉狼狈而遁，走得好快。

靳义眉心紧锁，有点不安地说："恨天无把是六安州的霍山剧贼，醉仙翁怎会交上这种强盗朋友？"

"可能是大邪请来的人，醉仙翁不在，主事的人只好派人出头罗。"永旭信口说："看情形，咱们可能要一直打上山去了，沿途拦截的人将一批比一批高明。走吧！咱们不能令他们失望。晚散不如早散，早些吓跑一些妖魔鬼怪，赴会的人便不至于那么踊跃了。"

"昶弟，你猜，我们能不能搅散他们的大会？"李驹迟疑地问。

"目前未免言之过早，但我们在尽力不是吗？"

"我们得着手调查魔邪双方请来的高手名宿了。"

"人尚未到达，从何查起？有些高手名宿与孤魂野鬼差不多，不到时候不露面，怎样查？"永旭一面走一面说："过几天我们化明为暗，调查就方便多了。"

至头天门共有五里左右，沿途山势不太峻陡，茂林修竹满山遍野，林荫蔽日，暑气全消。

走了两里地，前后不见有人。

永旭突然说："前面有不速之客，小心了。"

路旁的古松下，一个鹑衣百结的中年花子，四仰八叉地躺在树根下，双脚伸至路上，破草鞋与肮脏的脚发出阵阵臭味，鸟爪似的双手抱着一根斑竹打狗棍沉沉入睡，鼾声如雷。

上空传出银铃似的轻笑，绿影飘出而降，从两丈高的横枝上飘落，轻盈妙曼点尘不惊。是一位如花似玉的佩剑少女，隆胸细腰浑身是魅力，媚笑着说："诸位有了困难，需要帮助吗？"

嘴里在说，一双流波四转的媚目也在送秋波，看看李驹，再看看李骅，最后停留在永旭身上，眼中的笑意更浓了，颊旁的笑涡儿更深啦！

李驹兄弟如临风玉树，俊秀超群，但细皮白肉的确带了一两分纨绔子弟的气息。

而永旭是不同的，雄壮中流露出俊秀，脸上健康的色彩显出蓬勃的朝气，儒衫掩不住内在剽悍的气息。

正是那些母性并不强烈的女人，梦寐以求的男子汉。

"喝！地藏菩萨道场，居然出了这么一位倾国倾城的狐仙，这鬼地方要有祸事了。"永旭狂傲的说："小姑娘，我们的确有了困难。你瞧，前面有引路的鬼卒，后面最少也有五六个防止我们逃命的判官，我们只有往上的一条路可走。呵呵！困难不是不可克服的，问题是姑娘是否肯高抬纤手帮上一把，对不对？"

"你说得对极了。"绿衣女郎扭着小蛮腰，风情万种地走近，香风入鼻，俏甜的语音十分悦耳："你说我是狐仙，是捧我呢抑或是损人？说呀！小后生。"

这神情甜极了，媚极了，打情骂俏的意味十足。

站在后面的李驹兄弟哪见过这种大场面？脸红耳赤怒容满面，要发作啦！

"唔！小姑娘，我哪敢损你呀？"永旭嬉皮笑脸不在乎："当然，要说你是狐仙未免语涉轻薄，那就叫你绿衣仙子该成了吧？据我所知，九华大会前来参与的人，有黑道、有绿林、有水寇、有痞棍泼皮和妖魔鬼怪，就是没有白道英雄。看你嘛，白道中没有你，你当然不是白道四女杰的逸绿，我猜你定是妖山道中的绿衣仙子路姑娘路凝香，我猜得不错吧？"

靳义眼观鼻鼻观心，垂手而立真像个老实的随从。

李驹兄弟却被路凝香三个字吓了一大跳，脸色大变。

这个女妖外表像是年方二八的少女，其实却是年近半百的妇人，江湖朋友谁不知道这位名列四大妖仙的风流荡妇？

据说，她是失踪多年的老魔头碧湖老妖的情妇，她那一身硬软功夫皆由碧湖老妖亲授，已获老妖真传。

碧湖老妖横行天下号称无敌，连白道第一条好汉玉龙也无奈他何，调教出来的情妇那能差劲？

她本身的妖法媚术已经够令人害怕了，加上老妖所传的真本事硬功夫，令她登上江湖女妖中大名鼎鼎的女妖魁首宝座。

白道英雄畏之如蛇蝎，没有人敢找她的麻烦，背地里，江湖朋友称她为绿衣妖女。

"唔！你猜对了。看样子，你定是这些人的首脑。"

绿衣仙子几乎要挤入他怀中啦！笑得更媚更荡："你居然没带剑，大概是自命不凡的汉子。小兄弟，你贵姓大名呀？怎么在江湖上从没见过你？你出道多久啦？一年？"

"呵呵！你问了一大堆问题，慢慢来，让我喘口气。唔！好香，你再靠过来，我可要意乱情迷不能自持了。"他并无退让的意思："我姓周，出道一两年啦！小人物嘛，你知道的，要在江湖上闯出名头，说难真难，难怪你不知道我。那是我的好朋友，兄弟俩姓李。路姑娘，他兄弟俩更差劲，出道的日子不足百天。呵呵！你就叫他们大李小李和周二好了。路姑娘，你问我的都答复了，可是你还没将怎样帮我们克服困难的办法说出来呢。"

"小兄弟，不是办法，该说是条件。"绿衣仙子的右手，挽住他的左小臂，拇指有意无意地按在曲池穴上："你也许不知道，大邪算得了什么？你对付得了他，但他请来的高手，你……你毫无机会。"

"条件？应该的。呵呵！黑道人讲的是功利，没有人会毫无代价地替不相关的人挡祸消灾。"

"你明白就好。"

"在下洗耳恭听姑娘的条件。"

"条件很简单……"

"愈简单的条件愈令人害怕。"他抢着说。

"你害怕什么？我又不会吃掉你。"

"呵呵！你这张樱桃小口能吃多少？"

"你不要笑，装成亡命的鬼样子不会有好处的。条件是你们跟我走，本姑娘是大魔云龙三现请来助拳的。"绿衣仙子的媚目不转瞬地吸住他的眼神："你该明白，光临九华山的人，不是帮大魔就是助大邪，必须划清界限，没有中间路线可走。你说吧，答不答应？"

"路姑娘，如果我不答应……"

"你会答应的，是吗？"

"那老花子答不答应呢？"他向不远处呼呼大睡的老花子一指："他是亦正亦邪不黑不白的北丐。如果我答应你，他也必须……"

北丐突然一蹦而起，怪叫道："浑小子，你怎么咬上我了？你瞧我这副德行，骚狐狸会让我脱她的罗裙？"

绿衣仙子大怒，绿影一闪，如同逸电流光，猛扑三丈外的北丐。

北丐撒腿便跑，破草鞋踢拖怪响，看似不快，其实奇快绝伦，像是用缩地术，沿路向下逃。

一面逃一面用大嗓门叫骂："骚狐狸！害人精！你这千人骑万人跨的贱货，我老要饭的怕你。救命哪！女疯子发花颠啦……"

叫声渐远，余音袅袅不绝。

永旭呵呵一笑，向李驹说："走吧，再听下去就不堪入耳啦！北丐那张嘴缺德得很，骂起人来从不怕脏的。"

四人脚下一紧，快步向上走。

李驹的脸色仍未回复正常，犹有余悸地问："昶弟，你不怕这妖女？"

"你呢？"他含笑反问。

"这……我知道她比我高明。听说她的荡魄香和媚心术，天下尚无能克制的人。"

"大哥，请记住，下次如果碰上她，切记不可与她目光接触。"

他掏出一只得自香海宫的玉瓶递过说："这是可克制荡魄香的奇药，抹在鼻端先吸入一些，任何迷香也无奈你何，给你和骅弟防身。"

"这……给了我们，你呢？"

"我还有。我练的是玄功，媚心术对我不发生作用。"他一面走一面解释："内功三大派流，抗拒心魔各有所长。玄功是用导引术；禅功用防拒术；内家用排拒术；而以导引术最有效。导引术是因势利导，化而为用；防拒术是治末，功不深抗力即消失；排除术因势耗神，易致两败俱伤。妖女经验丰富，她已发觉我不怕她，我在她面前谈笑自若，所以想找机会用真才实学制我的曲池穴。"

靳义摇头苦笑，说："哥儿，我真不知道你小小年纪是怎样练的，有你在两位贤侄身边，老朽放心了。老实说，刚才我以为大限已至，正打算孤注一掷呢。你瞧，老朽身上的冷汗仍未全消呢，哥儿，能将贵师门见告吗？"

"靳叔恕我，不能。"他率直地说："家师是闲云野鹤，不希望有人去打扰他们的清修。"

"哥儿的造诣……"

"呵呵！武学深如瀚海，小侄这点能耐又算得了什么？两年前打通玄关之后，小侄也不知道自己的进境如何，与人交手随势而异，敌强则强，敌弱则弱。总之，靳叔可以放心的是，小侄从不滥杀，行事无愧无怍。"

"哥儿说得对。武学深如瀚海，广无涯深亦无涯，永无止境，而人的寿命是有限的，是否可以日新又新不断求进，全在乎人是否有大恒心大毅力，去求取进益觅创奥境。"靳义无限感慨地说："这当然决定于人的天赋，但如无明师指点，亦将枉费心力。我想，令师必是跳出三界外，不受七情六欲左右的世外高人。"

"昶弟，你看得开世情吗？"李驹突然问。

"不能。"永旭坦率地说："我还年轻。"

"你是否打算出世？"

"出世必先入世，是吗？"他诚恳地说："大哥，人来到世间，不是为出世而来的，如果为出世来，又何必入世？玄门子弟讲求积修外功，这外功简单地说就是求道，你如果不先修予，又能求得什么呢？尘世滔滔，该做的事多着呢，不为苍生尽一份心力，便匆匆出世，不是太自私了吗？自私的人是成不了道的。以家师来说，年登耄耋，还没想到隐修呢，为了惩罚一个满手血腥的元凶，不惜带着我走遍天下，花去五载光阴。家师并不奢望成道，他老人家不属于目下的任何玄门教派，更不是那些挂羊头卖狗肉的天师道信徒。"

谈说间，头天门在望，宏大的甘露寺气象万千。

两名大汉站在坡上怒目而视，相距十余步外，一个大汉用手向西一指，恶狠狠地说："那一面的山头上见，咱们在等你们。如果你们不来，自会有人找你们讨公道。"

说完，匆匆走了。

永旭领先便走，一面说："等会儿我们从山腰越野而走，不管发生任何事故皆不可逗留。"

"二哥，不去赴约了？就这样示怯溜走？"李骅愤然作色问。

"呵呵！骅弟，你与谁有约？"永旭笑问。

"他们……"

"如果他们布下弩阵，或用九龙筒八方放火，你也要去？"永旭摇头说："不，我要他们跟我走。"

"这……"

"骅侄，你说过一切由你二哥做主的。"靳义接口。

"可是……"李骅神色不以为然。

"骅弟，怕灭自己威风是不是？"永旭泰然地说："我们不是示弱，而是要主动引他们到我们选择的地方决战，要是让他们牵着我们的鼻子走，什么都办不成啦！走！"

绕了一座山，快速地到达二天门。

永旭一马当先，登上了半宵亭，山坡上掠出五六名大汉，同声怒吼："你们逃不掉的，鼠辈站住！贼王八……"

永旭急掠下坡，上了小径一阵急走里余，然后向上攀登一处三五亩方围的小秃顶山头，拍拍手说："看看吧，这里正好松松筋骨。打发他们之后，再到三天门太白书堂借宿，我们不是穿了儒衫吗？"

追的人像猴群，漫山遍野而至，总数不下五十人之多，一个个追得汗流浃背。

有些抄捷径拦截的人，更是气喘如牛，上气不接下气，累惨了。

四人占据东面主位，盘膝坐下谈笑自若。

第一个登上的人身材高大，雄壮如狮，暴眼凸腮满脸横肉，挟一根风魔铜精制的虎尾棍，用打雷似的大嗓门怪叫："好小子，你们逃得掉吗？站起来说话，太爷恨天无把将一个个活撕了你们。"

永旭嬉皮笑脸安坐不动，摇手说："老兄，急什么？先喘口气收收汗再发威好不好？等你们的人到齐之后，再谈不晚，反正我们已经走不掉了，是不是？也该让我们歇口气吧？"

"太爷和你们没有什么好谈的，只要你们的命……"

"为什么呢？真有那么严重？"

人陆续到达，半弧形列阵。

恨天无把一敦虎尾棍，似乎地面也在撼动，棍入地两尺余，力道骇人听闻，大声嚷："你们在竹木潭打了咱们的弟兄，管闲事强出头必须付出代价。你们是大魔的党羽，假扮书生瞒不了太爷的法眼。跪下求饶投降，不然太爷就在此地火化了你们。"

永旭整衣而起，向对方的山丛一指，笑道："那边是燕子洞，九华真人肉身成道的地方。如果我死了，拜托拜托把在下的遗蜕留与九华真人作伴，不能火化，因为在下不是佛门弟子。"

"由不得你。"恨天无把怒吼，举手一挥："上去两个人，要活的。"

出来两名佩刀大汉，狞恶地大踏步上前。

永旭淡淡一笑，向李驹低声说："小人物不值得开杀戒，惩戒他们便可。大哥上去和他们游斗，隐藏实力制造混乱，我得先把左首那两位挟雷火筒的仁兄解决掉，免去后顾之忧。"

李驹缓缓站起，举步迎出。

靳义则向永旭低声问："哥儿，你怎知他们持有雷火筒？"

"猜想而已。"他说："醉仙翁有一位知交……"

"你是说火灵官景雷？"

"不错，这家伙的火器太歹毒，不得不防。"他打量着两个挟着雷火筒的大汉："这两位仁兄不是火灵官，可能是他的门人。"

李驹已和两大汉对面而立，拍拍手说："两位，咱们在拳脚上玩玩，你们如果害怕，换两个拳脚高明的人来。"

两大汉哪将一个小书生放在眼里？

一个向同伴说："我上去好了，一比一给他一次公平的机会，不要让同道们笑话。"

"一比一？好吧，我不打你的要害就是了。"

李驹一面说，一面捋袖，掖衣尾，最后在手掌吹口气，拍拍手，装模作样的拉开马步，立下丁字椿……

马步尚未完全拉开，大汉已一声狂笑，疯牛似的抢入动手，"黑虎偷心"一拳捣出，砰一声正中李驹的胸口。

"哎唷！"李驹慌乱地叫痛，连退三四步摇摇欲倒，急叫道："慢来慢来，你怎么不等我……"

大汉又是一声狂笑，疾冲而上，右手五指如钩，"金豹露爪"劈胸便抓，居然迅疾无比。

李驹慌乱的扭身闪避，双手一阵摸抓，像是抓到了一条死鱼，右手扣住了大汉的手腕，瞎碰瞎着，俯身慌乱地上身向前一栽，似乎恰好用上了大背摔笨着。

大汉会飞，突然从李驹的顶门飞越，来一记美妙的前空翻，叭一声背部着地，脑袋刚好掉在李驹的脚前。

天灵盖无巧不巧地碰上了李驹的右靴尖，躺在地上翻白眼，像是睡着了。

"哎呀！他……他死了……"李驹惊惶地大叫，双手抱头不管东南西北撒腿便跑，一面惊叫："不得了啦！我……我不……不打人命官司……"

跑就跑吧，他该往自己人的方向跑，竟然昏了头，奔向对面黑压压的人丛。

歹徒们都感到好笑，挡路的一个一面伸手抓人，一面高叫："手到擒来……"

"砰！"这位仁兄又摔出去了，接着第二个大汉被李驹的莽牛头撞翻在地。

三冲两撞，眨眼间便倒了五六个人，人群大乱，蓦地人影似闪电流光，射入混乱的人丛。

"乱！乱个鸟！"恨天无把大吼："捉住他！"

混乱中，竟然无人发觉永旭已进入人丛，永旭的身法太快了，而所有的目光，皆已被相反方向的李驹所吸引。

他超越两名大汉，鬼魅似的来到了持雷火筒的两大汉身后，叫道："抄家伙上呀！你们不上交给我。"

两大汉身躯一震，然后直挺挺的向前扑倒，两具雷火筒易手。

他迅速转身，双筒一伸，向身后三名满脸惊诧的大汉咧嘴一笑，说："你们想变烤猪吗？来吧！"

三名大汉清醒了，吓了个胆裂魂飞，狂叫一声，扭头就跑。

# 第十二章　荡妇锁龙

永旭掠出人丛，然后大摇大摆归回原位。

对面，李驹已大笑着奔回。

共有十六名大汉受伤倒地。

有一半是被轻手法点倒的。

另一半不是摔伤便是撞伤，乱得一塌糊涂。

恨天无把弄清情势之后，暴怒得像疯虎，咆哮着把党羽骂了个狗血喷头，然后挺虎尾棍上前怒叫："小狗东西！你这是算什么玩意？给我滚出来领死！"

永旭将一具雷火筒交给靳义，自己缓步而出。

筒向前伸，右手搬弄着筒口向后延伸的拉索，笑问："阁下！你是不是佛门弟子？是禅宗呢？抑或是净土宗？"

恨天无把脸色大变，一步步后退，叫道："千万不要动那玩意，咱们公平决斗。"

"你不是准备用这玩意火化我吗？"

"不！不是的，在下……"

永旭转身将雷火筒向后一抛。

李骅接住了。

这瞬间，恨天无把看出便宜，狂野地一跃而上，虎尾棍凶猛地捣向永旭的背心，吼声似石洞里响起一声焦雷："你死吧！"

永旭向下一蹲，棍从顶门上空滑过。他右脚后伸，用上了贴身后攻的虎尾脚，重重地踢在恨天无把的下阴要害上。

恨天无把气功到家，下阴被踹居然禁受得起，嗯了一声惶然后退，脚下大乱，稳不住马步。

永旭已回身扑到。

"砰！砰砰噗噗……"铁拳钢掌着的肉声乍起，永旭贴身展开快速绝伦的攻击，一记比一记沉重，快得令人目眩，拳掌像暴雨般落在对方的颈根、两颊、蔽骨、小腹……好一场凶狠的贴身搏击。

恨天无把不但丢了虎尾棍，而且手已经抬不起来了，挨三四下退一步，最后鼻尖挨了一拳，仰面便倒。

身后恰好是山坡，茅草比油还要滑，直滚下坡底方行停住，手松脚软躺在下面像头挨了一刀的肥猪，哼哼哈哈挣扎难起。

永旭拍拍手，向两侧目定口呆的歹徒们笑道："拜托诸位传话给大邪，好好管束手下的党羽，不要因些许小事而纵容爪牙为非作歹，多树强敌毫无好处。"

"阁下留大名。"一名大汉咬牙说："也请阁下转告大魔，不要派人借故袭击了，会期在即，闹得太不像话彼此皆有不便。郎前辈不计较，咱们却忍不下这口恶气，你们已经接二连三明暗下手，咱们不能不以牙还牙。"

"在下姓周。"永旭说，转身自语："机会不可错过。"

由于恨天无把率领众多爪牙拦截，以及大魔的助拳人绿衣仙子出面招引，永旭心中一动，恍然大悟。

听大汉的口气，恨天无把这次大举拦截，并非一时冲动，要替醉仙翁的爪牙报复竹木潭受辱之恨。而是由来有自，大魔与大邪之间确有仇恨和成见，双方的爪牙已经有过多次冲突，因此把李驹兄弟误认是大魔的人，以致不惜纠众报复出口怨气。

显然大邪曾经表示过会期前忍耐为上，可是恨天无把这群人却忍不下这口怨气，背着大邪任性而为。

他灵机一动，不否认也不承认是大魔的人，通了姓扭头就走，在偏僻处藏好两具危险的雷火筒，回到登山大道。

看来，大邪大魔双方面的人，真有意在九华清算旧怨，并未投入宁王府借机网罗江湖人怀抱呢。

　　但谣传宁王府派了天师李自然和毒龙柳絮，前来九华网罗大魔大邪的人，如果妖道成功了，这些江湖上的邪魔鬼怪，势必成为宁王造反的得力悍将。

　　江湖人本来就为了名利而攘臂，以宁王府的雄厚财力，与成王败寇的权力欲引诱，成功乃是意料中事，威逼利诱双管齐下，不上贼船的傻瓜能有几个？

　　他必须利用这大好机会，两面放火，扩大双方的裂痕，加深双方的怨恨，断绝魔邪之间可能化敌为友的合作道路，促成双方火拼，令宁王府派来的人无从化解，而后他可以从中取利，找寻他所要找的人。

　　只要大魔大邪势同水火，和解无门，那家伙不得不挺身而出了。哼！但愿我所料不差，可能我已经找到他了。他不住沉思，暗中打定了主意。

　　可是，一连串的疑团困扰着他，为免打草惊蛇，他必须小心从事。

　　"昶弟，该到何处去？"走在他后面的李驹问。

　　"三天门，到太白书堂借宿。"他信口答。

　　接近望江亭，走在最后的靳义说："后面有人跟来，快接近了。"

　　"他们已跟了两里地，大概准备跟上来打交道。"他泰然地说："我们到望江亭等他们。"

　　望江亭也有人等他们。

　　亭建在路旁的山顶上，向西北望，数十里外的大江像一条银蛇。

　　城镇隐在淡淡的烟霞里，小得像是玩具，果真是欲穷千里目，更上一层楼，站在这里远眺，令人油然而生万里江山尽在脚下的豪情，视界与胸襟为之大开。

　　两个人坐在亭中，面向西北安坐不动，看背影便知是一僧一道，穿的都是补了又补已泛灰色的青色袍衲，光头道髻一看便知身分。

相距约十余步，老道突然转身说："施主想必乏了，何不进亭来歇歇腿？"

那是一位鹤发童颜的高年老道，一双明亮的眼睛依然显得年轻，膝上放置着一把桃木剑，一看便知是天师道的弟子，会画符捉鬼的所谓法师，保养得好，难怪红光满面，脸上皱纹不多。

和尚也扭头回顾，是一位干瘦矮小，老态龙钟的老僧，与老道完全不同，大概是患了长期营养不良症，脸型真像一头老青猿，那双火眼似乎有点昏花，双手仍在数着念珠，口中喃喃像在低念佛号，念一句数一颗，煞有介事。

"呵呵！真也乏了，该歇歇腿。"永旭一面说，一面踏入亭中，长揖为礼说："打扰两位的清静，罪过罪过，道长海涵。"

"这里本来是大家歇脚的地方，谈不上打扰，施主客气了。哦！公子爷是来游山的？"老道微笑着问，目光落在最后入亭的靳义身上，似乎神色有了波动："贫道玄恒。那位佛门道友是释如伽。公子爷……"

"小生姓周。"永旭在石凳上落座说："敝同伴姓李。哦！道长，九华山是地藏菩萨肉身成佛的道场，道长前来不怕被禅门弟子逐下山去？哦！那位如伽大师，小生似乎耳熟得很。"

老如伽的火眼死死地瞪着他，凶光一闪即没。

"如伽道友的绰号称不戒魔僧，施主应该知道的。"玄恒的目光盯紧了靳义，稽首问："这位大施主面善得很，请教……"

靳义堆下笑，欠身恭敬地说："弟子李义，乃是李家老仆，侍伴两位少公子外出游学，不知仙长有何指教，但请吩咐，弟子……"

"你不是姓李吧？"玄恒阴笑着问，眼中泛有疑云："贵主人姓李，是湖广李家吧？"

"湖广李家多得很呢。"李驹抢着接口："道长好像有事要说，你就直率地说出来好了。"

玄恒正要往下问，不戒魔僧摇手道："玄恒道友，可否打发他们到别处去？"

原来两名青袍佩剑中年人，已经出现在亭外。

后面，两名绮年玉貌的侍女正从路口的树丛折出，各人手中捧了一只插了不少山花的精致香篮，袅袅娜娜地岔入至望江亭的小径。

玄恒阴阴一笑，向正欲入亭两个来意不善的中年人说："两位施主，亭里面已经够挤了，到别处去歇歇脚吧。"

"老道，你的口气不像一个方外人，在下不与你计较。"走在前面的中年人冷冷地说，目光转向李驹，语音变得更冷："你是为首的人？"

侍女已到了亭外，一名侍女笑道："芮氏双雄，你找家小姐的贵宾有何贵干？说吧！芮老大，你最好知趣些。"

"该死的泼妇！"芮老大恶狠狠地说："你的小姐是谁？叫她滚出来说话，芮某要……"

"你要干什么？"玄恒老道抢着接口："要脱下她的绿裙吗？绿衣仙子路凝香如果看中了你，是用不着你动手的，你难道不知道吗？"

芮老大脸色一变，沉声问："老道，你也是大魔请来助拳的？"

"不是，不过，贫道不希望你们双方在会期前反脸互相残杀。"玄恒老道冷冷地说："你们都走吧，贫道要和这几位施主谈谈，请勿打扰。"

"道长既然不是大魔请来的人，凭什么？"

"凭我南昌铁柱宫五灵丹士玄恒的虚名，以及不戒魔僧如伽道友的真才实学，配不配请你们离开？"老道狞笑着说，抓起桃木剑，缓缓整衣而起。

两侍女互相打眼色，悄然退走。

芮氏双雄脸色大变，也惶然后退。

靳义向永旭打眼色示意赶快离开，危机将临早走为妙。

刚退了两步，五灵丹士玄恒已伸手虚拦，阴笑道："诸位施主请小留片刻，没有人再敢来打扰了。"

永旭安坐不动，笑道："道长果然威名显赫，一亮名号，诸邪回避，人的名树的影，确是不假。"

"不要笑，施主，你知道你们的处境吗？"五灵丹士问："施主年岁甚轻，大概出道没几天吧？"

"不错，没几天。"

"施主也知道贫道与如伽道友的名字？"

"听说过。"

"那就好。诸位施主初出道，便不知自量插手管了大邪那些朋友的闲事，是不是以侠义门人自居？"

"呵呵！道长也该知道，年轻人气血方刚，富正义感，初出道的年轻人，少见识欠思量，未沾世间恶习，保有一颗赤子之心，路见不平出头管管闲事，那是免不了的。"

"你们能到达此地，必定已击溃了恨天无把一群乌合之众，身手已不等闲。可是，大邪的朋友不会善了，刚才那两位什么芮氏双雄，就是醉仙翁的知交，也是大邪请来壮声势的高手，你们决难在他俩的浑天合仪剑阵下侥幸。绿衣仙女的两位侍女，似乎对你们意不善，你们是否也招惹了那可怕的女妖？"

"她曾经向在下表示好感，曾表示要咱们跟她走。"

"你们并未跟她走，她居然轻易让你们走？怪事。"

"恰好碰上北丐经过，她追北丐去了，所以我们可以继续登山。"

"哦！难怪。"五灵丹士将桃木剑佩上："她是大魔请来的人。施主，一魔一邪的人都要找你们，你们有何打算？是投向大魔对抗大邪吗？"

"咱们目下尚无此打算。"

"前来九华的江湖人，谁也休想脱身事外。"

"这个……"

"只有贫道能帮你。"五灵丹士傲然地说。

"道长的意思是……"

"在会期前，施主们与贫道偕行，没有人敢前来撒野。施主们如果不愿，恐怕大祸不远，在劫难逃，惟一化解怨报之途，是随贫道同进退。"

"可是……"

"给你们半天工夫权衡利害。"五灵丹士大方地说："你们可以到三天门投宿，入暮时分贫道再去找你们讨回音，告辞。"

一僧一道向上走。

五灵丹士临行，狠狠地盯了靳义一眼，眼神十分古怪。

远出百十步外，不戒魔僧问："老道，为何不立即把他们带走？若让大魔把他们诱走，以后恐怕要多费手脚了，三个娃娃都是可造之材……"

"和尚，不要操之过急。"五灵丹士阴森森地说："咱们赶快不着痕迹地，唆使魔邪双方的人，大举向他们发起袭击。"

"什么？你疯了？你想断送他们？"

"疯了？哼！如果我所料不差，九华大会将有大麻烦。"五灵丹士凛然地说。

"你在胡思乱想……"

"贫道从不胡思乱想。"

"那你意何所指？"

"那老仆李义有点面善，我想起一个人。"

"谁？"

"飞天大圣靳大海。"

"哦！你是说千幻剑李玉堂的好友靳大海？"不戒魔僧摇头："不可能的。那家伙追随千幻剑多年，同隐碧落山庄，十余年绝迹江湖，可能早已骨肉化泥了，你是不是因十五年前麻山受创之恨，刻骨铭心胡思乱想而找错了人？那次……"

"那次贫道本来已占了上风，眼看可置多臂熊费鹏于死地，飞天大圣却突然在追袭浮云子道友经过贫道身旁时，出其不意一脚踢断了贫道的右胫骨，贫道在摔倒时看清了他的脸容，十五年来无日或忘。"

"老道，十五年变化大得很呢，十五年前的相貌，改变自在意中……"

"不，那老家伙一定是飞天大圣。"五灵丹士恨恨地说，眼中有怨毒的火花。

"怎么可能呢？碧落山庄的子弟十余年绝迹江湖……"

"上一代的人绝迹江湖，下一代岂甘雌伏？那三个娃娃两姓李一姓周，如果两个姓李的是千幻剑的子侄，咱们奉命罗致江湖高手的大计，可能受到干扰呢。"

"老道，你在杞人忧天。"不戒魔僧冷笑："即使千幻剑亲来，也讨不了丝毫便宜，哼！我不戒魔僧早就想闯一闯碧落山庄，看千幻剑是否浪得虚名呢，我希望他来。"

"你知道个屁！"五灵丹士不客气地说："和千幻剑拼有何好处？能将他罗致到宁王府咱们岂不光彩些？"

"你……"

"如果是千幻剑的子侄，咱们在旁偷窥他们与魔邪的人拼命，千幻剑术一出，便可知道他们的身分了。届时，哼！宰了飞天大圣报仇雪恨，再把三个小的弄到手交给天师，便可将碧落山庄的人引出来了。"

"如果不是……"

"不是再作打算，如果他们不支，咱们再出面帮助他们，他们就会死心塌地跟我们走了。和尚，记住咱们的协议，我要收那姓周的娃娃为门人，两个姓李的给你。"

"当然当然。哦！老道，要不要先禀明天师？"

"见鬼啦！如果不是碧落山庄的人，那老家伙又不是飞天大圣，在天师面前，咱们岂不落人笑柄？"五灵丹士慎重地说："快走吧，找魔邪的人出面动手。"

望江亭中，永旭有点困惑地向靳义说："靳叔，那妖道似乎认识你，他的眼神好怨毒，到底是怎么一回事？"

"他可能认识我。"靳义不安地说："我看，我们还是下山好了。"

"靳叔……"李驹焦灼地叫。

"贤侄，如果暴露身分，你知道后果吗？"靳义凛然地说："这千斤担子愚叔承担不起，咱们必须早些离开。愚叔做梦也没有料到会遇上了十余年前的死对头。贤侄，咱们必须在妖道传出讯息之前，远离九华山，走！"靳义断然地说："本庄的对头，皆是黑道中凶残恶毒的歹徒，消息一传出去，后果不堪设想。"

永旭一看靳叔的表情，便知事态严重，心中虽希望李驹兄弟能助他一臂之力，但听靳义说得严重，也就不得不放弃自己的念头，李驹兄弟初出道，便与大群魔字号人物结怨，日后哪会有好日子过？

"好吧，下山。"他无可奈何地说："如果我所料不差，沿途必将危机四伏，不能沿路下山了，跟我来，咱们越山而走。"

翻过一道岭脊，右面是下沉百十丈的峭壁，无法下去，左面是不算峻陡的山坡，下面是一条小山谷。

沿溪而走并不容易，有些地方是崖壁，有些地方草木太浓密，因此绕来绕去攀上降下，走了许多冤枉路。

不久，到了一处稍平坦的溪谷，不远处出现一座茅舍。

茅舍四周有树林，仅可看到一角屋影。

正走间，右方山坡的树林中，传来叽叽喳喳一阵叫啸，树枝摇摇，接着猴群出现，百十头青猴迅疾地向右下方涌去，看去向，正是下面的茅舍。

九华和黄山的猴群是有名的，像一群强盗，登山的人少，便会受到猴群的洗劫。

寺庙的僧人因为经常施食，因此在登山大道附近的猴群甚少伤人，在偏僻处碰上，是相当可怕的。

永旭一怔，止步说："猴群的叫啸声急促躁乱，不是好兆头，好像是寻仇呢，那间茅舍有点不对。"

"你是说，猴群会袭击农舍？"李驹问。

"通常是不会的，恐怕那儿有猴类的死对头，我们且隐起身来瞧瞧。"

果然不错，茅舍附近的树林传出数声虎吼，三头白额虎把青猴赶上了树，叫啸声震耳欲聋。

猴群在树上窜跳不已，不时折树枝向下面咆哮的猛虎抛掷，双方保持僵局。

不久，茅舍传出一声异啸，有异物出现，树上的猴群一阵大乱，噪声更急，向东急逃而散。

原来有五头大豹出现，有几头青猴被大豹赶跌坠树，被下面的虎豹撕裂而毙。

豹可以上树，难怪猴群溃逃。

"靳叔，可想起能役使虎豹的人吗？"永旭向靳义问。

"山君解彪，地灵郁庆，都是十余年前江湖上首屈一指的役兽人，以虎豹狼熊敲诈地方乡镇的高手。"

靳义说："看光景，这里好像是他们的盘踞地呢。这些畜生并不可怕，但头数一多就不易应付了，我们绕道走。"

"如果我所料不差，恐怕四异都来了。"永旭沉吟着说："这四个家伙很难缠，避之为上。"

"四异？哪四个人？"李驹问。

"役虎的山神曾刚；鬻豹的鬼面城隍崩超；玩蛇的真武使者游天容；以装神弄鬼颇具神通害人的勾魂鬼使公羊无极。四个家伙都不是好东西，号称江湖四异，很可能是大邪请来的人，住处附近列为禁区，谁也休想秘密接近，将是大邪强而有力的臂助。走，我们从西面绕过去。"

攀上西面的山脊线，沿山脊向下走。

李驹一面走一面问："昶弟，四异的真才实学可怕吗？"

"论真才实学，与大邪不相上下。讨厌的是那些畜类，畜类是不怕死不知厉害的，一拥而上爪牙并施，陷入兽阵大事去矣！最可怕的是真武使者，他所带的异种毒蛇有大有小，防不胜防，不小心被咬上一口，有死无生。勾魂鬼使可能是白莲会的妖孽，定力不够的人毫无抗拒之力，十分可怕。"

"昶弟，你和他们交过手吗？"

"呵呵！大哥，你以为我是为名利而闯江湖的亡命吗？不错，闯荡江湖必须耳聪目明，多见多闻消息灵通，但并不需要见识所有的知名人物，小弟的宗旨是人不犯我，我不犯人，非必要不与江湖同道冲突。这四个家伙我没见过，闻名而已。"

山势峭拔而起，不能再沿脊而行，左面山腰有峭壁，他们只好从右面下降，那儿可回到先前溪谷的下游，山势挡住视线，按地势猜测，过了前面的两座小山，便可能抵达山脚丘陵区了。

降下山腰，进入绵绵无尽的竹林。

竹林尽处便是溪谷，眼前展开一片起伏不定的冈阜，林荫蔽天，飞禽走兽见人不惊，居然发现溪右有一条羊肠小径。

"快出山了，喝口水歇歇脚。"李骈吁出一口气笑说，下了山心中定啦！"

众人皆蹲在溪旁以手捧水解渴，洗净脸面。

溪宽四五丈，乱石泻奔流，清澈见底，水声影响了听觉，草木挡住了视线，谁也没发现身侧有警。

永旭蹲在下游，先喝了几口水，正想捧水洗脸，却又不经意地扭头解带上的汗巾，想用汗巾洗脸。

就在他扭头俯视的刹那间，身后负责偷袭的人以为他要转身而起，心中一急，本能地站起发射暗器。

眼角发现有人影移动，他便知有警，大喝一声向下一仆，顺势滚出丈外，奇快地挺身斜掠而起。

在这电光石火似的刹那间，共有五枚打穴珠间不容发地掠过他身侧,危极险极,他应变的反应力委实骇人听闻。

同一瞬间,噗通通一阵水响,李骅和靳义栽下溪流,浑身像是僵了。

李驹也够幸运,鬼使神差在紧要关头,不用手捧水改为伏下以头浸水想喝个痛快,头向下一俯的瞬间,打穴珠无巧不巧地擦后脑而过,伤了肌肤。

如果不俯身,打穴珠必定击中脊心穴。

头上挨了一擦,李驹岂有不知之理,本能地顺势扑入水中,侧滚而起。

"先救人!"永旭沉喝,扑入溪流抓起了李骅抱上岸,拍开了被打穴珠所制的脊心穴。

三丈外的灌木丛中,踱出八名佩长剑穿天蓝色劲装的中年人,背着手哈哈狂笑,缓步向他们走来。

一名额角有块钱大胎记的人笑完,向同伴说:"咱们江淮八义暗袭四个小辈,百发百中的打穴珠居然有一半落空,这多没面子?老三,你说怎办?"

"埋葬了他们,这是惟一保全颜面的妙方。"老三皮笑肉不笑地说。

永旭放了挽住的李骅,独自迎上说:"在三丈五尺以上暗袭,能击中一半,已经是了不起的暗器名家了。呵呵!诸位下手偷袭,不知有何用意?咱们有仇吗?"

"这是太爷们的落脚处,接近的人等于是宣告入侵,算不了偷袭,逗你们玩玩而已。小辈,报你们的三代履历,太爷好决定如何发落你们。"

额角有胎记的人傲然地说:"我,江淮八义的老大,三眼虎简全。"

"咦!在下只听说江湖上有什么江淮八寇,却没听说过什么江淮八义……"

"小辈无礼!你……"

"且慢冒火，八寇与八义只不过差一个字，用不着生气。哦！诸位是应大邪之召而来的。"

"不错，你……"

"我姓周，来游山的，打扰诸位了，告辞。"

"你这就想走么？"

"是的，天色不早，要出山……"

"小辈，你这不是令太爷们为难吗？"

"你老兄的意思……"

"你们如果出山，把适才这里所发生的事向外宣扬，咱们江淮八义还用在江湖叫字号吗？"

"那么，依老兄的意思……"

"只有一个办法可以解决。"

"在下洗耳恭听是否可行。"

"咱们埋葬了你们。"

"何必呢？"永旭轻松地说："咱们不提今天的事就是了，何必说得那么绝？"

一名缺了左耳的人拔剑叫："速战速决，不能让山背的人赶来查问，杀！"

"对，速战速决，用八卦剑阵解决。"三眼虎叫，撤剑跃至南首乾位列阵。

"靳叔退！"永旭叫。

三人迅即列阵。

靳义退至溪旁，不假思索地跃入溪流，退势快极，八卦剑阵晚了一步，未能将他圈入阵中。

永旭面向坤位，朗声说："咱们无冤无仇，幸勿逼迫，剑阵发动死伤在所难免，何不……"

"春雷震动，气动生风，杀！"南面乾宫的三眼虎沉叱，剑阵发动。

坤宫左右的震宫和巽宫首先越出，双剑发似奔雷，八支剑交叉相合，以雷霆万钧之威聚合、旋舞、换位、移宫，任何一方皆被剑虹封锁，任何一点一角皆有三支以上的锋芒聚合，阵势绵密攻势猛极，刹那间剑影漫天彻地，涌起重重可怖的剑山，威力空前霸道，行雷霆一击。

震宫与巽宫主发动，这一方位便有三宫负责补位和后续的攻击与封锁。

可是，当坤宫、坎宫、离宫三宫还来不及移位的刹那间，李驹兄弟的双剑，已封锁了巽、震两宫的猛烈进攻。

而永旭却从漫天剑影中，以骇人听闻的奇速，像流光逸电般由四支长剑的空隙下一掠而过，把连人影尚未看清的坤宫一把拖过，不费吹灰之力夺过长剑，向移位闪来的坎宫扑去了。

而坤宫却被他向相反方向的离宫抛掷，阵势立解。

李驹兄弟就在这电光石火似的瞬间，舍了震巽二宫，狂风似的后移，左卷，双剑交叉斜切而入。从坤、离两宫撞成一团的地方一掠而过，剑虹可怖地吞吐不定，血腥味一涌，狂叫声刺耳，人体倒地声此起彼落。

说快真快，变化说来话长，其实是刹那间的事，阵势从发动而至中止，像是眨眼间便结束了。

八个人，只有三个人是完整的。

那是乾、艮、兑三宫。

坤宫倒在离宫身上，离宫的剑误穿在坤宫的小腹内，而离宫自己也被李驹一剑击破了天灵盖。

震宫倒在血泊中，是被李骅刺穿了胸腔。

巽宫的右胁挨了一剑，深入内腑，是被李驹刺中的。

坎宫跪在永旭面前，右臂已断，剑掉在五丈外，脸色如厉鬼，浑身在颤抖。

永旭的剑压在那位仁兄的天灵盖上，只要向下一压就够了。

乾位的三眼虎呆呆地站在丈外，惊得魂飞天外，进退不得。

李驹兄弟两支长剑，正遥指着对方三个惊呆了的人，作势进击。

永旭丢掉夺来的剑，沉静地说："三眼虎，你掩埋了弟兄们的尸体，出山去吧，有多远你就走多远，不要回来。你江淮八寇满手血腥，杀人无数，凶名满江湖，人神共愤，但我不能凭传闻便将你们置于死地。可是，你用剑阵围攻，在下不得不自卫而伤人，十分的抱歉。"

他向李驹兄弟举手一挥，徐徐退走。

他们沿溪向下走，浑身是水的靳义苦笑道："周哥儿，你三人用的鬼剑阵真是神乎其神，我站那么近，居然未看清变化呢，动静之间神鬼莫测，江淮八寇连真正出招的机会也没抓住。驹侄，你兄弟俩出手太狠了。"

"靳叔，这可不能完全怪小侄狠。"李驹脸色仍未回复正常，讪讪地说："移位、封招、出剑，似乎不受自己主宰，因势而动顺乎自然，似乎对方非向剑上撞不可，小侄根本无意杀人哪！"

四人沿羊肠小径鱼贯而行，一阵急走，前面谷口山势已尽，眼前展开一片冈陵区，溪谷的前面，已可看到稻田，总算平安脱离山区，难免戒心尽除。

永旭走在前面，一面走一面说："前面一定有村庄，问清方向之后，咱们分手，诸位须尽速赶回县城，及早离开是非地。"

"昶弟，你呢？不和我们回城？"李驹问。

"我还得上山，找机会搅散邪魔大会。"

"昶弟，敌势过强……"

"放心啦！我会小心应付的……咦！前面好像有人倒毙在……哎呀！是一个村妇。"

四人急步奔上，松林前缘，侧躺着一个荆钗布裙的中年妇人，一口盛物的竹编提篮倒在一旁。

妇人口吐白沫，出气多入气少，双眼翻白，气息奄奄去死不远。

永旭到得最快，急急察看双眼和把脉，向身边的李驹说："好像是病发，八成儿是羊癫疯。怪事！有这种病的人，怎么敢独自在山里走动？大哥，有醒神的药物吗？"

"我有返魂丹……"

"给我一颗。来，先把她放平。"

四个人的注意力，皆被村妇所吸引，分别围住村妇。

永旭则将返魂丹塞入村妇口中，正想叫李骅去取水灌救，蓦地讶然叫："咦！这村妇的脸……快离开……嗯……"

已发觉得太晚了，村妇脸上的皱纹是假的，是一种黏力甚强的胶状物，经过巧手绘上去的，干了之后，便形成一条条皱纹，但如不留心便难以察觉。

他用手捏开村妇的牙关，这才发现颊肉柔嫩，不像是饱经风霜的村妇肌肤，再一留心，便看出有异，但已来不及了，感到眼前一黑，浑身一软，仆倒在村妇身上失去知觉。

在昏厥的前一刹那，他知道李驹兄弟俩与靳义已先他一刹那倒了。

一念之慈心切救人，反而上了大当。

一觉醒来，他发觉四周黑得伸手不见五指，浑身有脱力的感觉，头脑的昏眩感尚未消退。

"咦！天黑了。"他自语："好霸道的迷香，谁在计算我？唔！有点不妙，有软骨药物在体内作怪。"

他浑身无力，手脚仅略可移动。

一阵摸索，他发觉自己躺在一张竹床上，一条散发着汗臭霉味的厚重棉被，掩住他的胸腹，猜想是在山上的农舍中，因为可听到虫鸣和山中传来的刺耳枭啼，村屋特有的气味也令他知道身在何处。

他看到了星光，那是惟一的小窗。

摸摸身上，还不错，衣裤依旧，脚上的快靴依然沾了泥沙草屑，怀中夹囊中的杂物也不少。

"大概刚入黑，擒我的人还未搜身呢。"他想。

床不大，摸不到其他的人，他心中叫苦。

李驹兄弟不知被弄到何处去了？大概凶多吉少。

他吃力地掏出一只小磁瓶，倒出一颗丹丸吞入腹中，心中暗叫："给我一刻工夫，但愿我能驱出软骨药物。"

他吞的是强力的助聚气灵丹，只要能聚先天真气，他就有办法行功驱出体内异物，他的修为已突破了练气的传统境界，擒他的人估错了他的艺业修为，做梦也没料到他会提前苏醒。

窗外传来了极轻微的声息。

接着，传来了不算陌生的俏甜语音："现身吧，阁下，算定你们也该来了，家小姐在屋前相候，诸位千万不要用诡计偷袭。"

"真该死，怎么没想到是她？"他咒骂自己。

是在望江亭出现的侍女，绿衣仙子的侍女。

剑鸣入耳，好像有不少人撤兵刃，但并未听到脚步声，入侵的人尚未发动。

不久，屋前传来了熟悉的语音："路姑娘，你真要逼咱们动手硬讨吗？"

语音刺耳，是招魂鬼魔的声音，可能大邪已经赶到九华了，但打交道的主人该是大邪，为何由招魂鬼魔出面交涉？

绿衣仙子的语音依然动听，但语气十分坚决："抱歉，阁下恐怕得动手硬夺了，如果你们想倚仗人多，以为可以克制本姑娘的黄粱暗香，那就放胆上吧，等什么？"

"路姑娘，那几个小辈屠杀了江淮八义，老夫以江湖道义向你讨人，你该将人交出来的。那几个小辈不是你我双方的人，按理……"

"本姑娘不是告诉你们了吗？人已经交给五灵丹士带走了，剩下的一个是不相干的少年人，所以本姑娘不能给你们。"

"路姑娘……"

"少噜苏！这样吧，你去向大魔讨人吧，别忘了本姑娘是替大魔助拳的，你最好把大邪一同叫去商量。"绿衣仙子的语气十分强硬：“要不，你们上吧。本姑娘警告你们，被黄粱暗香迷倒的人，如无解药，须六个时辰方能苏醒，这附近有虎豹出没，被拖走了没有人替你们掉眼泪的。”

“泼妇，你在逼老夫走极端。”招魂鬼魔冒火了。

“缪老匹夫，你居然敢骂本姑娘了，是倚仗人多吗？你给我记住，不落在本姑娘手中便罢，落在本姑娘手中，我要你生死两难。”

“缪老前辈，不要和这妖妇斗口了，等火灵官一到，咱们就动手毙了她。”有人大叫，把火灵官三个字叫得特别大声：“反正彼此早晚会生死相拼的，这时候除去她不啻先铲除一个劲敌，拔除大魔一个爪牙。”

正在默默聚气行功的永旭心中叫苦，如果火灵官赶到，这间鬼茅屋怎禁得起火攻？大事不好。

火攻是妖魔的最大克星，路凝香的妖术火候绝对禁不起雷火筒的烈火袭击。

正感到焦躁，房中有了声息，有位侍女低声说：“你背人，我断后收拾东西。”

有人将他拉起，他不加反抗，任由对方背起。

背他的侍女浑身香喷喷的，被女人背的滋味并不坏呢。

“该死的！我必须有行功的时间。”

他心中不住咒骂，招魂鬼魔来得真不是时候。

听路凝香的口气，李驹兄弟和靳义已交给五灵丹士了，他心中万分焦急。

靳义已说过五灵丹士是十余年前的死对头，这次临时撤下山半途而废，就是为了逃避五灵丹士，想不到依然落在这妖道手中，真是人算不如天算，他们落在死对头手中，后果令人不寒而栗。

“我必须赶快脱身去救他们，时不我留！”他心中狂叫，可是，背在侍女的背上，他如何行功？

万一沿途受到袭击出了意外，岂不有走火入魔之虞？

不久，前面传来了欢呼声。

有人欣然叫："火灵官快到了，大家准备暗器打逃出来的人。"

传来了一声口哨，侍女低叫："二姐，走！"

天太黑，目力派不上用场，但听觉未受阻碍。

听足音，他知道共有四个女人行走，在前面的人可能是绿衣仙子路凝香。

感觉中，他知道走的是一条有霉气的窄小地道。

不久，霉气没有了。出了地道，眼前一亮，草木的清香令人精神一振，林梢可看到漏下的星光。

"你们到前面等我。"前面的绿衣仙子恨声说："不杀他们几个人消气，怎消心头之恨？我回去给他们几分颜料涂涂脸。"

"小姐，他们人多，日后再说吧。"一名侍女劝阻。

"不！黑夜中离开房舍，何所惧哉？我路凝香不是善男信女，此恨不报，日后还用在江湖扬名吐气？你们走！"

永旭心中暗喜，心说："这倒好，你们互相残杀吧，我正要挑起你们魔邪之间的火并呢。"

路凝香一走，三侍女也动身，爬山越岭穿林入伏相当辛苦。

不久，到了一处水声潺潺的小山谷，走在前面的侍女止步说："我们在这里等小姐吧。"

"这小书生真重。"

背他的侍女一面解背带一面说："今晚被那些狗东西一闹，看来要露宿山林了。"

"小姐打算到玉女峰去找枯竹姥姥借住一些时日。"

"至少今晚就得露宿，晚间怎找得到玉女峰？"

"这里上去就是拜经台，还怕找不到玉女峰？"

"走大道恐怕有麻烦……咦！那面好像有东西在动。"

"是山狗吧？唔！有猛兽的腥味，小心了……打！"

一声咆哮，贴地扑来的一头猛虎，在三四丈外挨了一枚针形暗器，向上一蹦，然后再向下扑来。

"快走！猛兽不止一头。"

侍女急叫，将永旭扛上肩，领先急走。

似乎四面八方皆有穿枝擦草声，大群虎豹来势如潮。

三侍女慌不择路，展开轻功飞掠而走。

被扛在肩上的永旭心中叫苦，一阵子颠簸，几乎把他凝聚的先天真气颠散。

他不能运劲抗拒颠簸，以免被侍女发觉他已经醒来，只好排除杂念，忍受肩顶腹部的痛楚，暂时停止行功静候机会。

越过一座山鞍，身后已无声息，扛着他的侍女脚下一慢，余悸犹存地说："见了鬼啦！这儿哪来的这许多猛兽？小姐在后面……"

"放心啦！小姐神通广大，虎豹算得了什么？用不着我们担心。"

另一名侍女说："我担心的是找不到宿处，今晚无处安身呢。"

"就在这里等吧，留意小姐召唤的讯号。"

侍女把永旭倚放在一株古松下说："这小书生真累人，不如用解药把他弄醒……"

"二姐，弄醒他又有何用？他又不能走动，软骨散的解药在小姐身上，他醒了不是更难背吗？"

北面不远处的一株古松下，突然踱出一个人影，桀桀怪笑道："半夜三更，背了个大男人在深山里走动，这算什么？嫌难背嘛，交给我老要饭的好了。"

"老不死的南乞，打！"一名侍女沉叱，翠袖疾挥，黄粱暗香随袖飞腾，三枚银针同时破空疾射。

叫三姐的侍女再次扛起永旭，喝声走！首先后撤。

南乞一闪不见，如同鬼魅幻形，并未上前扑出，大概知道飞针之后另有歹毒的玩意。

三侍女也知道南乞难缠，一面退走一面洒出黄粱暗香。

退走的路线是两面峻陡的峡谷，无法绕道追赶。

南乞真也不敢穷追不舍，远远地怪叫："骚狐狸，你们走不掉的，咱们前途见，不见不散死约会。"

远出数里，扛着永旭的二姐苦笑道："糟了，不知到了何处啦！小姐找不到我们的，怎办？"

"只有等天亮再说。"走在前面的侍女说："等不到小姐，我们就到玉女峰找枯竹姥姥。"

"好吧，找地方准备过夜……哎呀……"

扛着永旭的侍女一不小心，一脚踩在碎泥浮草上，人向后倒，丢掉永旭同向下滑，再把前面的侍女撞倒。

三个人直滑下七八丈的陡坡，跌入灌木丛方止住滑势。

永旭被跌得晕头转向，弄了一身灰土。

他不敢出声，伏在草中装睡。

三侍女狼狈已极，不久，找到了永旭。

侍女二姐在他全身上下摸索，一面摸一面叫苦道："如果跌断了骨头，小姐怎肯饶我？哦！老天爷保佑，幸好他的脸蛋没受到损伤。这该死的老花子，总有一天我会埋葬了他。"

永旭也在心里向老天爷祷告："不要再碰上什么人了，老天爷，你就让我好好行功好不好？"

# 第十三章　魔邪争龙

祸不单行,屋漏偏逢连夜雨;他希望不要再有人前来打扰,却无法如愿,坡上方怪笑声刺耳,像是枭啼般动人心弦。

笑声一落,刺耳的语音直播耳膜:"小女人,你们听四周的异响,其声沙沙怪悦耳的是不是? 千万不可移动,长虫是不咬死物的,不动就不会受到攻击。"

不怕蛇的女人为数不多,三个侍女惊得毛骨悚然,四周不但有蛇滑行的沙沙声,而且有奇异的喷气声。

"尊驾有何用意? 蛇是你养的?"

侍女二姐惶然问,嘴在动,身躯却不敢移动。

"路姑娘,你该听说过老夫真武使者游天容的名号,玩蛇的一代宗师,天下间论玩蛇惟我独尊。"

"你……"

"你们附近,有八条奇毒无比的异种金脚带,咬一口片刻便毒气攻心。"真武使者在上面说:"路姑娘,老夫不想与你结怨,把你擒来的小书生交给老夫带走,老夫也好在大邪郎老弟面前有所交代,如何?"

"你要他……"

"老夫不愿唠叨,女人唠叨最令人受不了。"真武使者大声说:"你把另三个俘虏交给五灵丹士,有不少人不高兴呢。"

"那妖道出动大批高手硬行要走的。"

"等郎老到达后,自会向老道讨人。这几个小辈做得太绝,先杀了江淮八义的四个人,重伤了一个,然后去而复回,把剩下的屠杀净尽,所以姑娘如不将人……"

"好吧,人交给你好了,你是胜家。"侍女答应了。

"老天!谁在我们背后捡便宜?"永旭心中叫苦。

永旭听真武使者说出江淮八义的死讯,不由心中暗暗叫苦,显然在他们走后,有人在后面捡便宜,宰了剩下的四义而嫁祸在他们头上。

赶尽杀绝,这是江湖道最忌讳的事,难怪有这么多蛇神牛鬼追逐不休了。

如果落在真武使者手中,带给江淮八义的朋友处治,那还会有好结果?

他想脱身,但已无能为力,软骨散留在体内,他连爬三四步的力道也使不出来。

真武使者还不知道三侍女的身分,还以为其中有绿衣仙子路凝香。

对路凝香这位一代女妖,真有些顾忌,在这种地势中,只要女妖全力一跃,远出三丈外当无问题,然后急速下滑。

蛇是不可能追及轻功高手的,所以见好即收,放下一根绳索说:"路姑娘,老朽深领盛情,为朋友两肋插刀,姑娘务请见谅,日后当向姑娘谢罪。请将人捆住,让老朽拉他上来带走。"

人拖上坡,真武使者抓住永旭探察片刻,向下叫:"路姑娘,人怎么像是死了?"

"他中了黄粱暗香,要天亮后才能醒来。"

侍女二姐不敢不答。

"为何不用解药?"

"这书生艺业不凡,解了不便照顾,而且因为走得匆忙,解药留在罗汉墩住处。"

"老朽不信。"

"你以为本姑娘愿意背着人满山乱跑吗?要是不信,就在这里等天亮好了,人醒了你再带走吧。"

"好吧,老朽就相信你一次。"

真武使者悄然将永旭扛上肩,轻敦手中的蛇纹杖收蛇,悄然溜走。

看了真武使者身上的玩意,永旭也感到恶心之至。

这家伙不但两肋的蛇囊有蛇,连怀中也有蛇,两个袖袋沉甸甸地,显然也盛有异物,浑身散发着令人作呕的腥味。

"这家伙大概把自己也看成蛇类了。"永旭想。

真武使者身材高大,左手抱住永旭的双膝弯,右手点着蛇纹杖,以不徐不疾的脚程,翻山越岭一阵急走。

不知过了多久,前面突然传出沉喝声:"站住!什么人?"

"真武使者。聂老兄在不在?"

真武使者止步问。

"原来是游老前辈。聂老前辈刚回来不久,请。"

拦路的人恭敬地说。

这是一座小小的寺院,位于山坳的崖壁,前面是殿堂,后面是禅房。

寺后的山崖有一个山洞,刻了三个大字:伏虎洞。

一条小径通向上面数里外的百岁宫。

洞侧有梯,可攀上崖顶的怪石。

大殿有灯光,主人将客迎入。

真武使者跨入殿堂,将永旭往拜垫上一放,笑道:"聂老哥,幸不辱命,人给你讨来了。呵呵!只怕我那三位同伴,仍在鬼撞墙似的满山乱闯,不到天亮是不会回来了,他们各走各路,还不知兄弟已经得手了呢。"

聂老兄是个大马脸的黑衣老人,腰带上插了一根代表年高德劭的龙纹鸠首杖,似金非金似木非木,映着灯光发出紫金色的古怪光芒,伸出鸟爪似的怪手,拍拍真武使者的肩膀笑道:"谢谢你,游老弟,今晚辛苦了,请坐,老弟是如何得手的?"

殿中有不少人,七男三女一个个面目阴沉,分坐在四周的蒲团上。

一名仆人打扮的壮汉,奉上一杯香茗。

真武使者接过茶,喝了一口说:"雾夜中,兄弟的蛇用处不大,因此兄弟走的是九子岭偏道,瞎猫碰上死老鼠,果然用蛇困住了那妖妇,把人夺来了。"

"哦!老弟不毙了她?"

"不容易,那地方地势不好,蛇不易停留,太滑了,要不是兄弟用话吓唬,恐怕也不易逼她把人交出呢。哦!其他的人好像都没回来呢。"

"没有,老弟已经得手,我这就派人把信号传出通知他们返回。"聂老兄说,向仆人挥手道:"发讯,人已到手,赶快撤回。"

仆人应喏一声,出殿而去。

片刻,长啸声划空而过,山谷应鸣。

"我们来看看这可恶的小辈是何人物。"

聂老兄险森森地说:"我要他供出十八代履历,以便日后清洗他的家族与师门。"

"得等天亮后才能问口供,他中了黄粱暗香,时辰不到无法醒来。"

"好,等就等。"

"兄弟告辞,会期再见。"

真武使者放下茶杯说。

"何不天亮后再走?老弟。"

"不,兄弟必须去找那三位同伴,咱们江湖四异不宜与人相处,以免惊世骇俗,告辞。"

送走了真武使者,聂老兄回到拜台旁,就灯光打量沉睡如死的永旭,喃喃自语道:"这该死的东西相貌堂堂,难怪妖妇不肯放手。怪事,难道他不是大魔请来的人?"

左首不远处的一个中年妇人说:"聂老哥,难道你还看不出妖妇的阴谋吗?"

"叶大嫂,你是说……"

"如果他不是妖妇的同伙,妖妇肯死抓在手不放?"

"但……另三个人不是已被五灵丹士夺走了吗?"

"你相信五灵丹士不是大魔的人?"

"这个……他不是表明是来参观大会的人吗?"

"哼!防人之心不可无,聂老哥,那恶毒的妖道平生没说过几句真话,谁知道他是不是暗中勾结大魔,相机计算郎兄弟的人?"

"等这小畜生醒来就知道了,老夫要用五阴搜脉手段逼供,不怕他不乖乖招来。"聂老兄恨恨地说,信手抽了永旭一耳光:"怪事,郎老弟为何至今尚未赶来?山上乱糟糟,身分不明的人愈来愈多,恐怕会期前便会出事,我不喜欢这种情势,愈来愈难以控制啦。"

"你是知道的,宇内双狂从不守时,郎兄弟带人前往迎接,天知道何时才能将人接到?听说双狂要将玉面神魔请来,玉面神魔失踪多年,谁知道他是死是活?再说,那老魔头他会瞧得起咱们这些江湖浪人?如果真能请得到那老魔,哼!谁也别想安逸。"

"为什么?"

"为什么?哼!玉面神魔是九现云龙的师弟,而九现云龙与碧湖老妖号称黑道两枭雄,是有过命交情臭味相投的好朋友,而路妖妇又是碧湖老妖的姘头,就凭这些渊源,玉面神魔来了,他会替谁助拳?再就是玉面神魔造孽太多,目下天下白道群雄公推玉龙为首,在天下各地搜查他的下落,碧湖老妖就是死在玉龙手中的。他如果在九华现身,玉龙必定偕天下白道高手赶来要他的命,咱们这些人,岂不遭了池鱼之灾?树大招风,我可不希望玉龙那些白道高手赶来凑热闹。如果玉面神魔知道路妖妇受了委屈,一怒之下找咱们的晦气,咱们即使有九条命也活不成,那家伙心狠手辣翻脸无情,说不定会把郎老弟的脑袋拧下来做夜壶呢。聂老哥,眼睛放亮些,玉面神魔如果真来了,咱们必须早一步溜之大吉,你明白吗?"

谈说间,门外有人叫:"聂老前辈,下面来了不少人,怎办?"

聂老哥一怔,匆匆出殿。

所有的人都跟出来了,站在寺外的广场向上瞧。

人是从百岁宫下来的,共有十四盏灯笼,沿羊肠小径蜿蜒而下,时隐时现渐来渐近。

接近至百十步外,便听到念佛号的声浪。

渐来渐近,已可听清语音了。

走在前面的一个人嗓门特大,走两步念一声"南无幽冥教主本尊赦罪地藏王菩萨"!后面所有的人跟着念"阿弥陀佛"!

这不像是念佛号,简直像在混声齐唱。

灯光、香火、唱佛号,有板有眼颇为壮观。

聂老兄的大马脸拉得长长地,叫道:"来头不对,准备应变。"

"是香客嘛!"叶大嫂说。

每年地藏菩萨佛诞,成千上万的香客朝山,就是这般光景。

每人提一盏写有菩萨名号的灯笼,持了信香,领队的人唱前一句,后面的人群齐唱后一句,就这样从山下唱上山,唱至其身殿,唱至神光岭菩萨的化身金地藏肉身所在地的谷殿。有些信徒,甚至三步一拜拜上山呢。

"这时会有香客?香客也不会来伏虎洞。"

聂老哥取出龙纹鸠首杖:"你见过平时的香客,摆出这种排场来的?"

一名中年人堵在路口,大喝道:"退回去,此路不通,快退……"

上面一声狂笑,一盏灯笼破空飞下。

接着是第二盏……片刻间,灯火全灭,人影飞降,立即风吼雷鸣,刀光霍霍,剑影飞腾,狂笑声与沉喝声震耳欲聋。

寺后的山崖上,也有人急速下降,双方不问情由,展开一场惨烈的恶斗。

来袭的人皆身穿黑衣,白巾缠在左臂,人多势众,一个个剽悍狂野身手不凡。

这是一次有计划的大规模突袭,以压倒性的优势扫荡大邪的伏虎洞聚会处。

三名黑衣人冲入大殿,被截出的一男一女缠住了。

接着冲入两名黑衣人,看清了躺在拜台上的永旭,齐向拜台冲来。

永旭浑身的肌肉突然一紧,但立即重新松弛恢复原状,呼吸也回复正常。

"这里有一个人,很像路仙子所说的周姓书生。"一名黑衣人叫:"好像是死啦!"

"死了也带走。"另一名黑衣人说:"路仙子托咱们顺便留意救人,不带走怎能证明咱们曾经替她尽了心力?反正顺便嘛。"

黑衣人将永旭背上,用腰带背妥,一面嘀咕:"这处秘窟没有几个人,咱们上当了。飞天鼠的消息不确,他说这里聚了三四十个小辈,却只有十余只小猫小狗,咱们却来了五六十条好汉,真见鬼。"

当最后撤走的聂老兄消失在下面的林影内,进袭的人也开始撤走,有人抓起廊下的撞槌向大鼓猛撞,鼓声雷鸣,山谷回音久久不绝。

五六十名好汉在一座山顶聚集,清点人数。

黑夜突袭,人多人强,对方不是傻瓜,看风色不对便早早撤活,因此除了开始恶斗时十分惨烈之外,片刻便风消云散。

清点人数的结果,发现死了四个人,十余名负了伤。

据最后撤出的人说,对方留在现场的尸体有七具之多。

"谁知道秘窟的主事人是谁?"为首的黑衣人大声问。

"逍遥客聂宏老匹夫。"左面坐在一块大石上的黑衣人接口:"老夫拦他不住,这老贼机警得很,恐怕他已猜出老夫的身分了。"

"邹老前辈但请放心,让他们去猜吧,反正早晚要结算的,他们已先后三次向咱们的住处偷袭,咱们以牙还牙名正言顺,理直气壮,他们又能怎样?"

"章兄,这个不死不活的书生怎办?"

背了永旭的人大声问:"人昏迷不醒,无法询问他是不是路仙子所要救的人。"

"带着好了,大概错不了。路仙子为了这个人,与招魂鬼魔那群蛇神牛鬼斗法,吃了不少苦头,托咱们留心施救,咱们该送这分人情。这人既然落在逍遥客手中,仙子的三位侍女可能已凶多吉少。喂!谁曾经发现仙子的三位侍女吗?"

没有人回答。

久久,有人说:"路仙子的侍女,都是如花似玉的美人儿,落在逍遥客那些人手中,哪会有好事?恐怕早就被人带至九华镇快活去啦!"

"时光不早了,咱们走吧。"

同一期间,九华镇街尾不远的一栋别墅式的独院中,李驹兄弟与靳义在受煎熬。

九华镇其实不是镇,俗称九华街,是九华胜境最大的街市,也可能是最高的一处市街,约有四五十户人家。

只有三种店铺:香烛店、客店、食店。

客店的规模最大。

香烛店的生意最好。

食店卖的全是素食。

街中心有一座巨大的放生池,池中的水族又肥又大见人不惊。

沿街尾的石阶向上走,上面就是四山环绕如城、北倚中峰面向青龙冈的第一大刹化城寺。

化城晚钟是九华十景之一。

寺里的僧人有三百余名之多。

这栋别墅倚山坡而建,庭院广大花木扶疏,院门额刻的四个字是九华精舍,主人据说是池州的一位广姓富豪。

盛暑方有人住入,平时有三四名仆人照顾,一年到头甚少看到有人进出,门前冷落十分清净。

但最近几天情形不同了,经常可看到一些不三不四的僧俗妇孺出入,仆人们四出搜购鸡鸭鱼肉。

二进院中,堂上灯火辉煌,上首高坐着一位面目阴沉,戴九粱冠穿红色法服、颇具威严的中年老道。

左右后方站着两名巨熊似的黑衣保镖。

左首,是一个豹头环眼凶猛狰恶、穿紫色劲装佩了判官笔的大汉,左右也有两名高大健壮的保镖。

两侧共有八个男女。

其中有五灵丹士和不戒魔僧。

堂下,李驹兄弟与靳义,手脚分别被牛筋索捆得结结实实,浑身血污衣裤破裂,双颊青肿口角有血流出,显然曾经受到酷刑的折磨,半躺在地气息奄奄。

每人身侧有两名大汉照料,大概是负责看管他们的人。

五灵丹士桀桀笑,手抚着胡子得意洋洋地说:"你们熬刑的本领真不错,佩服佩服。现在,我们来软的,威逼已过,利诱随之。姓靳的,你真不肯吐实?"

"老朽姓李,不姓靳。"靳义吃力地答。

"你们是岳阳李家,而不是武陵李家。"

"对,家主人是岳阳的名武师,在湖庭左近,提起快剑李伯权的名号,知道的人不少。"

"好了好了,这些话你已经招了百十次,每次都不会错半个字。"五灵丹士狞笑着说,手向李驹一指:"你,你到底要死还是要活?"

"死与活已操在你们手上,在下说了也是白说。"李驹大声说:"有什么剥皮抽筋的花样,你就亮出来好了,要在下承认是碧落山庄的人,办不到。"

"贫道要你活。"

"是利诱吗?"

"可以说是。"

"在下死且不惧,岂会为利所动?"

"贫道明白地告诉你,不管是否肯投效李天仙,贫道已替你决定了。"五灵丹士意气飞扬地说:"就算你们不是武陵碧落山庄李家千幻剑的子侄吧,反正没有人能直接与你们打交道。"

"你是什么意思?"李驹怒声问。

"哈哈！很简单，你们必须留在天师身边，咱们的人向外宣称你是千幻剑的子侄……不，干脆就是千幻剑的长子次子，那老家伙就是飞天大圣靳大海。想想看，千幻剑是与玉龙齐名的白道侠义英雄，他的儿子做了宁王殿下的护卫，随天师与护卫统领毒龙在外行走，罗致天下英雄为宁王殿下效忠，那该有多大的号召力？嗯？"

"可惜在下不是碧落山庄李家的子侄。"

"谁会问你是不是呢？我们的人会替你回答，是吗？"

"这一来，碧落山庄的人，便会找你们……"

"哈哈！千幻剑如果来，最妙不过了，你还不明白？天师的意思就是要他来。"五灵丹士大笑："他一到江西，只有两条路可走，自杀或被杀，他如果投降又当别论了。"

"你这妖道……"

"来人哪！给他们每人一颗易心丹，带到上房去养伤，让他们养得容光焕发，打扮得像那么一回事，碧落山庄的少主人必须够风度，是吗？"

不由他们拒绝，两人服侍一个，硬逼他们吞下易心丹，然后架入内间去了。

上首的穿法服老道，就是宁王府大名鼎鼎的天师李自然，京中的大小官吏与王亲国戚，皆知道这妖道的大名，武林朋友与江湖浪人，皆知道这妖道法术通玄武艺不差。

"玄恒道友，这种做法是否妥当？"李天师阴沉沉地问："如果他们不是千幻剑的子侄……"

"天师但请放心，贫道敢武断地说，那老狗一定是飞天大圣靳大海，两个小辈必定是千幻剑的子侄。"

"不怕一万，只怕万一……"

"天师请放一千个心。就算贫道估计错误，也有百利而无一害。"

"那千幻剑……"

"千幻剑并未向江湖宣告封剑归隐，消息一传出，不管这几个小辈是不是他的人，他都会出山查个水落石出的，他来了就好办。问题是这里的事必须早些解决,返回江西便大事定矣! 这里的事可否立即进行? 再等下去恐怕不可收拾呢,咱们的策反大计本来办得很顺利,而且天衣无缝不着痕迹,偏偏闯来了这几个小辈,一露脸就大开杀戒,事情闹大了,目下双方已采取激烈行动,咱们再不出面就难以收拾啦!"

"糟的是要等的人尚未到来,真糟!"李天师不胜忧虑地说。

"天师要等的人是谁?"

"天机不可泄漏。"

"可是如不及早……"

"早,早个屁! 就凭你我二十几个人,就能收服这些狂傲无礼自命不凡的蛇神牛鬼?"李天师烦躁地说:"这些亡命之徒只肯在武力下低头,你不比他强他会服你? 午间赶到的招魂鬼魔,你就胜不了他的招魂幡,你能去说服他投靠吗?"

"由毒龙柳施主出面……"

"用名号去唬人家吗? 你怕不怕唬?"李天师的语气不客气了:"简直胡闹。"

"那……天师的意思……"

"等,算行程,这两天该可以赶到了。"

门外奔入一名大汉,在堂下叫:"启禀天师,有人送来这封手书,说是江南来鸿,须由天师亲拆。"

"人呢?"李天师问。

"匆匆留下书信走了。"

"呈上来。"

李天师看完信,眉心紧锁抖着信笺说:"真糟! 人这两天不能赶到。"

"出了什么意外?"五灵丹士急问。

"途中碰上一个书生打扮的可怕人物,沿途偷袭怪招迭出,昼夜袭击无所不用其极,因此误了行程。"

李天师烦恼地撕掉信笺:"快派人调查招魂鬼魔是不是与大邪同

时赶到的,再查查他们对苏杭双娇在繁昌被暗杀的事有何反应,限期呈报。"

一名中年妇人应喏一声,出厅而去。

"明天第一批化装为香客的人可望到达,大家留心些,来人都是二十岁左右的娃娃,在未替诸位正式引见前,诸位千万不可招惹这些人。"

"派娃娃来做什么?"不戒魔僧讶然问。

"做什么?哼!到时候你就知道了。"李天师冷冷地说:这些人李天师最清楚,招惹了他们会吃亏送命的。"天色不早,歇息吧,今晚负责警戒的人,必须小心在意。玄恒道友,法坛执事你多费心了。"

"天师请放心,贫道立即登坛行法。"

李天师偕保镖到内室去了。

五灵丹士向东厢招手,出来一个黑衣人,含笑欠身问:"请问仙长有何吩咐?"

这人赫然是追魂使者姜承先,一个早年在黑道颇有名气的高手,早年曾追随大暴赤阳子玄真闯荡江湖。

上次将香海宫的消息告诉永旭,永旭得以平安进入香海宫抢救南京双雄。

事后,他怕永旭到九华上当,为酬恩不惜独自兼程赶来九华相机行事。

大暴赤阳子早年与五灵丹士颇有交情,也认识追魂使者,见面之下,便将追魂使者留在身边,以为无意中得了一条有力臂膀呢,而且用人之际,多一个熟人相助,总比罗致一个新人可靠些。

追魂使者正中下怀,表面显得特别恭顺。

"姜施主,今晚你辛苦些。"

五灵丹士拍拍追魂使者的肩膀说:"今晚我主持法坛布阵,不会有外敌入侵,你替我护法,帮我主持法坛。"

"可是……仙长,在下对法术一窍不通……"

"用不着你操心,你只在贫道需要养神时,留意阵中的变化,有事时叫醒贫道便可。"

"好,在下听候仙长吩咐。"

不久,九华精舍风起东北,雾涌西南。

片刻间,整座庭院笼罩在雾影中,隐约可听到隐隐风雷和惆啾鬼啸,接近至切近的人,也无法看到屋影,只看到山崖下雾气升腾,灰蒙蒙一片雾影而已。

背着永旭赶路的人,一面走一面与跟在后面的人聊天,黑夜爬山速度不能快,以免失足粉身碎骨。

"范兄,今晚咱们袭击一处小聚会所,委实失策。"

背永旭的人向同伴说:"既然报复,就该捣了大邪在东岩寺的大巢,你说是不是?"

"大邪的大巢在东岩寺……"

"我知道,东岩寺是他接待前来应约的人,公开的招待站,他住在寺右的摩空岭,在堆云洞左近建了宿处。兄弟的意思是拆了他的招待站,杀一杀他的威风。"

"算了吧,欧阳老兄并不希望咱们闹得太大,见好即收,你知道吗?咦!小心脚下。"

背永旭的人一脚踏空,向前一晃几乎摔倒,幸而是向上攀,如果下降而向前栽就不妙了。

蓦地,在前面开路的有人大叫:"有猛兽的腥味,大家小心了……"

话未完,前面传来一声咆哮,猛虎果然出现了。

接着,后队的人一阵大乱,惨叫声刺耳,有人大叫:"是豹子,这边也有……"

背着永旭的人突然向前一仆,然后骨碌碌向右方的斜坡滚坠而下。

同一刹那,一头猛虎扑倒了后面的范兄,一人一兽吼叫着也向下滚,缠成一团。

人与兽在山腰的斜坡上拼命,永旭却悄然溜走了。

他在众人攻入寺院的前片刻,已将软骨药物驱出体外,为了查明这些人的来历,所以任由这些人把他背走。

他第一件要做的事,是赶快救出李驹兄弟,李驹兄弟已被五灵丹士从绿衣仙子手中夺走了。

靳义落在死对头手中,后果可怕,救人如救火,他必须争取时间。

但五灵丹士住在何处?该如何去找?

他在想,白天在望江亭,老道与和尚是向上走的,那么,他必须先找到登山大道,才能找到望江亭。

看天上星斗,已是三更将尽,可是,他不知身在何处,晚上陷在深山里,到处是茂林修竹,如何分辨身在何处?

他躲在山下,直至上面人声兽吼消失,方绕到前面的山脊线等候机会。

刚才纵猛兽袭击的人,毫无疑问是江湖四异做的好事,也许从四异口中,可以知道五灵丹士的下落呢。

看山势,袭击伏虎洞的这些好汉定是大魔的人,可能已被四异杀得落花流水,余众必定向上逃,向下是逃不出猛兽爪下的。

四异大概也不敢穷追,可能留在后面善后召回猛兽。

他耳力超人,爬上一株大树倾听动静,解开内腰带,里面藏了一根小指粗的长绳,正是爬山的重要工具。再在快靴的靴统里,掏出一只鱼钩形的三分粗两寸大的铁钩,熟练地系在长绳上,凝神以待。

不久,他听到人声,五个人正沿山脊向他的藏身处走来,黑夜中看不真切,仅可看到模糊的人影。

"不是四异!"他心中失望地叫。

如果是四异,前面必定有虎豹先行。

人渐来渐近,有人说话了:"聂老前辈,该把四异请到摩空岭去的。"

"你又在说笑话了,猛兽出现在东岩寺附近,那还了得?九华山不鸡飞狗走才怪,官府召民壮来赶猛兽,如何善后?"聂老前辈说:"这次共宰了他们十四个人,总算出了一口怨气。"

"这些人里面真有铁臂猿邹苍?"

"有,可惜被他逃掉了。哼!他逃不掉的。"

谈说间,已接近永旭的藏身处。

当永旭发觉来人不是四异时,便溜下树藏身在北面的斜坡下,没有虎豹的顾忌,他不必躲在树上了。

听嗓音,便知道走在前面的聂老前辈,正是被袭秘巢的主事人逍遥客聂宏,妙极了。

毫无戒心的逍遥客到了,铁钩突然飞射而出,三丈空间一闪即至,听到破空声勾已临头,无情地勾住了逍遥客的右大腿。

"哎……"逍遥客惊呼,快速地摔倒向下滑。

"咦!聂老前辈失足掉下去了!"有人大叫。

"快稳住……"有人叫,向下急步抢救。

逍遥客滚入灌木丛,还来不及有所反应,耳门便挨了不轻不重的一击,永旭将人扛上肩,往下面的灌木丛一钻,三两闪便无影无踪。

"咦!人怎么不见了?"

奔下抢救的人惊讶地叫,在附近拨枝分草穷找。

天太黑,真不容易找。

逍遥客昏昏沉沉地醒来,只感到脑袋沉重,右大腿余痛犹在,想伸手摸腿上的伤势,却发现双手动弹不得,神智一清,这才发现双手被捆在后面,自己不但是俯躺在草地上,而且脑袋下倾,一个大狐洞正等着他的脑袋向里滑,鼻中可嗅到狐骚味。

更糟的是,后脖子有一只铁钳似的大手,扣住脖子准备向下揿。

"谁……谁暗算我?"逍遥客厉叫。

一根冷冰冰的玩意从颊侧探入,半分不差勾住了他的嘴。

是他的成名兵刃龙纹鸠首杖,味道真不好受。

"是我。"制他的人说话了,语声带了浓重的凤阳腔,不三不四的所谓官话,似乎中气不足,是个老年人。

鸠首杖收回去了,他不敢再顽强,问:"阁下高名上姓?咱们认识吗?"

"以往咱们不认识,现在我认识你了。"

"阁下把聂某弄来……"

"要口供。"

"你……你要问什么?"

"宇内双狂,是不是五岳狂客屈大风与狂枭庞申?"

"你……"

"招一字虚言,你的头就得塞进洞,五十个数,闭了气活该倒霉。"

制他的人说,手上一紧,他的头顶便进入穴口,狐骚味更浓了,他有作呕的感觉。

"我……我说,是……是的。"

"他们在大邪身畔?"

"我不知道,郎老弟为表示诚意,到芜湖去接他们。"

"玉面神魔也同来?"

"阁下,我真不知道,那色魔如果真来,邹某……"

"你想溜之大吉置身事外?"

"老天!你……你怎么知道?"他骇然叫:"那色魔不会来的,但愿他不要来。"

"好了,不问你这些废话了。五灵丹士是大魔请来的吗?他住在何处?"

"是不是大魔请来的人,在下不知其详。目下他住在九华精舍,好像有不少党羽。"

"哦!九华街那座九华精舍?那些党羽是何来路?"

"是的。他那些党羽从不露脸,出外办事的人,皆是奴仆打扮的男女。那妖道妖法可怕,谁也不敢冒失地去探他的底。"

"好,阁下很合作,因此,我饶了你。"

"阁下是……"

"不要问我是谁。记住,不管玉面神魔来不来,为了保全性命,你最好赶快离开九华是非场,不然再给我碰上,我要卸你一手一脚,记住了没有?"

"聂某记住了。"他战栗着说。

后颈的手离开了,他蠕动着后退,头退出洞口,扭转身一看,四周树影森森,荒草萋萋,哪有半个人影?费了好半天工夫,挣脱了捆手的牛筋索,心惊胆跳地连夜逃下山去了。

问口供的人是永旭。

他发觉逍遥客的口供是真实的,因此网开一面。

放走了逍遥客,他在后面跟踪了十余里,到了一条东西向的小径。

逍遥客是向东走的,他向西展开脚程急赶,翻越两座小山,果然会合了登山大道。

沿路上行,不久,龙池庵在望。

看天色,已经是四更尽五更初,这一夜算是过去了。

他脚下一紧,还有半个更次可以利用,救人如救火,他必须分秒必争。

龙池庵下面两里余便是二天门,九华街就在上面的三天门内。

两里地片刻即至,坡顶上矗立着巍峨的半霞亭。

这段路他白天走过,再上去该是白天碰上五灵丹士的望江亭。

半霞亭,也就是白天把恨天无把一群歹徒,引离大道至下面小山决战的地方。

过亭十余步,是一连串的石阶。

刚奔上第三级,他突然止步叫:"你老兄怎么啦?咦……"

他飞退而下,三把飞刀从右上方闪电似的射到,如果他慢退一刹那,后果不问可知。脚一沾地,人随势下挫。

这瞬间,一枚暗器几乎贴发鬓掠过,后面有人不声不响偷袭。

人下挫立即躺倒,向左方急滚。

右方几乎同时射来一枝袖箭,也是危极险极地擦胸衣而过。

就在这电光石火似的刹那间,他进出枉死城三次之多,惊出一身冷汗,也无名火起。

他徐徐挺身而起,冷笑道:"暗器的劲道十分惊人,证明诸位都是暗器名家,不像是卑鄙无耻的偷袭蟊贼。在下听你们解释,希望诸位给在下满意的答复。"

共有四个人现身,身材一般高,健壮高大,挽道士髻,穿两截褐衫村夫装,只是腰带上插着连鞘长剑,星光下虽看不清脸容,但从举动上可看出全是年轻人。

四个人脚下沉稳而又轻灵,阴森森鬼气冲天,一言不发缓缓接近,将他围住了。

"阁下,不要再装神弄鬼了。"他前面的年轻人阴森森地说。

"什么装神弄鬼?"他强忍怒火问。

"你阁下入暮时分,便从五溪桥往上跟。咱们在老田村投宿,你就像附身冤魂似的死缠不休。四更天咱们动身上山,你就仗地形熟悉,忽前忽后不断用石块树枝袭击,到底有何用意?"

"见你的大头鬼……"

"亮名号!"这人傲慢地叫。

"在下是赶路的,要赶赴九华街找朋友……"

"不要打算用鬼话搪塞,你没想到咱们会停下来埋伏等你吧?"

"你们不打算讲理吗?"

"要讲理并无不可,跪下先就制。"

"在下不与你们计较,因为在下有要事在身。"他冷冷地说,举步向石阶移。

一声剑鸣,挡路的人拔剑出鞘,阴森森地说:"你只有一条死路可走。"

秀才遇着兵,有理说不清;他一看对方拔剑的姿势,心中一懔,撤剑的手法并不快,人屹立如岳峙渊渟,双手配合得十分熟练,有一股无形的杀气随剑而出,压得人喘不过气来。

"你们既然不讲理,在下不自卫是不行了。"

他沉静地说,怒火已完全消失,心意神凝而为一,大敌当前,他已可控制自己的情绪:"在下姓周,阁下贵姓大名?可否收剑徒手相搏?"

"在下知道你姓周便可。咱们这些人,如非必要不通名号,你知道在下姓娄就够了。你没有兵刃,就不该不断戏弄带剑的人。咱们这些人不管对方是否有兵刃,也不管对方有多少人,动手时只有一个要求,那就是将对方置之死地,可用任何手段求取胜利……"

"哈哈哈哈……"

上坡十余级石阶上,出现一个黑影狂笑,笑完说:"我知道你们的来历了,果然不出老夫所料。跟了你们半天一夜,先后十余次袭击,这时才发现你们的身分,老夫这个老江湖惭愧极了。不过,还不算迟,你们……"

三个年轻人不约而同飞跃而上,身法奇怪绝伦。

黑影向上飞奔,速度也迅疾无比。

永旭喃喃地嘀咕:"是北丐,这老花子果然难缠。咦!住手……"

随着喝声,他身形连闪,换了三次方位,宛若鬼魅幻形,彻骨奇寒的剑气令他悚然而惊,危机间不容发。

原来姓娄的年轻人乘他注意北丐撤走的机会,突下杀手挥剑向他进攻,第一剑就几乎刺中他的右胁。

三剑落空,姓娄的也骇然一震,手上一慢。

就在这刹那间的停顿,他握在手上的绳钩已电似的飞出,奇准地勾住了姓娄的右脚跟,猛地一抖。

"哎呀……"

姓娄的惊叫,人被勾得凌空飞起,钩深入快靴的后跟,直抵足踝后的中封穴附近,脚前头后掼出两丈外,跌了个晕头转向,剑已脱手抛掉了。

他像一头怒豹,扑上一脚踏住姓娄的脚踝,左手食拇指搭住对方的眼睛作势掏眼珠,一面取钩一面说:"阁下,偷袭的滋味如何?你的身手出乎意外的高明,在下极少碰上你这种可怕的、不守武林规矩的高手,你必须招出底细来,首先,报上你的大名。"

"除了杀我,你得不到任何口供。"姓娄的顽强地说。

"在下就先掏出你的招子来。"

"你是胜家,你有权杀我,如何杀我那是你的事。"

"咦!你这家伙说话怎么没带一丝人味?"

"强存弱亡,在下败了,惟死而已,你下手吧。你不可能逼出在下的口供来,在下从未学过在酷刑下招供的历练,呔!"

# 第十四章　大搅浑水


姓娄的最后一声沉叱出口,受伤的脚已飞踢永旭的脸部。

永旭听对方的话口吻异于常人,心里也暗暗佩服对方是条硬汉,不忍下毒手毁对方的眼睛,左手一松,随手抓住踢来的右脚,大喝一声将人扔出两丈外,扭头便走,口中骂道:"该死东西! 这是哪些武林败类调教出来的凶悍东西? 怪事。"

尚未展开脚程,坡上三个黑影已飞掠而下。

他闪入路旁的竹丛,向上绕走。

登上坡顶,路左黑影乍现,向他招手低叫:"先躲上一躲,那三个家伙就会上来的。"

他向下一伏,低声说:"老要饭的,你怎么偷吃不知道抹嘴? 可把我害苦了。"

"你逗骚狐狸追得我上天无路,我还你四个家伙找你拼命,谁也不欠谁的。"

"废话! 你……"

"来了,别出声。"

三个年轻人背了姓娄的快步向上走,不久便消失在茫茫夜色中。

北丐长身而起,到了路中说:"了不起,你打伤了一个? 佩服佩服。"

"以牙还牙,也给了那家伙一记偷袭。"

"所以说你了不起。"北丐翘起大拇指说:"哦! 你那几个同伴呢?"

"老前辈不知道？"

"我知道什么？天未黑老夫就下山了，在五溪桥碰上十几个可疑的香客，这四个家伙就是那群人中的四个。老夫心中起疑，暗中跟下来了，想探他们的底。他们在老田村投宿，四更天这四个小鬼悄悄动身，老夫便跟下来了，沿途出手试他们的艺业，好几次几乎反而栽在他们手中……"

"难怪他们冒火，把我误认是戏弄他们的人。"永旭恍然地说："敝同伴已落在五灵丹士手中了，是栽在路凝香那妖妇手上的……"

他将被黄粱暗香偷袭的经过说了，最后说："晚辈已查出五灵丹士的落脚处，正打算……"

"今晚你什么也不要打算。"北丐抢着说："山上的情势，我老要饭的一清二楚，妖道住在九华精舍，天一黑就布下妖阵，你连影子都找不到。"

"哦！不过，晚辈并不怕妖术。"

"妖术也许不可怕，但有人用歹毒的暗器毒烟迷香暗中下手，你有三头六臂吗？"

"晚辈非去不可。"

"这时赶到，天就亮啦！小老弟，不能操之过急，急必偾事。"北丐坐下说。

"可是……"

"白天看你那狂劲，想必是个颇为自负的人。今晚你能击倒这些家伙中的一个，可知必定很有些真才实学。这样吧，我替你策划，或许可以将人救出。"

"老前辈的意思……"

"咱们来一次出其不意，最大胆的行动，你等着瞧好了。"北丐拍着胸膛说："小兄弟，你知道这四个家伙的来历吗？"

"不知道，的确很高明，老前辈看出他们的底细了？"

"可能。你听说过大小罗天吗？"北丐问。

"哦！你是指东流山区的大小罗天？"永旭讶然问："去年晚辈

在山东，听说过两件大事，一是毒龙柳絮被山东响马杀了，另一件是大学士费宏致仕返乡，在临清遇刺，座舟被焚幸告无恙，据说刺客是大小罗天的高手。后来北地白道名宿追云拿月罗大方，烦费大人的手书飞舸南下传警。"

永旭虽说出道仅仅两载，但出道之前曾随乃师奔走三年，所以对江湖动静毫不陌生。

北丐更是个老江湖，接口道："追云拿月到了安庆，晋见知府张文锦。张知府早就知道大乱将兴，秘密训练了一支精兵，连夜进兵大小罗天，出其不意大举进攻，弩阵与火器营大发神威，一举荡平大小罗天秘窟。这件事牵涉到江西的宁王，张知府不敢向外宣扬，因此江湖朋友知者不多。"

"哦！老前辈是说，这四位仁兄，是大小罗天的漏网余孽？"永旭问。

"不错。"

"难怪他们下手狠毒，不守武林规矩，刺客的嘴脸暴露无遗，我应该除去他们的。"永旭不胜惋惜地说："那么，他们该是宁王的爪牙了，那……"

"如果真是大小罗天的人，当然是宁王的爪牙。五灵丹士是南昌铁柱宫的妖道，他的身分根本不用猜。我想，你那几位同伴必定有惊无险，所以你不用太过心急。走吧，先找地方歇息，明天事情多得很呢。"

次日一早，两个老花子出现在九华街。

他们是北丐与永旭。

永旭由北丐替他化装易容。

这一带花子之多，多得不可胜数，从山下到山上，沿途分布了不少花子，向香客们伸手乞讨。

如果是佛诞期，似乎天下间的花子都来九华赶庙会，成群结队上百上千，因此，两人的花子打扮并未引人注目。

三天门内，是山中的盆地，附近稻田甚多，良田千顷，有一半是属于各寺院的香火田，而以化城寺最为富裕，上面五六里的东岩禅院次之。

三天门也叫聚龙庵，是招待香客的总招待处，一条平坦的数百步石板路，直通至百岁宫下院。

山上的诸溪流，汇聚在右面的祇园寺。

再往上走便是太白书堂、龙女泉、九华街……附近寺院甚多，天下名山僧占尽，半点不假。

两人半躺在路旁的茅棚中，稻草为褥茅为枕，前面是石板路，后面是溪流，目光落在上面的化城寺，以及右前方山岩下的九华精舍，远远地留意四周的动静。

化城寺的僧众早课毕，钟鼓声消歇，九华精舍有人开门外出，是两个挑了竹箩的仆人。

"小兄弟，看清了吗？"北丐低声问："雾是鸡声初唱时散去的，整夜你决难看到屋影。老要饭的留意了好几天，有次曾经用死黑犬从岩上向下投，居然毫无动静，丢石块下去也听不到声息，你说怪不怪？"

"老前辈曾经走进去试吗？"

"走近？别开玩笑。"北丐大摇其头："老要饭的曾经量过步武，距精舍约百步，便感到头昏目眩，不得不退回来。你看到那两个门子吗？白天不许任何人接近院门外那三株古松，你只要岔入那条小路，他们便会迎出赶人了。"

"晚辈知道该如何对付他们。"永旭充满自信地说："当然得先有所准备。唔！好像不戒魔僧要出来办事呢，居然带了方便铲扮成走方僧。跟踪他，这里已没有什么好看的了。"

"看看街尾那几个香客。"北丐说："七个人，正是昨晚那四个家伙的同伴。"

七个人中，有五个是年轻人，年约二十上下，身体结实，一个个脸色阴沉不带表情，右手有代表香客的灯笼，左手有信香，背上有行囊，腰带上有连鞘长剑。

山中有猛兽，有劫路小贼，有讹诈的歹徒痞棍，因此有些香客带兵刃防身，不足为奇。

另两人年约半百，同样高壮结实，同样打扮，鹰目炯炯颇具威严，但未带背囊。

"那么，他们共有十一个人了。"永旭说。

"是的。他们举止如一，真叫人摸不清底细。"

不戒魔僧施施然挟了方便铲，出了小径走上石板路，走向街尾，与七名香客快碰头了。

相距十余步，不戒魔僧脚下一慢，歪着脑袋打量对面来的人，那双火眼充满轻蔑的表情，哼了一声说："喝！你们是来朝山进香拜菩萨呢，抑或是带剑来杀人放火进地狱？"

走在前面的中年香客站住了，鹰目一翻，冷冷地问："和尚，你绝不是九华的僧人，你头上有戒疤，但一点都不懂沙弥行仪。你是不是看我们不顺眼？"

"大概是的。"不戒魔僧狞笑着说："你们是替大魔助拳的人吗？"

"你大概是大邪的人了，滚开些！"

"什么？你这混账东西……"不戒魔僧冒火了。

"段岳！"中年香客扭头叫："教训他，打他个半死，用剑。"

"弟子遵命。"一名年轻人欠身答应，将灯笼信香包裹递给同伴，大踏步向不戒魔僧走去。

不戒魔僧哪将一个二十岁的小伙子看在眼下？支铲狞笑道："喝！真像那么一回事呢。看样子，佛爷要把你们这些看不顺眼的小辈赶下山去了，上吧！"

年轻人段岳一言不发，似乎并未听到魔僧那些挖苦人的话，冷冰冰地欺近至八尺左右，徐徐止步拔剑，脸上毫无表情，一双冷电四射的大眼，死盯着狞笑的不戒魔僧，等剑完全出鞘，脸上杀机怒涌，浑身涌发出危险的气息，像一头准备扑向猎物的金钱大豹，充满震慑人心的威势。

不戒魔僧脸色一变，看出了危机，狞笑瞬间消失，警觉地举起方便铲……

铲刚上升，蓦地剑气迸发，电虹破空飞射，段岳已发起空前猛烈的快攻，身剑合一长驱直入。

"铮铮！"方便铲封住了两剑，人影进退如电。

不戒魔僧退了丈五左右，段岳的剑仍然无畏地追袭，如影随形紧迫进攻，剑虹已到了魔僧的右胸前。

"铮！"铲头间不容发地架偏了长剑，魔僧斜飘丈外，大吼一声，马步一稳立即扭身以铲柄斜挑而出。

追袭的剑虹突然下沉、斜撤、外拂，快逾电光石火，哧一声裂帛响，不戒魔僧的右袖桩飘然下坠。

剑虹急进，然后从铲柄上方一闪而过，锋尖以一发之差，掠过不戒魔僧的右肩尖。

不戒魔僧的确了得，身形下沉旋身，铲头以雷霆万钧之威，间不容发地从段岳的右小腿外侧掠过，把段岳迫退了一步，也遏止了段岳的凶猛快攻。

差点儿两败俱伤，生死须臾。

段岳的神色更冷了，一声冷叱，展开了第二次猛烈的快攻，一连五六剑，把不戒魔僧逼得换了七八次方位，长兵刃方便铲，居然挡不住剑的快速进攻，好几次几乎被剑逼入贴身，显得有点手忙脚乱。

曾经硬接了两剑，铲上的如山暗劲，竟然未能将轻灵的剑击断或震退，魔僧心中开始发毛了。

虽说天已大明，但街上仍少人迹，双方恶斗片刻，方惊动街上的人，有几个人站在街口大叫："有强盗行凶，快鸣锣告警。"

中年人看出段岳无法在短期间把不戒魔僧摆平，因为魔僧已开始游斗了。

段岳的攻势虽猛，但魔僧闪避的身法也迅捷无比，任何神奇的剑术，碰上不接斗的人，再神奇也毫无用处。

如果街上的居民鸣锣示警，那还了得？

这些人皆靠寺院为生，当然与和尚站在一边，在九华山俗世在家人与和尚出家人起纠纷，吃亏的绝不是和尚。

"够了，饶他这一次。"中年人沉声叫。

段岳疾退收剑，脸色苍白欠身行礼惶然地说："弟子无能，领罚。"

"不怪你。"中年人挥手说："我知道这和尚的身分了，他是江湖上大名鼎鼎的不戒魔僧，武林中了不起的高手，你能削下他的衣袖，已经很不错了，走！"

七个人转身上路，头也不回扬长而去。

不戒魔僧脸色不正常，火眼中有明显的惊疑表情，目送众人的背影去远，方捡起被削下的衣袖喃喃自语："这些人是何来路？一个小鬼就高明得令人难以置信，大魔到何处请来这些可怕的人？"

街口旁观的人中，有两个村妇打扮的人，躲在人群后冷眼旁观。

草棚中，当年轻人段岳开始撤剑时，永旭便对北丐说："不戒魔僧碰上对手了，恐怕得灰头土脸。"

"小兄弟，你说不戒魔僧败在那小伙子手中？"北丐意似不信地问。

"不错，那小伙子的路数令人莫测高深……你瞧，这种有我无敌，空前猛烈的攻袭招路，敢斗敢拼的无畏气魄，晚辈并不陌生。"

段岳的攻势，的确令北丐心中暗惊。

"昨晚你碰上的情形相同？"北丐问。

"昨晚那位姓娄的年轻人固然够剽悍，晚辈曾经见过更可怕的高手。"

"在何处？"

"挹秀山庄的人。"永旭沉静地说："虽然招路略有不同，但气魄声势同样激烈猛野。"

"天台的挹秀山庄姬家？小老弟，别开玩笑，姬家的剑术，在武林中还不配排名呢?"

"老前辈如果不信,不久便可见到了,因为他们在最近一两天,便可到达九华了……咦!这一招几乎两败俱伤,不戒魔僧没有拼死的勇气,栽定了。"

"不错,老魔僧采用游斗术了。小老弟,你知道这些人的来历吗?"

"昨晚听老前辈的口气,好像已知道他们的底细了。"

恶斗已经结束,不戒魔僧也走了。

永旭的目光,落在远处街口的两个村妇身上。

"你听说过东流县山区的大小罗天?"北丐问,坐起注视着永旭:"昨晚老朽已经告诉你了。"

"晚辈去年在山东,略有风闻。老前辈在北地行侠,怎知道江湖的事?"

"天下汹汹,大乱的根源在南而不在北,老要饭的不在北地鬼混,错了吗?"

"晚辈不愿置评。有关大小罗天的事……"

"你听说过浊世狂客江通?"

"哦!失踪二十年的黑道大豪江五?他出道不足十年,据说很了不起,不但曾向魔道巨擘九现云龙叫阵,也向白道至尊玉龙挑衅,可是皆虎头蛇尾一沾即走,所以江湖朋友称他为狂客,这人……"

"他就是大小罗天的主事人,张知府进兵虽说神速,但仍然晚了半步,逃掉了不少高手。这几个年轻人,必定是大小罗天八年苦练,集天下各家绝学于一门,冶各门绝学于一炉,锻炼出来的可怕高手。这些人不知生死为何物,不理会世俗礼数,他们在此出现……"

"那么,他们定是宁王派来的人了。"永旭说,剑眉深锁:"怪事,他们为何与不戒魔僧冲突?魔僧是宁王派来的人呢。"

"大小罗天的人,不与外人接触,只知听命行事,可能真的不知不戒魔僧的身分。老朽要跟踪他们，你……"

"晚辈到街上走一趟，午间在会合处见面，彼此小心。"永旭说，匆匆出棚。

两个村妇进入街中段，向右一折，沿小径循溪下行。

这条小径可通向山下的六泉口，平时极少有人行走，往来都是附近的山民。

两女下行半里地，进入山崖下竹林围绕的一家农舍。

狭窄的厅堂中，另两名村妇打扮的人将两名同伴迎入。

为首的村妇老态龙钟，迫不及待地问："怎样了？他们动身了吗？"

"小姐，只有不戒魔僧出来，可能下山去了，要不要跟踪？"一名村妇说："老贼秃碰上了可怕的对手……"

村妇将街尾交手的经过说了。

另一名村妇接口道："妖道人多势众，小婢认为等大魔相助，不如去结交那些年轻人，一同向妖道讨公道比较可靠些。"

"不，我要等大魔邀来的人到达，出其不意攻入九华精舍，讨回那两个小伙子。昨晚逍遥客伙同四异，袭击铁臂猿夺走了姓周的小书生，探出消息吗？"小姐焦灼地问。

"小姐，姓周的书生恐怕已经膏了虎吻。"村妇不胜惋惜地说："有人说逍遥客跌下山崖失了踪，大邪的人也正在找他的下落呢。铁臂猿邹老那些人，的确证实姓周的书生被猛兽所伤，背他走的巴禄已血肉模糊，保护巴禄的范仲也被咬死了。小姐，不要去想他们了。"

小姐突然疾射出门，脚一点地立即飞升瓦面，身法之快，令人难以置信。

四周竹影摇摇，山风吹来，竹枝吱嘎嘎发出摩擦的怪响，林下蔓草丛生，视界有限。

三村妇也跟出来了，三面一分。

"有人，搜！"小姐挥手叫。

不久，四人回到厅堂，小姐眉心紧锁，不安地说："我的确听到了轻笑声，不会听错，但怎么不见有人？恐怕我们的藏身处已被人发现。"

"小姐，会不会是后面宅主人的笑声？"

"不可能的，笑声是从多面传来，错不了。"小姐肯定地说："先进食，小心提防，准备迁地为良，今晚必须到九华精舍讨公道。咦！桌上……"

八仙桌上，有人用桌上的茶水，写了几行大字："妖道妖术通玄，宜用火攻。人少勿往，以免枉送性命。"

是用手指醮水写的，上了漆的桌面不吸水，因此笔画分明，字体匀称美观。

"咦！青天白天，居然来去无踪，这人的艺业，委实骇人听闻。"小姐骇然变色叫。

"小姐，这人似无恶意。"一名村妇说。

"走，分头催请人手，今晚用火攻。"小姐断然地说。

村妇是绿衣仙子主婢，她们一走，化装为花子的永旭也动身离开，优哉游哉下山到了二天门，走半霄亭岔出的小径，找到了藏妥的两具雷火筒，用破外衣裹了，再匆匆上山。

一来一往，花了不少工夫，等他回到九华街，发觉九华精舍前面的山坡聚集了不少人。

北丐赫然藏身在岩侧的古松下草丛中，用打狗棒向他打招呼。

他匆匆钻上坡，往北丐身旁一蹲问："老前辈，怎么一回事？"

"大小罗天的人下来了，刚进九华精舍。果然不出所料，是宁王派来的人。"北丐苦笑："看样子，宁王这次网罗羽翼的诡计成功有望。"

"门口坡侧那些人……"

"是大邪的朋友，妖道派人把他们诱来了。你瞧，招魂鬼魔、天凶星、地煞星、四异的勾魂鬼使、真武使者……老天爷！这些人如果发起威来，五灵丹士妖术再厉害，也得吃不消兜着走，所以迫不及待把大小罗天的人召来了。这也好，不然大小罗天的人隐起身分行事，不知要死伤多少无辜呢，可以说妖道过早将底细揭出，算是一大失策，不知他在搞什么鬼。"

"恐怕主事的人不是五灵丹士。"永旭慎重地说。

"你是说……"

"五灵丹士固然很了得，但江湖声望有限得很。大小罗天的人，江湖朋友可说毫无所知，他凭什么敢出面主持大局？"永旭进一步解释："等着瞧吧，主持大局的人也许已经到了。"

"你认为是谁？"

"挹秀山庄的姬庄主。"

"魔剑姬宏？别开玩笑。"北丐不以为然："挹秀山庄的人，连一个恨天无把尹寅也吓不住。"

"不信就可分晓。"

九华精舍院门启处，陆续出现不少人。

永旭吃了一惊，讶然叫："老天！他们怎么啦？"

北丐嘿嘿笑，哼了一声说："你那三位同伴，原来也是他们的人，你也靠不住。"

"鬼话！你……"

"你瞧，他们的地位很高呢。小老弟，你与他们……"

"我与他们在竹木潭结识的……"

他将与李驹兄弟结交的经过说了。

"你上当了。我看，你今后的处境，比任何人都危险，他们不会让你破坏网罗黑道群豪大计的。你认识为首的妖道吗？"

"宁王府两天师之一，不是李自然，就是李日芳。"他肯定地说："那位腰系判官笔的狞恶大汉……"

"鄱阳第一巨寇，毒龙柳絮，宁王府的护卫头儿，对外称把势班头。"

"那是假的。"永旭说："毒龙已死在山东，被山东响马杀的。"

"你的消息恐怕都靠不住。瞧，哪有挹秀出庄的人？"北丐说。

九华精舍的人排成半弧形阵，中间是天师李自然，右首是毒龙柳絮，左首是李驹兄弟和靳义，二十余名男女。

五灵丹士的地位在毒龙的下首，似乎比李驹兄弟要低些。

另一批十一位大小罗天的人，则在另一面一字排开，中间是两个中年人。

昨晚伤了脚姓娄年轻人，脚下似乎没有什么不便。

十一个人面目阴沉，对一切变化似乎漠然而视。

对面，除了招魂鬼魔一群三四十名大邪的朋友外，还有不少身分不明前来看风色的人，有些带了兵刃，有些带了香篮扮成进香的朝山信徒。

从九华街闻风赶来的人，似乎愈来愈多，连那些游手好闲的镇民，也纷纷赶来看热闹，站得远远的袖手旁观。

永旭心中暗恨，没料到李驹兄弟竟然是宁王府的人，果真是画虎画皮难画骨，知人知面不知心。

李驹兄弟人如临风玉树，外表风华照人，有如翩翩浊世佳公子，谈吐坦诚未沾丝毫俗气，没料到……他后悔已来不及了。

他的目光，落在右面的山坡上，一群不三不四的人站在远处冷眼旁观，其中有绿衣仙子四主婢扮成的村妇。

双方面面相对，剑拔弩张。

天师李自然一身法服，十分抢目，脸上堆下奸笑，背着手向对面的招魂鬼魔含笑道："这位定是招魂鬼魔缪施主了，但不知郎施主大驾何时可到？"

"郎老弟还不屑见你们。"招魂鬼魔厉声说："咱们先到东岩禅寺的人大部分到了。你是谁？"

"贫道李自然。"妖道的笑容更浓："首先，贫道将我方的人替诸位引见。毒龙柳施主、五灵丹士玄恒道友、这几位贵宾是……"

妖道的手伸向李驹兄弟："碧落山庄千幻剑的长公子李驹、二公子李骅，那位是千幻剑的好友飞天大圣靳大海……"

碧落山庄四字像一声春雷，引起一阵骚动。

　　"诸位谅已知道贫道的底细，毋庸自炫。李公子昆仲，目下是宁王殿下的贵宾，与贫道前来九华见识见识群豪大会……"

　　"住口！"招魂鬼魔暴怒地叫："老夫不管他们是谁的儿子，他们做下了令江湖朋友深恶痛绝的赶尽杀绝罪行，必须向他讨公道。你们这些官府的狗腿子，老夫不屑与你们打交道，叫他们滚出来。"

　　五灵丹士嘿嘿笑，大声说："缪施主，贫道请教，谁可以证明李公子兄弟屠杀江淮八义的？"

　　真武使者举手沉声道："游某可以证明。那四个小辈经过咱们四异的落脚处左近，不久，三眼虎便派人到东岩禅寺禀报被袭的消息，途径游某处顺便说出经过，游某与勾魂鬼使公羊兄赶往察看，发觉三眼虎也死了。这证明四小辈去而复返，犯下了赶尽杀绝的滔天罪行。因为四小辈过去之后，并无旁人经过。"

　　"游施主，你的证据经不起一驳的。"五灵丹士阴笑着说："贫道跟踪绿衣仙子，随行的共有十二位朋友。绿衣仙子在藏青岭发现李公子的行踪，早一步到达谷口，布下了荡魄香大阵，不费吹灰之力将李公子四人擒获，贫道乘机救人，神针管三娘三具蟠龙筒，二十七枚摄魂针控制全局，逼绿衣仙子放人。李公子新交的朋友姓周，交情泛泛而已，绿衣仙子坚持不放姓周的。为免两败俱伤，贫道只好留下姓周的，带了李公子迳返九华精舍。施主请想想看，李公子如果要置八义于死地，当时下毒手名正言顺，何必去而复返贻人口实？碧落山庄的子弟，会做出这种罔顾江湖道义的事？何况他们沿藏青谷出山，已先一步落在绿衣仙子之手，哪有工夫回去屠绝三眼虎几个人？"

　　李驹踏前一步，朗声说："在下以碧落山庄的声誉保证，三眼虎四个人的死，与在下无关。"

　　"你真是千幻剑的长子？"招魂鬼魔厉声问。

　　"正是区区在下。"

　　"好，老夫相信碧落山庄李家的子弟，不会做出这种绝事。但口说无凭，你得证明你是李家的人。"

"如何证明？"

一名花甲佩剑老人大踏步而出，手按剑把冷笑道："老夫凌霄客丘衡，二十年前曾领教过令尊的千幻剑术，你何不亮两手绝招，让老夫证明你的身分？"

五灵丹士挥手示意，李驹顺从地缓步而出，从容亮剑行礼说："丘前辈请指教。"

凌霄客神色凝重地亮剑，双方礼毕，剑尖徐徐降下进招部位，一声低叱，凌霄客抢先进攻，招发"飞星逐月"，无俦的内家剑气发如山洪，锋尖吐出颗颗寒星，以刚猛无匹的声势全力进攻。

李驹先取守势，剑如灵蛇左搭右错，飘逸地信手挥洒，剑上发出的奇异内劲，化去对方阳刚的浑雄劲道，剑轻触的奇异清鸣宛若九天龙吟，双脚在三尺圆径内移动，从容拆解对方十二招二十余剑的狂野攻势，应付绰有余裕。

等凌霄客攻势已尽，立即紧逼进攻，但见剑光如匹练，漫天彻地而至，人影进退如电，旁观的人几乎看不出招路，分辨不出那千变万化的剑虹是实是虚。

只片刻间，便把凌霄客逼得八方闪避，无法摆脱连绵不绝的追袭剑网。

激斗中，突然响起李驹一声清叱，人影倏分。

凌霄客飞退丈余，脸色苍白大汗如雨，右肩尖衣破肌伤，鲜血缓缓沁出。

"承让承让。"李驹持剑行礼，潇洒地收剑退走。

"他的确是千幻剑的子弟。"凌霄客苍白着脸，说："他这招反手回击火候精纯，已近无瑕境界。二十年前，丘某也是在这招失手的，迄今仍不知如何化解。"

"老夫相信凶手另有其人。"招魂鬼魔大声说："李天师，你给我记住，咱们江湖人不与官府的爪牙往来，你最好不要招惹咱们这些亡命。碧落山庄的人甘心做你们的走狗，那是李家的事，咱们……"

话未完，远处扮成村妇的绿衣仙子大叫道："招魂鬼魔，你是不是老糊涂了？任何人做了官府的走狗，便会丢开武林道义江湖规矩，任何卑鄙的事都可能做出来，碧落山庄的人也不例外，你居然信任一个乳臭未干的人，昧着良心的空口保证？"

"你是谁？"招魂鬼魔厉声问。

"绿衣仙子路凝香，本姑娘可以证明，那姓李的娃娃在撒谎。"

"何以为证？"

"本姑娘是亲见的证人，不但目击他们第一次击毙四义，更看到他们转回去赶尽杀绝。"绿衣仙子大声说："五灵丹士一辈子，没说过几句真话，你居然听他的，不是老糊涂又是什么？"

岩坡上的永旭，在天师李自然报出李驹兄弟的身分时，已经大吃一惊，心中悚然。

由李驹兄弟身上，他想起那位诬他为盗的李家凤，和那一记难以或忘的摧枯掌。

"我真是见了鬼了！"他拍着自己的脑袋在心里大叫。

这可妙，绿衣仙子居然以证人的身分出现，公然说曾经目击他和李驹兄弟两次杀人，又令他大吃一惊。

"这妖妇怎么竟睁着眼睛说谎？"他忍不住出声咒骂："泼贱货，你会因此而永远永远后悔的。"

北丐却呵呵笑，拍拍他的肩膀说："小老弟，来说是非者，便是是非人。那妖妇一辈子也没说过几句真话，她比五灵丹士更会说谎。不过，我倒是欣赏她这次漫天大谎，那妖道弄巧反拙，成为众矢之的，岂不快哉？"

"你怎么知她说谎？"他问。

"因为死剩的四寇是我杀的。"北丐轻松地说。

"是你？你……"

"呵呵！信不信由你。那时老要饭的恰好经过，看到他们埋人，一时好奇上前查问，没想到那四个该死的东西，包括断了腿的货色，发起凶性要杀我灭口。呵呵！我不死，他们当然得死罗。"

"老前辈，你该揭破妖妇的……"

"慢来慢来，老要饭的喜欢这种情势，让他们拼个血流成河，让他们仇恨加深，岂不快哉？我为何要出头揭破妖妇的漫天大谎？你心软了是不是？你那三位同伴……"

"不要提他们！"他暴躁地说。

"他们也是些骗子，虽然那叫李驹的娃娃剑术不错。"

"你说他们是骗子？"

"当然。"北丐微笑着说："千幻剑之所以退出江湖，原因是他珍惜羽毛，他的儿子会公然以真姓名出面，替一个即将兴兵造反的奸王做走狗？"

"年轻人气血方刚，对是非不易明辨，这种人最易受人利用，对名利欲也十分热衷……"

"你是这种人吗？"

"我……"

"小老弟，不要武断是非，你也犯了这种毛病。我可以告诉你的是，碧落山庄的人，连江湖恩怨也懒得过问。兴兵造反更无兴趣。"

下面，经过一阵骚动，招魂鬼魔已听不进李驹兄弟的任何解释，怒吼道："李天师，把四个凶手交出来，不然咱们就是生死对头，你答不答应？"

"对，叫妖道交出凶手来，不然大家上。"有人大叫助威，撤兵之声此起彼落，叫骂声鼎沸。

李天师见情势控制不住，被骂得恼羞成怒，大喝道："乱什么？你们这些有名人物，怎么像一群乌鸦？就凭妖妇几句空口无凭的谎话，你们就乱成这鬼样子？五灵丹士玄恒道友用武力逼她放人，她以毁去人质相威胁，留下一位姓周的书生。可以说，双方已是死仇大敌，仇敌的证词可信吗？相反地，贫道咬定是那妖妇下的毒手，你们也相信吗？缪施主，妖妇是大魔请来对付你们的人，你们还没看出她驱虎相斗的阴谋诡计？我替你们可怜。哼！你以为凭你们三五十个江湖高手，便吓得住贫道吗？贫道立即可以纠正你的错误。"

妖道已看出不显示实力，镇不住这些黑道亡命，说完，举手一挥。

大小罗天的人出来了，八名年轻人大踏步而上，一字排开每人间隔五步左右，屹立如山杀气腾腾，站稳后游目四顾，然后八个人同时手搭剑把。

一声剑鸣，八支剑同时出鞘，每个人的动作完全相同，整齐划一不同凡响，甚至举剑式的高矮也八人如一。

"你们可以见识见识。"李天师大声说："一比一也好，你们一起上也好，随你们挑选，看你们能不能击败王府的年轻高手？"

恨天无把上次被永旭用雷火筒相逼，把李驹兄弟恨得牙痒痒地，迫不及待大踏步上前，双手握住虎尾棍，大声说："好吧，在下就挑一个小辈决斗。你！"

他的棍指向最左翼的年轻人。

年轻人木无表情，阴森森地举剑出迎。

双方直距丈余，拉开马步。

四周鸦雀无声，所有的人皆屏息以待。

"在下恨天无把尹寅。"恨天无把傲然地说。

"霍昆仑。"年轻人沉声报名。

"你进手……"

霍昆仑不等恨天无把说完，身动剑发，恍若电光一闪，剑走中宫无畏地切入。

"你该死……"恨天无把咒骂。

用剑攻长兵刃虎尾棍，怎可硬往中宫进击？简直是瞧不起人嘛！恨天无把被激得愤怒如狂，不闪不避。

咒骂声中来一记"横扫千军"，这一棍如果扫中，必定人剑俱毁，含忿出招力道万钧，轻灵的剑怎能不毁？棍扫出远及丈外，无可克当。

"这小子完了！"有人兴奋地大叫。

棍招发一半，眼看要扫中霍昆仑的左腰，岂知眼前一花，霍昆仑人剑同向下沉，以不可思议的奇速伏在地面，棍恰好掠背而过。

人伏倒仍向前滑，剑芒打闪，奇快地向侧滚出丈外，一跃而起，"铮"一声插剑入鞘，大踏步归回本位，然后木然无情地拔剑恢复原状。

恨天无把的右脚齐胫而折，倒在地上狂叫："这是什么鬼招？我的脚……"

"你的脚已经不是你的了，尹兄。"一名大汉抢出叫，抱起恨天无把奔回裹伤。

"限你们立刻散去，找你们的主事人前来说话，送客！"李天师怒叫。

八个年轻人在中年人挥手示意下，人影急动，形成两人一对的方阵，方阵的角尖对正人丛，八支剑不住挥舞，啸风声令人头皮发炸，以不徐不疾的速度，向人丛移动，像在舞蹈，无形的杀气，压得人喘不过气来。

一剑砍下大名鼎鼎的悍贼恨天无把的脚掌，已令黑道群豪心惊胆跳，再一看剑阵的威势，聪明人赶快开溜。

不等剑阵到达，群豪已纷纷后撤，片刻间便烟消云散。

绿衣仙子那群人，甚至更先一步撤走了。

"这些乌合之众好可怜。"北丐注视着散去的人群摇头叹息："妖道早已布下了网罗，他们却要硬往里钻，下一步罗网一收，恐怕一个也飞不掉。"

"老前辈，不要小看了乌合之众。"永旭说。

"你认为这些蠢材还有所作为？"

"不错，除非大魔大邪能及时赶到。"

"你的意思是……"

"如果大魔大邪及时赶到，便可制止那些心怀激愤的人妄动，不然的话，保证有人会和妖道比比苗头。黑道群豪固然一群散沙，但其中不乏真正的亡命之徒，这种人也许不会冲锋陷阵，但偷营劫寨的能耐却超人一等，你等着瞧好了。"永旭颇为自信地说："希望大魔大邪不要在三更之前赶到。"

"哦！你想……"

"不是我想，而是这些可爱的黑道朋友在想。"永旭微笑着说："如果他们不想，我会帮他们去想。"

"小老弟，你能对付得了这种无懈可击的剑阵？"

"老前辈敢不敢打赌？"

"赌什么？"

"晚辈赌大邪的朋友中，已经有人准备对付这种剑阵了，而且有必胜的信心。"

"你是指江湖四异？"

"四异是其中之一。"永旭说，挟起破衣卷住的雷火筒准备动身："真武使者一个人，就足以令剑阵瓦解冰消，还有一位更可怕的玩火仁兄，他将是妖道最大的克星。不管怎样，我会促成他们提早拼个你死我活。老前辈走不走？"

"你打算到何处去？"北丐问。

"煽风拨火，别忘了星星之火，可以燎原。"永旭动身向下走："游说几个骄傲自负的人，激起他们的愤火，今晚就有热闹可看了。"

"那就结伴同行吧，独木不成林，你弹我唱，还怕找不到知音？"

"好，走吧。"永旭说。

他先将雷火筒藏妥，然后两人扑奔东岩禅院。禅寺的规模比化城寺小，寺右的摩空岭有说法台、堆云洞等名胜。

朝鲜和尚唐金地藏这位转世菩萨，经常在这里晏坐，所以也叫晏坐岩。

东岩晏坐也是九华十景之一。

这一带是大邪的势力范围，也是预定的群豪聚会所。

这时的永旭，扮成花子十分神似，像是改头换面，完全变了另一个人。

发乱如麻，脸色姜黄而有皱纹，牙齿灰黑，眼皮半搭，破衲衣又脏又旧，惟一完整的是脚下的多耳麻鞋，往日的风华已消失无踪，看不出丝毫痕迹了，谁敢相信他就是那位引起绿衣仙子和五灵丹士注意的英俊书生？

他的化装易容术十分高明，神龙的绰号名符其实。

两人半躺半坐，倚在寺下方坡脚的危岩下，右首是一座小凉亭，岔出两条小山径，左面那条可绕上说法台，是至摩空岭的捷径。

前来与大邪聚会的人，皆由这条小径前往聚会处。

等了片刻，先后有十余名寄宿在九华街，早膳后上东岩禅寺礼佛的香客经过，总算运气不坏，共获得香客施舍的制钱百余文。

永旭等得不耐烦，拈了一根草放入口中嚼，睥睨看老态龙钟的北丐说："老前辈，你这坏主意不管用，在这里守株待兔，不如登门放火来得实际些。"

"你懂什么？"北丐撇撇嘴："我就知道你们年轻人缺乏耐性。这时双方……不，三方已势成水火，那些分散各处的蛇神牛鬼严加戒备，任何陌生人走近，皆可能有杀身之祸，你如何去接近他们煽风拨火？"

"可是，在这里……"

"噤声，看我的，要上钩的大鱼来了。"

下面大踏步来了两个人，正是在望江亭被五灵丹士赶走的芮氏双雄，倨傲的神情依旧，渐来渐近。

北丐等对方来至切近，突然竹杖一伸，低声说："去不得，阁下。"

"什么？芮老大火暴地叫，鹰目一翻："你这臭花子好大的狗胆，居然要阻止在下走路？"

"施主何必冒火？"永旭用下江腔的口音说："老丐是一番好意，真是狗咬吕洞宾，不识好人心。"

北丐仍然放低声音，神神秘秘地说："是这样的，刚才过去了两位挂剑的仁兄，被一个面目阴沉的老道，和一男一女悄悄跟上，出其不意用什么鬼法术弄昏了，用布袋盛了抬下山去啦！老要饭的看你们也挂了剑，所以劝你们不要上去，说不定老道还躲在竹林子里用法术捉人呢。"

"真的？被捉的是什么人？"芮老大问。

"谁知道呢？"永旭接口："他们曾在下面的石阶向一个和尚问路，问一个什么姓丘的住在何处，和尚不知道，只告诉他们摩空岭的走法。"

"老道擒的人呢？"

"往下走了。听那男的说，要请什么丹士好好问……问什么……"

"问口供。"北丐接口。

"对，问口供，我没听错。"

"那该死的妖道迫不及待下手了，快去找缪老商量。"芮老大向乃弟恨恨地说，脚下一紧。

两人一走，北丐一蹦而起，笑道："再不走就有人来捉去对证啦！快去下另一步棋。"

永旭向山下撤，似乎有两个人分头掠走，要将出面管闲事的人诱至偏僻处下手。

北丐跟踪便追，口中在大叫："妖道休走，老夫认识你，你是五灵……"

五灵两字含含糊糊，因为已追出数十步外，语音难以分辨了。

夺命刀两个人穴道被制，爬伏在路上脸朝下，眼睁睁听天由命，心中祈祷赶走妖道的人平安回来救他们。

永旭和北丐绕至路旁的松林，跃上树静候变化。

北丐说："如果有妖道的人经过，那就十全十美啦！"

"妙极了，那不是来了吗？"永旭向山下一指。

日影西斜，天色不早。

来人是早上下山，被段岳削掉袍袖的不戒魔僧，已换了新僧袍，扛了方便铲急急向上赶，行色匆匆。

"这和尚也不好惹。"北丐说："可不能让他真把这两位仁兄带走。"

"我会打发他的。"永旭充满信心地说，怀中掏出一块破烂，往左颊上一搭，成了一块青紫色的胎记，另一条玩意往右耳下一贴，成了一条刀疤，手一抓，发掩住前额。

"咦！你真像吃八方荀精忠。"北丐说。

"本来就是吃八方荀精忠，老前辈的同行，无恶不作的天涯怪花子。"永旭轻松地说，溜下树走了。

# 第十五章　火焚精舍

不戒魔僧远在四五十步外，便看到趴伏在地的两个人，一怔之下，本能地脚下一紧，接近至十余步外，看到半截九环刀，欣然叫："原来是你们，比佛爷早到一步哩，得来全不费工夫，佛爷正要向你们打听大魔的下落。咦！谁制了你们的穴道？"

和尚将两人翻转，狞笑着追问何穴被制。

夺命刀大概对不戒魔僧不陌生，急急地说："说来惭愧，被人用暗器制住了脊心穴。魔僧，你来九华有何贵干？为何要问欧阳老兄的消息？"

不戒魔僧并不急于解穴，支住方便铲阴笑道："你们不是来替大魔助拳的吗？为何不知他的下落？"

"咱们一路从湖广赶来，怎知他目下是否也来了？"夺命刀说："快替咱们解穴，和尚。"

"慢慢来，哦！谁制住你们的？"

"见了鬼了，咱们怎知有人在这里埋伏？一定是大邪的人，真是岂有此理，怎能在会期前暗袭？江湖道义何在？"夺命刀恨声说："好像是两个人，一个可能是老道，似乎叫什么五……唔，五灵吧？五灵什么就不知道了。咱们被击中之后，有人出面相救，被妖道诱走了，目下不知是吉是凶。和尚，怎么不替咱们解穴？"

不戒魔僧哈哈狂笑，声如枭啼。

百步飞虹哼了一声说："荣兄，你还没看出和尚的态度？八成儿他是替大邪助拳的人，你还希望他替咱们解穴？别做梦了，他在打咱们的主意,也许他与那个什么妖道是一伙的。"

"制你们的人,很可能是五灵丹士。"不戒魔僧狞笑着说:"乌施主猜对了一半,佛爷的确与五灵丹士是同伙,但不是替大邪助拳的人。"

"那你……"夺命刀讶然问。

"哈哈!咱们过去总算有交情,因此,佛爷愿将富贵荣华往你们怀里送,不取分文酬劳,但有条件。"

"条件? 你的意思……"

"把大魔忘了,那对你有好处。哈哈! 佛爷要带你们走,但却须制住另一处穴道,制气海穴,怎样?"

"你说的话,荣某听不懂。"感到敌意甚浓,不知到底有何用意?

"等会儿你就知道了,反正对你有大好处,冲着咱们往昔的交情,佛爷决不会害你们的。"不戒魔僧一面说,一面俯身去制夺命刀的气海穴。

人影来势如电,无声无息像个有形无质的幽灵。

躺在地下的夺命刀看到了,百步飞虹也看到了,但俯身背向的不戒魔僧却无法看到。

花子打扮的永旭用上了绝学,鬼魅似的到了魔僧身后,大喝一声,右腿疾飞,噗一声重重地踢中魔僧的右臂,力道如山。

"哎……"魔僧狂叫,当一声方便铲掉了,头向前冲,飞撞而出,远出丈外,上面的斜坡幸好不是石阶。

魔僧的头重重地撞在斜面上,然后向前翻,跌了个七荤八素,冲势未尽,滑上三五尺再头下脚上向下滑。

永旭迅疾解了两位仁兄的穴道,变着嗓音叫:"快走! 妖道住在九华精舍的人快到了,走慢了死路一条。"

声落,扑向刚挺起上身的不戒魔僧。

魔僧臀部挨了一脚,如在平时算不了什么,但未运功护体又不知有人偷袭,这一脚却禁受不起,只感到五内翻腾,痛彻心脾,连运功的力道也快消失了,怎敢再逗留? 爬起身就向上亡命飞逃。

永旭紧追不舍,一面大叫:"不戒魔僧,你逃不掉的,宁王府的走狗也救不了你,妖道李自然也救不了你,黑道群雄也饶不了你,你们拦截偷袭予会群雄的阴谋诡计,即将大白于天下……"

他是叫给百步飞虹两个人听的,叫声渐远,片刻便消失在坡上的竹林映掩处。

不久,他回到古松下,北丐指着他的鼻尖说:"那贼和尚血腥满手,恶迹如山,你为何不毙了他?"

"毙了他就没有人证啦!老前辈。哦!那两位仁兄到何处去了?"

"反正溜掉了就是。这两个老江湖不先打听动静,大摇大摆来游山,难怪要碰大钉子。"

"老前辈,下一步棋怎样安排?"

"不能再重施故技了,多来两次把戏会被戳穿的。好好休息,晚上老地方见,天色不早了。"

永旭除下胎记和刀疤,和老花子分手。

他不想休息,半躺在聚龙庵前面的牌坊下,面前摆上一个破草筐,半闭着眼等施主们施舍。

香客陆续到达,都是远道而来的信徒,先到招待处礼佛,然后到九华街投宿。

他看到了留在青阳客店的侯刚,带着小书童紫电青霜扮成香客,愁眉不展急步而过,老仆李忠在后面二十余步跟进。

不久,一个老仆打扮的人挑了行囊,跟着一名秀气的小村姑,行色匆匆而过。

"咦!碧落山庄的人真的赶来了。"他想。

小村姑是家凤姑娘,打了他一记摧枯掌的泼辣丫头。

老仆是多臂熊费鹏,那担行囊分量不轻。

接着光临的是生死判敖鸿,打扮成一个富家翁,两位侍女权充内眷,带了三名挑囊箱笼的挑夫。

"他们都来了,李驹兄弟果然是碧落山庄的人。"他心中恨恨地说。

所有的老相好皆经过他身边，没有任何人对他起疑，甚至生死判敖鸿在经过他面前时，居然还布施给他一锭碎银呢。

附近乞丐有十余名之多，谁也没留意这些可怜虫的底细。

最后到达的人，是天罡手赵恒赵三爷，眉宇间似有重重隐忧，紧蹑在两个怪人身后。

两个怪人也是老相好，在鲁港食店曾有一面之缘的笑怪马五常，笑容可掬毫无风尘之色。

另一人是醉仙翁成亮，腰上的酒葫芦特大便是活招牌。

怪与残都来了，其他的人可能陆续到达。

黄昏将临，他在街上走了一圈，睁大眼睛伸长耳朵，不久便摸清了众人的落脚处，连十余个来历不明隐起身分的人，也被他暗中调查得一清二楚。

刚转出街口，劈面碰上一个佩了剑的中年落魄书生。

又是老相好，也是鲁港食店的食客，风尘仆仆匆匆而来，显然赶了不少路。

"唔！大概我要等的人快来了。"他想。

书生在街口止步，呼出一口长气，信手扑扑身上的尘埃，取下小包裹提在左手中，然后从容举步。

接近街中段的放生池，身右挤近一个肮脏花子，鬼鬼祟祟压低声音问："书呆子，那两个小鬼的底细查明了吗？"

书生一怔，右手倏然抓出，要扣花子的脉门，快极。

花子是永旭，左手一振一翻腕，反而扣住了书生的右手脉门。

"咦！"书生骇然叫，左手的包裹便待砸出。

永旭松手退了一步，笑道："打不得，君子动口不动手。两小鬼叫日月双童，对不对？"

"你……你知道多少？贵姓？"书生满脸惊疑，在默默运功戒备。

"很多很多，挹秀山庄的人张扬而过，惟恐不为人知，根本不需打听。那两个小鬼骂得太恶毒，真该有人教训他们的主人。"

"不错，在下搞得他们晕头转向，一天走不了一二十里，几乎连抬轿的人都雇不到了。"

"现在他们……"

"大概快到青阳城了吧,在下早走半天。哦!尊驾是真人不露相,贵姓?你当知道在下是谁了。"

"敝姓周。春申兄是否打算立即与郎兄会合?"

"不急,他还在途中,先见见几位朋友再打算。"

"也好。春申兄在江湖浪迹,亦正亦邪出没如神龙,声誉虽不见佳,但也颇受武林同道尊敬,何必来趟这一窝子浑水?"

"区区与郎兄交情不薄,我行我素不怕世人非议。"书生正色说。

"如果郎老兄不重这份交情,有意拖你下水,如何?"

"下水?什么意思?"

"要你向江西宁王府投效,如何?"

"废话!郎兄不是这种人。"书生断然地说:"宁王即将兴兵造反,天下间尽人皆知,郎兄一代黑道之豪,何等逍遥自在?犯得着去造反自掘坟墓?你……"

"但愿你的猜测不错。"永旭抢着说:"郎兄不在此地主持大局,可能并未将难言之隐告知先到此地的负责人,确是大大的失策。目前山中血腥四起,情势不可收拾,一魔一邪的人皆准备向宁王府的人肆行报复。如果事情闹得太大,不啻断绝了向宁王投效之路,日后的荣华富贵可就泡汤啦!好好考虑后果……"

"胡说八道!还有什么好考虑的?"

"那就好,去追求你们的名利权势吧,荣华富贵在等你们予取予求,你们都是将来的开国功臣……"

"放屁!"书生破口大骂,顾不了身分:"见真是你的大头鬼……"

"哈哈!想想我的话吧,再见。"

"说清楚再走……"

可是,永旭像老鼠般窜走了。

"这人是谁?"书生惊讶地自问。

对面出现笑怪马五常的身影,老远便高叫:"富兄才来呀?快去找戎老兄。"

"怎么啦？你不是与醉仙翁同行吗？"

"醉仙翁的好友恨天无把断了脚,他去向戎老兄查问底细,看样子情势有点不妙,快走。"笑怪神色凝重地走近说,连一贯的笑容都不见了！

永旭躲在一条小巷口观看结果,相当满意,正想动身,突然听到身后传来轻微的脚步声,心中一动,蓦地闷声大叫,重重地向前一栽。

一只快靴踏住了他的背心,阴冷的嗓音入耳:"你这臭花子满街乱转了好半天,鬼鬼祟祟在店铺里钻进钻出,东躲西藏的,在干些什么勾当？从实招来。"

声落,来人俯身伸手抓他的乱发,想察看他脸上的神色变化,手刚接触到头发,胸口的七坎大穴便挨了一下重的,应手昏厥。

永旭挺身而起,一掌拍在对方的天灵盖上,喃喃地说:"老兄,别怪我狠,留一个白痴给那些人问口供,让他们疑神疑鬼,也好火上加油。"

他当然认识这位仁兄,白天这家伙曾经站在招魂鬼使身后,不久前曾跟踪他好半天,显然是大邪方面的跟踪高手,废了这位仁兄,大邪的人必然认定是妖道下的毒手。

离开小巷天已黑了,在一间食店花了百十文,买了一包素菜一钵饭,远离街口到了百岁宫下院,在石阶旁的古松下占了一席地,一面进食,一面留意路上的动静。

平坦的石板路面空荡荡,有人行走不但可以看得一清二楚,也可听到远处的脚步声。

前面,可看到数百步外聚龙庵寺门的灯火。

后面,可看到半里外阴功堂和太白书堂的门灯,隐约可看到书堂前的龙女泉有人徘徊,溪涧旁的龙祠前似乎也有人影晃动。

"今晚恐怕有不少人睡不安枕,更有不少人看不到旭日初升。哦！也许我也是其中之一。"他心中自语,无端涌起淡淡的感伤,和淡淡的寂寞。

多年奔走江湖,历遍了万水千山,走遍了天涯海角,出生入死无时不与死神打交道,遗憾的是迄今仍一事无成。

他的生活固然多彩多姿,充满了游戏风尘的刺激和冒险的满足感,但夜深午夜梦回,仍难忘却那淡淡的乡愁和无端的寂寞。

"我该回家一趟了,堂上的双亲不知安否?"他向天喃喃自语。

他有一个可爱而且温馨的家,但这个家之所以能够温馨可爱,是以不少鲜血换来的,不是菩萨保佑从天上掉下来的,是以血肉砌成的,人活在世间,为了获得安康和乐,必须付出代价的。

"哦!故乡,已经两年了,我真该回去走一趟了。"他低回地自语。

故乡,似乎在幻觉中出现了。

同样巍峨的高山,四川剑州的山,比九华似要雄伟得多。

那座山下的村寨,原有人丁六百余,被汉中巨贼三度洗劫,然后是三月的围攻,最后只剩下两百余丁口。

要不是他三位恩师从青城北上积修外功,见义勇为拔剑相助,夜袭贼营击杀十三名匪酋,匪终于解围而去,保全了危如累卵即将覆灭的山村,他岂能活到今天?

大乱四年,故乡在这四年里从残破中重建,附近千里地域,有此幸运的城镇没有几个,果真是赤地千里,庐舍为墟,有些村镇鸡犬不留,人丁灭绝惨绝人寰。

为了这,他随恩师走遍海角天涯,三年中行程万里,追踪漏网剧贼顺天王廖麻子,在茫茫人海中寻踪觅迹,备极辛劳。

恩师终于返回青城参修,方外人不能久羁尘俗,追踪顺天王以免这恶贼东山再起,残害苍生再次造反的重任,从此便落在他的双肩上。

两年来,他长成了,江湖生涯他已可应付裕如,遗憾的是顺天王的消息如同石沉大海,音讯全无。

两年未返故乡,今晚,内心里涌起了淡淡乡愁,他有立即返乡依恋在双亲膝下的冲动。

屈指算来,他奔走五年,仅有两次返家与家人团聚的机会,思念在所难免。

水流归大海,游子返故乡;他真该回去了,放弃这无望的追踪吧,天下之大,何处不可容身?

一个身怀绝技的剧贼,要隐身太容易了,他一个人,怎能在茫茫人海中找出一个十万大军合围,仍能从容脱身的霸海余孽呢?

谢谢天!他终于找到可疑的线索了。

在香海宫,那个麻面虎不是廖麻子。

挹秀山庄姬家的人,具有玄门绝学太乙玄功,那是廖麻子的不传秘学。

可是,庄主魔剑姬宏并不是麻子。

那位毕老夫子不是麻子。

但是,那两个向黑道群豪叫阵的剑手,摆出的鸳鸯阵,的确是顺天王那些亲军的功架阵式。

因此,他不能打草惊蛇,只有一个办法可以找出顺天王的下落,那就是等挹秀山庄的人来九华亮相。

还有,大小罗天那群年轻人的方阵,也有点像顺天王那些亲军的攻势队形,这条线索也不能放过。

当然,武林有好些门派因门下子弟众多,练剑阵平常得很。

但武林人的剑阵与军伍的剑阵有显著的不同。

武林人的剑阵花招百出,讲求变化、配合、走位,说什么奇正、阴阳,生克等花言巧语。

军伍的剑阵则讲求简单、实用、剽悍骁勇能冲能守,置之死地而后生;在兵马如潮中,没有施展花招的机会,没有宽阔的空间来走位变化,刀剑一出,不是你死就是我活,激战三昼夜谁能蹦蹦跳跳?恐怕连爬都爬不动了,还有什么奇正阴阳生克可言?所以姬庄主亮出鸳鸯阵,大小罗天的人摆出方阵,在气魄上就镇住了黑道群豪,凭杀气就压住了这些乌合之众。

山谷里传出一阵虎啸猿啼,一阵刺耳的枭鸣,打断了他的冥想,惊散了他的幻觉。

他抬头凝望天上的朗朗明星,不自禁地喃喃低唤:"我有大事未了,苍天!请抹去我心坎的一缕乡愁。"

匆匆食罢,他舒散地倚树歇息。

响起了竹杖点石声,聚龙庵方向,一个黑影缓缓而来,接近至二十步外,方看清是一个高年僧人。

"哦!菩萨来了,怪也该来了。"他喃喃自语。

老和尚来至切近,止步抬头向百岁宫下院注视片刻。

院门已关,静悄悄不见人迹。

星光下,他看清老和尚清癯的脸容,灰色的寿眉特长,真有点菩萨的气派。

穿的是二十五条杂碎衣,显示出德高望重的身分,也表明是个乞化僧。

右手点着一根苍黄色罗汉竹杖,胁下有个小包裹。

左手托中型缘钵,里面似乎有食物。

腰旁挂了一个水葫芦,走起路来可听到水响。

背上,是一个寸厚的大蒲团,已成了黑褐色。

老和尚注视着山门摇摇头,然后缓缓踱至永旭左首的另一株古松下,念了一声佛号,悠闲地放下缘钵、手杖、包裹,在树下摆得整整齐齐,所有的动作皆在缓慢中完成,处处表现出一个四大皆空出家人的气度。

一旁冷眼旁观的永旭心中暗笑,忖道:"这和尚可恶,他分明是摆给我看的,倒得好好作弄他一番。"

老和尚缓缓取下蒲团,一面展开一面念偈:"坐具尼师坛,长养心苗性;展开登圣地,奉持如来命。唵!波檀波,娑婆诃!"

"喂喂喂!"永旭拉开嗓门叫:"和尚,你怎么能在这里展随足衣?"

佛门弟子的蒲团称坐具,梵语称尼师坛,俗称随足衣。

"阿弥陀佛!檀越有何指教?"老和尚反问。

"你瞧。"永旭拍拍腰胁:"我带了刀,出家人不近刀兵,你能坐?"

"阿弥陀佛!老衲坐过去些就是。"老和尚木无表情地说,慢慢收拾器具,移至另一株古松下,一切停当,重新展坐具,重新念偈,蒲团缓缓放下……

"喂!和尚,你没仔细看看地下的草隙里有没有虫蚁,压死了一个蚂蚁,你会下十八层地狱的,你师父没教你怎样放随足衣吗?"永旭又在挑毛病。

"阿弥陀佛!老衲知罪。"老和尚毫不生气地说,用手在地上一阵摸索、轻拂、抹动,小心地放下蒲团,松衣带,草履罗汉裤,诚正心意跌坐。

"他的狐狸尾巴快要露出来了。"永旭心中暗笑。

果然不错,老和尚抬起了缘钵,挑起七颗白饭放在左掌心,又在念偈啦:"汝等鬼神相,我今施汝供;此食遍十方,一切鬼神共……"

"和尚,你在干什么?"永旭大声问。

"阿弥陀佛!老衲进……进食。"

"你一定是远道来的和尚,没有人管你是不是?令师如何称呼?你呢?"

"阿弥陀佛!老衲从南京来。家师上悟下净,老衲伽叶。"

老和尚居然没冒火,修养到家,有问必答。

"居然想进食?想破戒吗?"

"阿弥陀佛!这……"

"出家人食不过午。"永旭的声音愈说愈高:"我在九华行乞五六年,和尚的戒律我当然知道。诸天早食,佛午食,畜生午后食,鬼夜食;你是学佛呢,抑或是学鬼?而且,你食前并未净手。"

"阿弥陀佛!檀越……"

"你听吧,你应对偷懒,少了南无两字。"永旭咄咄逼人:"午后你只能喝水,你如果进食,我就跑到下院去敲法鼓,把所有的和尚叫起来捉你去见主持。我反正白天睡够了,在这里睁大眼睛留意你的一举一动,犯了沙弥戒律,我就大声叫嚷,看你到底是不是真和尚。"

老和尚忍无可忍,放下缘钵开始穿袜鞋。

"你看你,匆匆忙忙穿鞋着袜,岂像个心如止水的僧人?脚伸得那么长……"

老和尚人如怒鹰,跃起、飞越、下扑,势如雷霆。

永旭一声轻笑,鬼魅似的闪至树后。

老和尚一扑落空,便知碰上了对手,右掌吐出,劈空掌力发如狂飙,控制住树右,阻断永旭闪避的退路,人从树左超越,愤怒地一掌向永旭拍去。

永旭滑溜如蛇,身形一晃,便避过攻上盘的现龙掌,左手毫无阻滞地探入无俦掌力的中心,扣指疾弹,一缕罡风射向老和尚的掌心。

黑夜中贴身相搏,变招势不可能,功深者胜,决无侥幸可言。

老和尚左手一震,连退两步,手无力地下垂,沉声问:"檀越欺人太甚,为何一而再地戏弄老衲?"

"大和尚别生气。"永旭说:"抱歉抱歉,要不相戏,怎知大师是蒲团尊者?"

"檀越请示名号。"

"在下姓周。"

"檀越是有意作弄老衲的?"

"在下已道过歉了。大师的同伴瘸怪韦松来了吗?"

"檀越问他有何用意?"

"他的侄儿韦胜,被人胁迫失去了自由。"

"真的,难怪过了鲁港镇,就看不见他留下的暗记了。他艺业不差,谁胁迫他?"

"天台挹秀山庄的人。"

"天台挹秀山庄的魔剑姬家除了有一把好剑之外,论拳剑一无可取……"

"大师如果不信,不久便可分晓。"永旭郑重地说:"两位最好隐起行迹,不然与韦胜见面之时,也是两位失去自由之日,千万当心。天色不早,告辞。"

"檀越……"

"呵呵!四下无人,大师可以填五脏庙了。老天爷!做佛门弟子真不容易。"

"檀越请留步……"

"算了算了,再留下来,你最少也得破一百次戒,一举一动全不对头。呵呵!你盯着我看,眼睛睁得比灯笼还大,是不是破戒,你该比我明白。请记住:隐起行迹,收起你那活招牌大蒲团,多看多听以免上当。再见。"永旭说完,一溜烟走了。

三更初,永旭到了白天观战处,用破衣裹了两具雷火筒,手上有一具竹制的弓,二十余支削好的竹箭。

北丐已经先在,看到他的竹弓,呵呵一笑,用手拍打着自己的脑袋说:"真是后生可畏,我怎么没想到这一步棋?黑夜中用弓攒射,可远及两百步外,小伙子,真有你的。"

永旭一面用树枝打桩,一面说:"老前辈,我还有你想不到的无上妙品呢。"

"是什么?"北丐问。

"等会儿再告诉你。"他信口说,继续打桩。

"你这是干什么?"北丐惑然问:"这些树枝……"

"定位。"他说:"每两根树枝定一处标的,稍后再捆上横向指标,黑夜中便不至于浪费箭矢了。"

共定了四处标的,北丐更糊涂了,说:"九华精舍已隐没在雾影中,灰茫茫一无所见,连舍后的山岩也无法看到,你如何定位?见了鬼了。"

永旭将两根树枝递给北丐说:"摸摸看,上面有刻痕,一端是捆横向指标的部位,另一端是打入土中的尺寸。地面的洞孔,白天我已挖了孔做了记号,现在只要打进去就成了。你现在看,四根横枝的指向是东院、天井、前进小楼、内院。直枝是方向,横枝是高低,错不了。"

"喝!你像是行家呢。"

"老前辈,晚辈十三岁就在兵荒马乱中浴血,在兵马如潮中苟全性命,四年……哦!四年,好漫长的四年。"

他深深叹息,不胜伤感:"全村四百条性命,占人口三分之二强,就在这四年中血溅沙场,冲杀、围攻、夜袭、突击,矢石如雨,战鼓雷鸣,火光烛天,晚辈就是在这种境遇里长大的,晚辈的三位兄长中,有两位是在贼人的突袭中牺牲的。你说,我该不该找他?"

最后一句声色俱厉,一把抓住了北丐的肩膀。

北丐吃了一惊,感到右半身全麻了,骇然叫:"小老弟,哪一个他?"

"哦!抱歉。"他放手,吁出一口长气:"不谈这些,徒乱人意。"

他从讨米袋中,取出一大包零碎,解开布包,里面是二十余个拳大的小布包。

"这是啥玩意?"北丐抓起一个问。

"小心,这东西很巧妙,虽然现在不危险,但受到重力打击,足以要你的命。"

他开始一个个装上箭尖:"白天我买了不少炮仗,取里面的火药制成的。箭尖是秃的,插入药包预先留下的小孔,孔内是精巧的发火机掫,两颗铁心夹了两块竹簧片,中间是强力硝石火药。

箭离弦,强劲的力道前冲,压迫簧片沉落,弹落中间的卡锁簧片,便成了危险的催命符。

箭下坠着物,箭杆的冲力没有簧片阻挡,直接打击铁心而引爆硝药,再令火药爆炸,外面一层青磷毒火四面爆散,水都浇不灭。"

"老天爷!如果这时失手掉落……"

"不要紧,两块簧片如无强劲的内冲力,是不可能沉落的,铁心无法冲击硝石,不会爆炸,除非你用力掼掷。"永旭详加解释:"贼人攻城劫寨,用的就是这玩意,但没有我所制的巧妙。他们所制的东西,是吊系在矢杆上的,仅能射出百步左右,当掼炮用,不小心掉在地上也会爆炸,因此也炸死了不少自己的人。"

"哦!想想看,最近几年哪些地方有战乱?陕西、四川……你是汉中人?"

"不必套口风。"他取出雷火筒:"给你一根,等会儿我们杀进去使用。"

"咦！你……你是火灵官的……"

"抢来的,别疑神疑鬼好不好?"他从包裹中取出衣裤:"老前辈要不要换装?"

"换装? 为什么?"

"你不怕他们看出你北丐的身分?"

"我怕什么? 哼!"

"我怕,我要保持神龙浪子的……"

"哎呀! 你就是神龙浪子周永旭?"北丐讶然问。

"不错,出没如神龙,亦正亦邪的勒索者。"

"你认识南乞?"

"小有交情。"

"入暮时分我发现他在回香阁附近鬼混,向一个黑道小混混打听被掳的周姓书生下落如何。"

"怪事,他怎猜出是我? 准备了,有人来啦!"

三个黑影沿小径摸索,挫低身形探进,距雾影约五十步左右,最前面的黑影突然摔倒在地。

"哎……"第二名黑影闷声叫,向上一蹦,重重地摔倒,滚了两滚便寂然不动。

"妖道有备,那些蠢材们无法接近。"永旭说,开始准备弓箭:"我得助他们一臂之力。"

蓦地响起一声鬼啸,黑雾徐升,不久便掩住了小径,黑雾逐渐扩散,像云雾般不住涌腾,雾影中鬼火飘浮明灭不定,隐约可听到鬼声啾啾,和惊心动魄的猛兽怒号。不久,黑雾进抵灰雾的边缘,快要溶合在一处了。

"绿衣仙子也在行法了。"永旭说:"她最少也出动了十个人,喷雾的材料与妖道的不同,可能是毒雾。"

"这些旁门左道的人,是白莲会余孽吧?"北丐问。

"妖道李自然可能是,当然他不会承认,道行要高深些。绿衣仙子用的是巫术,很可能是天地神巫的传人,她接近不了妖道的法坛,我得助她一臂之力。"

果然不错,黑雾距灰雾约两丈左右,便停滞不前。

灰雾突然由静转动,前缘开始涌腾舒卷。

一声金铃传出,灰雾中传出惨厉的叫声:"路姑娘,前进一步即无死所,叫主事的人出来商谈,希望和平解决彼此不伤和气,请勿自误。"

"交出凶手,不然免谈。"是绿衣仙子的声音,语音似乎发自四面八方,不知其所自来:"凶手不仅姓李的三个人,伤了恨天无把的人也得交出。"

"明日再谈……"

"立即将人交出。"

"那就没有商谈的必要了,你们来吧!"

黑雾一涌,伸展丈余。

灰雾也向前一卷,响起一声长号,黑雾一乱。

永旭的弓已经拉满,及时发出第一箭,接着第二箭离弦。当第三箭破空飞出时,下面火光一闪,然后是砰然一声大震,火花四溅。

"砰!"第二箭随之爆发。

第七支箭爆炸后,灰雾四散,火光大明,木材爆裂声震耳,火舌四面升腾,九华精舍暴露在火光中无所遁形。

黑雾也徐徐飘散,数十个黑影向火场抢,火把接二连三点燃,拼命往里冲。

可是,接近院门的人不多,有不少人老远便被伏在小径旁的人用暗器击中了。

入侵的人被阻在五六丈外,进退失据,受伤的人鬼叫连天,投出的火把仅在院内的花圃燃烧。

但精舍却到处火起,救火的人扑不灭青磷毒火,乱得一塌糊涂。

射完二十余枝箭,永旭不胜惋惜地说:"火灵官景雷没有来,可惜!我们该下去了,走!"

两人超越五六名黑影,接近了院门外五六丈。

永旭穿黑袍,右手操弛了弦的竹弓,左手有雷火筒,脸蒙黑巾披头散发,真像一个鬼。他不走小径,一马当先沿岩急进。

火光下,眼前电芒连闪,四五枚暗器从草丛中射出。

他一声长啸,向前鱼跃而出,向左急滚,北丐贴地扫出,立即传出两声惨号,有两个人被击中了。

北丐则到了右面,打狗棍手下绝情,把一名扔出飞刀的大汉劈翻再挺身而起。

左面,永旭已狂风似的接近了院墙,长身上跃侧滚而入。

里面是花圃,他人滚落立即侧射而起,一声雷鸣,火光刺目生花,一道三丈长的火柱,喷向厅外廊戒备的三个黑衣人。

"啊……"惨号声惊天动地,三个有两个浑身着火滚翻在地,廊上成了火海。

后到的北丐超越而进,向厅内引发雷火筒,整座大厅成了一个大火炉。

"退!没有我们的事了。"永旭说,丢掉废筒后撤。

雷火筒的威力,把里面的人吓了个胆裂魂飞,传出一阵钹鸣,救火的人纷纷隐去。

两人越墙而出,一溜烟走了。

两批黑道群豪杀入火场,却发现烈火已笼罩住整座九华精舍,可是并未发现有人逃出,人都不见啦!

等街上的居民及寺院的僧侣赶来救火,九华精舍已经无可挽救。

群豪四散,居然没有人知道用火攻焚毁九华精舍的人是谁。

回到岩坡上的永旭注视着火场,向北丐问:"老前辈看地势,能猜出地道通向何处吗?"

"可能通向东北角的山坡。"北丐说:"土薄石底,怎能掘地道?恐怕是躲在地窟里呢。"

"也可能是地窟,我们走吧。"

"今晚这一把火,足以令妖道……咦!那是……"

永旭长身而起,淡淡一笑道:"那不是狗,是一位蛇行术出类拔萃的狩猎高手。呵呵!现身吧,老兄,在下等着你呢。"

右方三丈外,站起一个蒙面黑袍人,阴森森地说:"木材爆裂声震耳欲聋,人声嘈杂,你们居然能听到声息,耳力不俗。"

"夸奖夸奖。"永旭说:"事实是咱们四周,安装了不少零碎,接近至四丈左右,咱们便知道了。"

"在下发觉箭是从这里射出的,果然料中了。唔!那位是浪得虚名的北丐,阁下又是谁?"

"呵呵!何必问呢?"永旭点着弓徐徐接近:"你阁下蒙了脸,在下也有意掩去本来面目。你是九华精舍的人,在下是毁九华精舍的主谋,这不是够了吗?"

"好,够了,在下要活捉你们两个人问口供。"

"彼此彼此,在下也有意擒你。"

蒙面人哼了一声,右掌立掌徐徐伸出说:"你将后悔说了这些狂妄的话。"

永旭发觉对方并未佩带兵刃,而且出掌表示徒手相搏,也就大方地丢掉竹弓说:"是否后悔,等会儿再告诉你好不好?大话不要说得太早了。"

蒙面人又哼了一声,突然直冲而上,掌如钢刀走中宫疾切而入,用的是阴柔掌力,相距尺余方伸臂发劲。

永旭是行家,火光明亮也看得真切,对方如无超人的内劲,这种切掌即使击实,也力道有限伤不了人,可知这一掌绝不是唬人的虚招,对方必有所恃。

他略退半步,上盘手化招斜拨,也用上了真才实学,内力山涌。

"啪!"掌背接实,罡风乍起,强劲的气流一阵波动,两人皆同向左疾退两步,没有继续出招的机会,半斤八两同被震退。

"咦!"蒙面人轻叫,叫声中饱含惊讶。

永旭也心中暗惊,感到掌背麻麻地。

"再接我一掌!"蒙面人沉喝,冲近招发"小鬼拍门"奇快绝伦。

永旭不甘示弱,迎上右掌用上同一招式硬接。

"啪!"双掌又接实。

"啪啪!"异响几乎同时传出,人影倏合倏分,各向左方斜飘八尺,草木动摇。

原来两人皆用上了左掌,贴身相搏功力相当,速度同样快捷,招一发便志在必得,两人几乎同时击中对方的右肋要害。

永旭感到中掌处如受巨锤撞击,震撼力直透内腑,护身真气似乎抗拒不了这种可怕的潜劲,马步无法稳住,被震飘八尺外,但呼吸并无异样,不由心中一懔。

蒙面人移步迫进,冷冷地说:"能挨了在下一掌而夷然无损,阁下的造诣已臻化境,将是在下惟一的劲敌,因此你得死!"

"阁下用的像是溶金掌,火候之精纯出人意料,你并不打算活擒在下。"永旭神色肃穆地说。

"你死吧!"蒙面人凄厉地叫,双掌五指微屈似爪非爪,向永旭的左右锁骨部位拍去,也像是下搭,速度并不快,明显地不在乎永旭的反击,这一招必可得手。

永旭心中一懔,意动神动,招发"双龙出海"硬接。

他知道这一招对方要置他于死地,必有可怕的奇功发出,不硬接同样危险。

他被迫用上了绝学,双拳并出异象出现,拳头似乎在行将接触时突然涨大了不少,奇异的拳风声如同地下九泉传上的地底龙吟。

"蓬蓬!"闷响骤发,劲流像狂风般向外爆,两侧的草树簌簌怪响,枝叶纷飞。

丈外观战戒备的北丐,突然大叫一声摔倒在地。

狂风乍起,一缕轻烟像流光!瞬即飘出三丈外,冉冉消失在草木丛中,百十片黑碎布在原地翩翩飞舞。

"是他!"永旭用近乎虚脱的嗓音叫,连退六七步,踩倒了身后不少草木,最后屈右膝着地方稳下身形,浑身在痉挛,虎目中神光一敛,语音渐低:"太乙玄功!"

北丐狼狈地爬起,铁青着脸叫:"厉害!这是什么奇功?人呢?"

"用遁术遁走了。"永旭站起跌脚叫:"我该带剑的,我该带剑的……如果我知道是他……唉!真是天意也!"

"你……你们用什么怪功硬拼的?老天!真可怕……"

"我先走一步。"永旭匆匆地说,一跃三丈,去势如电射星飞。

"小老弟,等我……"北丐急叫,急起直追,但追了三五十步,前面已不见人影,只好止步苦笑道:"这娃娃深藏不露,露一手就足以令人心惊胆跳,可怕,可怕。"

永旭一口气赶到聚龙庵,路旁的一座草棚内坐着两位乞丐,一个正在用沙哑的嗓门,摇头晃脑唱劝世歌,音调徐缓悲凉:"人生本是梦一场,富贵荣华瓦上霜……"

他在棚外喂了一声,扳着棚柱问:"看到有人往山下走吗?"

"开玩笑。"唱歌的乞丐说:"三更都过了,怎么会有人往山下走?除非他不想活了。"

"你们没睡?"

"睡个屁,上面什么鬼地方失火,锣声一响,谁还睡得着?"乞丐伸出脑袋盯着他:"什么地方失火?好像很近呢。"

"街尾。真的没有人往下走?"

"没有,火一起我们就起来了……"

永旭脚下一紧,向山下如飞而去。

在二天门遇到一个上山的游方僧,一问之下,知道的确没有人连夜下山。

日上三竿,他已身在青阳城内。

囊中还有十余两碎银和数百文钱,在城西一处卖旧衣的偏僻小店,买了一件尚可穿着的青袍,收起扮花子的衣物,回复了本来面目,然后回到殷家山下的九华老店。

殷家山下的九华老店,规模不算大,并不太吸引江湖人的注意。

总算运气不坏,侯刚和老仆李忠,带了两书童紫电青霜上九华,仅带走了一部分行李,其他的物品已交柜保管,他的行李也在其中。

他向店家讨回自己的行李,要了一间上房安顿妥当,换回书生装,出城往至南陵的大道迎去。

在五里亭南面的小山坡树阴下隐起身形,监视往来的旅客。

巳牌左右,一队旅客护着两乘山轿接近了五里亭,首先便看到走在前面的日月双童,日童子右手有兜手的伤巾,大概是右手受了伤。

后面,韦胜垂头丧气埋头赶路。

人数比早些天多了一倍以上,姬老庄主仍然走在轿前,神态在悠闲中流露出忿怒,是个脸呈微笑心中机诈的人。

姬少庄主风采依旧,眼中经常泛起警戒的表情。

姬惠小姑娘跟在乃母身后,风尘仆仆倒也未现倦容。

"大概被穷儒戏弄得心虚了,所以人都不敢分散啦!"

永旭心中暗忖,目光狠狠地打量从容举步的姬老庄主,也留意其他的人。

遗憾的是,无法看到轿中的情景。

他等众人去远,回到亭中喃喃自语:"唔!也许我真的料错了,昨晚的蒙面人不在这里。"

他怀疑昨晚的蒙面人是姬老庄主,可是,眼前的景象却否定了他的猜想。

昨晚那一记生死硬拼,他自己用上了从不轻于使用的绝学,仍被对方的太乙玄功震得五内沸腾,几乎伤了内腑。

对方不但外袍碎裂,内腑不可能毫无损伤,即使有功参造化的灵丹妙药,也不可能在短短的半天内复原,脸色和走动的外表神情,决难逃过他的神目。

但姬老庄主外表毫无改变,姬少庄主也精神奕奕毫无异状,这表示他的推断完全错误,他要找的必定另有其人。

"不管是与不是,我得进一步追查,也正好利用他们重上九华。"他心中打定了主意。

按行程,挹秀山庄的人如果真的要上九华,当然不会在县城停留太久,今晚必定在二圣殿投宿,或者多走几里到头天门甘露寺过夜。

第二天上山轻松多了。他跟踪入城，留意一切可疑征候。

他发现姬家的人，进了南大街一栋大宅，门外的门灯写着"丹阳郡广"。

宅院甚大，轿可直入厅下，因此他只能在院门外瞥了那么一眼，看不出有何异状。

等他在城内逛了一圈，午膳后转来察看动静，院门关得紧紧地，更看不出什么了，没有动身的迹象，显然姬家的人今天没有上山的打算。

"晚上再来看看。"他想，在街前街后略为走动，对广宅的形势摸清了三五分。

# 第十六章　大小罗天

　　他在十字街一家裱字画的作坊流连半个时辰,买了一部《地藏三经》——本愿经、占察业报经、十轮经——和一幅《闵公塔诗赞法帖》。

　　作坊的主人年届花甲,姓王,一团和气笑口常开,请他在客堂款待,沏一壶好茶待客,以为他真是来九华游山的读书士子,谈起太白书堂的沿革兴衰如数家珍,介绍九华名胜滔滔不绝。

　　但他意不在九华,不久便探上正题。

　　"王东主,贵地山清水秀,九华又是江东香火之宗,怎么似乎并不怎么繁荣,城池甚小,户不及千,岂不可怪?"他问。

　　"公子爷难道还没看出来?"王东主含笑说:"敝县山多田少,地非冲要,当然没有沿江的商埠繁荣,来往的几乎全是香客,能繁荣得起来吗?"

　　"东主祖籍青阳吧?"

　　"不,本籍六安,迁此已有四代。"

　　"算起来东主已是本地人了。"他喝了半口茶:"南大街有一家姓广的人,好像是罕姓呢。"

　　"哦!你说的是广二爷广家。不错,广是罕姓,在敝城仅此一家。广二爷为人乐善好施,是本城的仕绅,祖上据说在前朝出了一位什么功名,但他不是本城人。"

　　"这怎么说呢?灯笼上写着丹阳郡,这里是汉丹阳郡地嘛!"

　　"广二爷的尊翁在十余年前方迁来本城落籍,所住的宅院是向本城的破落户陈浩买的,在山上还有一座避暑别墅,通常约在六月初上山。汉丹阳郡大得很呢。"

"哦！这时大概已经上山了,家里还有些什么人?"

"只有两个老仆照管。"

"山上的别墅可有名称?"

"叫九华精舍,那也是买来的,花了三年工夫改建,不到冬天不下山。听说,广二爷还是吉祥寺的护法檀越。但据我所知,他家里供的神好像是玄天大帝。"

"是天师道弟子?"

"不知道,敝地的人皆是供佛的。"

"平时他大概有不少外地朋友来访吧?"

"这个……好像没听说过,往来的都是本城仕绅,听说他的九华精舍,倒是经常有朋友寄居。"

不能再探询了,以免引起王东主的疑心,消息已经够丰富了,这已经证实这位广二爷,明里是地方仕绅,暗里是隐身的问题人物。

九华精舍已毁,消息居然尚未传抵县城,颇令他感到意外,也许是王东主很少过问外事吧?

那么,有关广二爷的消息是真是假?必须再仔细打听求证。

他在别处走了一趟,技巧的向人打听,除了广家供的神无人知悉之外,其他各事皆证实了王东主的消息是正确的。

九华精舍被毁的消息,城里已逐渐传开了,有人说是被强盗打劫,有人说是燃炮不慎而失火的。

难怪姬庄主在广家逗留,显然已得到九华精舍被毁的消息了。

申牌初,他返回九华老店,一脚踏入店门,首先便发现店堂的两名店伙神色有异,见到他便匆匆转首他顾,并未向他打招呼。

再就是掌柜先生和小厮,一反往常含笑道好的神情,惶然低下头不敢正视。

他嗅出危险的气息,没来由地心潮一阵汹涌。

"危机来了!"他心中嘀咕。

他久走江湖,具有江湖人的敏感与机警的反应,这瞬间,他已决定对策。既然李驹兄弟已经暴露身分,他已用不着装疯扮傻了。

上房前面是宽阔的院子,廊下摆了一些盆景,院中是石板铺的地面,是供客人活动的地方。

他沿走廊泰然而行,徐徐到了房外,不由疑云大起,锁仍在门扣上,似乎不曾有人进入,怎么四面不见有人? 难道对方并未派人在此监视? 也许是疑心生暗鬼,根本没有人来找他呢。

但他知道这是不可能的,至少李驹兄弟绝对放不过他,他已经表示要搅散宁王府的爪牙网罗黑道群豪的阴谋大计,李驹兄弟也知道他艺业惊人,不派人找他才是怪事。

他掏出钥匙开了锁,淡淡一笑,无所顾忌地推开房门,笑道:"你们这时才来,在下大感意外。呵呵! 在下有件事大惑不解,能见教吗?"

房内有三个人,老仆李忠、天罡手赵恒、小姑娘家凤,三人的神色极为凝重,小姑娘更是愁容满面。

"老弟台,请立即带了行囊离店。"天罡手抱拳诚恳地说:"客店已受到监视,不久将群魔毕集,大邪的朋友已发现老弟返店了。"

"大邪的朋友并不可怕,在下怕你们碧落山庄的人。"他沉下脸冷冷地说:"你们昨天上了山,怎么就赶下来了? 你以为凭你们三个人,就可以把在下弄上山去吗?"

小姑娘不会客套,急急接口:"二哥,不要说些缠夹不清的废话了,今早南乞找到了北丐……"

"你叫我二哥? 我不再上当了……"

"你听我说好不好?"姑娘抢着说:"北丐已将你的事……"

"你们把北丐怎样了? 捉去送给妖道剥皮抽筋?"他厉声说:"我警告你们,北丐如果有了三长两短,你们最好赶快返回碧落山庄,周某不把武陵山搞个天翻地覆,就不配称神龙浪子。"

"你这人……"

"我受够你们了。"他不耐烦地说说:"去做你们的富贵荣华梦吧,不要来打扰我。"

声落,身形一闪,像鬼魅幻形般消失在房门外。

"二哥……"姑娘惊叫,疾冲出房。

三人到了门外,院中寂寂,哪有永旭的人影?

"他真的气疯了,平时他是笑容可掬的。"老仆李忠苦笑:"他把两位贤侄看成知己,却发现两位贤侄是妖道李自然的贵宾,难怪他生气了,唉!这……这如何是好?"

"忠伯,糟透了,他本来就对我们有成见。"姑娘哭丧着脸说:"他这一走,我们到何处去找他?忠伯,还是派人回家……"

"回家又能怎样?远水救不了近火。"天罡手垂头丧气接口:"难在我们不能出面向妖道索人,这会误了两位贤侄的性命,妖道更可挟人要挟,我们……再说,咱们人手不足,而且也无法与妖术对抗。依北丐所说的情形看来,恐怕惟一能克制妖道的人,就是这位神龙浪子。"

"我们得赶快离开了。"侯刚无可奈何地说:"醉仙翁亲自带人来下手,要捉周老弟替恨天无把报仇,那老酒鬼把恨天无把的账,也算在周老弟的头上啦!他们不敢找妖道拼命,却把周老看成罪魁祸首,我们不可卷入,以免暴露身分。"

"可是,侯叔,我们怎办?"姑娘焦虑地问。

"找他,这件事必需解释清楚。"

"难在他不肯听我们解释。"李忠说:"刚才他不翻脸,已经很难能可贵了。"

"只有他才能告诉我们两位哥哥与靳叔落在妖道手中的内情,非找到他不可。"姑娘坚决地说。

"可是……"

"有了。"姑娘凤目一转,脸有喜色:"他不会听我们解释,只有一个办法可以对付他。"

"小姐的意思是……"

"找到他再说,走!醉仙翁人手足,盯住他们定有所获。"

三人出店的同一时间,永旭也进了自己的客房,匆匆收拾简单的行囊,留店钱在床上,跃登瓦面从店后开溜。

他对碧落山庄的人深怀反感,所以不听姑娘的解释,还以为姑娘要说服他向妖道投靠的呢。

他走后不久,大批黑道群豪赶到,立即四出追踪。

路只有一条,夜间走路的人,决难逃过眼线的监视,因此永旭不打算连夜上山,他在城门关闭之前出城,在偏僻处藏妥行囊,二更天再由水门附近偷越城关入城,三更初接近了广二爷的宅院。

他这种出而又入的诱敌术,可以摆脱跟踪的人。

果然收效,醉仙翁一群人在城外大索四郊。

广二爷在这里潜伏了十余年,改建了九华精舍,精舍有地窖或通向外面的地道,更可能有机关陷阱。

这栋大宅是否也有这些自保的御敌设备?

顺天王逃亡五载,与广二爷有何关系?

姬家的人在此落脚,是不是巧合?姬少庄主的妻子练有太乙玄功,姬家的人当然也具此绝学,虽然他们在午间从南陵抵达青阳,昨晚那位蒙面人似乎并未下山,姬家的人已无嫌疑,但住进广家,必定与蒙面人有所关联。

这些事他必须查明,而且不能暴露身分,因此他今晚穿了灰黑色的夜行衣,戴了仅露出五官的头罩。

三更初,他像鬼魂般出现在广宅的东跨院,无声无息地飘落在厢房的黑暗角落。

搜了几处地方,并未发现警哨。

人都睡了,整座宅院寂静如死。没有任何可疑征候,没有任何机关埋伏。

宅院共有十余间建筑,要不了片刻便可搜遍。

他不能找人问口供,那会打草惊蛇。

四更将尽,毫无动静。

他像守在鼠洞口的猫,耐心地窥伺着每一可疑角落。

五更的拆声传来,一个黑影幽灵似的出现在后院的暗影中,从外面飘入的身法十分轻灵,轻功已臻化境。

黑影似乎对广宅十分熟悉,毫不迟疑地飞越内进房舍,飘落在东跨院,在院中小立片刻,然后到了南首的厢房前在门上,轻扣三声。

厢房门悄然而开,里面的人低声问:"口信带到了?"

"带到了。"黑影低声说:"情势不易控制,请火速上山商量。"

"醉仙翁那些人所找的周姓书生,身分证实了吗?"

"只知他姓周,连真名都无法查出。"

"那两个姓李的小辈,不是说他叫周昶吗?"

"他们的姓名全是假的。"黑影肯定地说:"李驹兄弟的身分,五灵丹士恐怕料错了,碧落山庄决不会仅派一个飞天大圣保护两名子弟外出闯荡,飞天大圣的艺业并不是第一流的,何况那位仆人李义,是不是飞天大圣尚难判定。不过,等过两天就可以知道真假了。"

"怎么要等两天?"

"离魂鬼母即将赶到,她的离魂大法,可以令任何人在神智迷乱中吐实。"黑影说,退了一步:"天色不早,兄弟告辞。"

"好,家父将立即动身。哦!请转告天师,那个姓周的书生,恐怕就是咱们所要找的人,他原来与韦胜同行,但似乎不会武艺。两人同名,会不会是巧合?因此,人抓到之后,务必将人留下,而且决不可让他与魔邪双方的人合作。"

黑影抱拳施礼,应喏一声,退出廊下以一鹤冲霄身法登上瓦面,由原路出了广宅,隐入黑暗的后街。

不久,出现在城西南角的城头上,飘落城外越野而行,折入登山的大道,展开脚程向九华急赶。

赶了半里地,道旁的树林中,蹿出一身黑衣戴了头罩的永旭,挥手示意笑道:"阁下,你才来呀?"

黑影止步,一双眼在微曦下闪闪生光,一按插在腰间的剑把沉声问:"卸下你的头罩,让在下看看你是谁,为何拦路?"

永旭徐徐脱去头罩,笑道:"我就是你们要找的姓周书生,你就是那些排剑阵年轻人两首领之一。"

"咦！你……"

"感到奇怪吗？"永旭拔出腰带上的折扇："呵呵！在下要知道你向姬少庄主所传的口信,希望你合作。"

黑影知道不妙。

传口信时,双方说话的声音甚低,这位自称周姓书生的拦路客,居然知道内情,可知对方必定早已在广宅潜伏,而且竟能赶在前面拦截,对方的艺业不问可知,不由心中一懔,以奇快的手法拔剑,先下手为强,突然身剑合一抢先动手,剑虹如电,奇快绝伦。

永旭更快,向侧一闪,不但脱出剑网,而且直迫黑影的左胁背,折扇一挥,一沾即走,飘出丈外避开第二招快攻,徐徐游走说:"怪事!你阁下的剑术,比那些年轻人差了一大截,你怎配做他们的首领?"

说话间,他左闪右避,在黑影一连十余招狂攻下从容出没,在剑网中游走自如,折扇间或点出直攻对方的要害,迫对方撤招易位,那快速辛辣的剑网,根本无法控制他的中宫,折扇却可从剑网的空隙中递入,点打敲拨灵活万分,已完全掌握了优势。

黑影知道绝望了,虚攻一招撒腿就跑。

永旭呵呵笑,如影随形盯在对方身后笑道:"你往县城跑,不会如意的,挹秀山庄的人,这时大概还在两里外,他们不会是你的救命菩萨。哈哈!你就别走啦!"

他说话的声音怪怪的,人紧跟在对方身后不足八尺,伸手可及,而语音听在黑影耳中,似乎远在一二十步外。

因此黑影根本不理睬他的威胁,无暇后顾全力狂奔,快得如同星跳丸掷,每一起落足有三丈以上,逃命的速度委实令人咋舌。

但永旭的轻功更是惊人,脚下如行云流水,如同影子般附在对方身后,像个有形无质的幽灵。

声落,折扇一伸,不轻不重地点在黑影的身柱穴上,左手一伸,便抓住黑影的腰带说:"不要往地下栽。"

"当!"黑影的剑坠地,冲势已止。

永旭插好折扇,拾起剑,将人挟在胁下说:"离魂鬼母会问口供,在下也有一套妙方,不怕你不吐实。且等一等,姬家的相好该快到了。"

他隐入路旁的竹林,片刻,人影来势似奔马,男女老少一大群。

除了毕夫子夫妇,其他的人全到了,姬少庄主领着日月双童在前面领路,韦胜扛着大铁棍,跟在姬老庄主身后,脚步声最重,他那根大铁棍真是个累赘。

永旭等他们去远,方挟住黑影回到路旁说:"果然不出所料,他们登山与妖道会合,把毕夫子夫妇留下,他们自己去游山啦!唔!先问口供再说……咦!这么早就有人上山?"

县城方向,施施然来了一个人,远在百步外,看走路的步伐,便知是个高大健壮的年轻人,穿黑直裰,佩了剑,背上还有一个半大不小的包裹,不是香客,是个落魄的江湖人,很可能是替大魔大邪助拳的朋友,昂首阔步行色匆匆。

他懒得理会,越过路面,向对面的树林走去。

入林十余步,背后传来了叫唤声:"喂!你挟住一个人,是劫路的?给我站住。"

他扭头一看,刚才那位江湖客,正站在路旁向他注目。

东天已出现鱼肚白,树林并不密,练武人目力佳,相距十余步,双方皆可看清脸形轮廓。

果然是一位年轻人,粗眉大眼五官十分出色,可惜脸部不带表情,那双清亮的大眼神光炯炯,身上散发着危险气息。

永旭心中一动,这位年轻人的神态,与那八名排剑阵的年轻人太相像了,原来这位被擒的仁兄带有保镖呢。

"我们到林内玩玩。"他说,向林深处急走。

年轻人疾射而来,身形之快,比被擒的黑影迅疾得多,冉冉而至紧跟不舍。

永旭暗暗心惊,可能碰上对手了。

他脚下一紧,速度突然增加。林深半里左右,出林百十步荆棘已尽,眼前出现一处两亩大小的短草坪。

身后，年轻人比他晚二十步左右。

他掠至草坪中心，将俘虏往地下一丢，一声长笑，回头向掠来的年轻人迎去，夺来的长剑向前一拂，叫道："好手难寻，这里正好放手一拼……好！"

"铮"一声剑鸣，年轻人接了他一剑，借势侧飘丈外，百忙中拔剑接招，手法惊人地快捷，双方接触快逾电光石火，剑上的造诣出类拔萃。

晨曦下，双方都可看清对方了。

那是一个年约二十出头的英俊年轻人，身材与他一样高大健壮，脸色如古铜，一双大眼清澈明亮炯炯有神。

人与人之间，第一印象最为重要。

对方仪表不俗，同样健壮、年岁相若，而且剑术的确不错，因此，永旭对这位年轻人平空生出五七分好感，也涌起惺惺相惜的念头。

这位年轻人的气概，与李驹兄弟又是不同，没有李驹兄弟那种公子哥儿的自负，而多了江湖浪人的自尊与成熟的沉稳气魄。

年轻人解包裹丢至一旁，举剑逼进，举剑的手显得松弛无力，但剑随手动浑如一体。

永旭一怔，欣然说："好啊，精神内聚，六合如一，静时如轻云淡雾，发必似雷轰电掣，这才是剑道神髓，阁下已修至身剑合一境界，咱们将有一场真正的龙争虎斗。"

年轻人似乎懒得说话，以行动作为答复，剑化长虹排空而进，恍若电光一闪，快得几乎令人肉眼难辨。

"铮！"永旭一剑振出，随势急进，反手撇剑反击，电芒指向对方的胁下，急如星火。

年轻人沉剑移位，"铮"一声架开他的剑，换了一照面，以"乱洒星罗"反攻，反应迅捷绝伦，一口气洒出十余道虹影，每一剑皆志在必得，声势之雄无与伦比，剑气直迫八尺外，进退如电锐不可当。

永旭用上了真才实学，接招化招毫不放松，不时以排山倒海似的声威反击，互抢机先快攻。

但见剑影漫天彻地,人影快速地进退盘旋,你来我往各展奇学,险象横生危机间不容发,双剑的接触声如联珠,好一场快速绝伦的龙虎争斗。

各攻了百十招,速度仍未减弱,十丈方圆内的及膝茅草,被践踏得几乎全部偃倒,断了的草叶被剑气迫得四散纷飞。

朝霞满天,两人的攻势似乎更为猛烈,神色肃穆浑身汗雾蒸腾,灵活的移位更为快速,似乎势均力敌,短期间很难分出胜负来。

又是百十招过去了,脚下终于逐渐慢下来了,最后传出三声铿锵的剑鸣,剑虹与人影倏然分开,拉开了两丈空间。

年轻人是斜向飘退的,马步一沉,立即迅疾地转身向敌,而且迅速移步迫进,举剑的手依然呈现松弛状态,但呼吸已有点不平静了,虎目中涌现疲容。

永旭是正面后退的,双脚落实迅即滑进两步,左袖拭掉额旁的汗水,沉静地说:"没有藏私的必要了,咱们以内力分高下吧,这样拖下去,大概拖上三天三夜也无了局,阁下是周某所碰到的最佳剑手。"

"在下也有此同感。"年轻人冷然发话,声落剑发,一招"灵蛇吐信"疾探而入。

招式极为平常,但剑上的潜劲却大得惊人,剑发出的瞬间,真力骤发如同山洪崩泻,剑身出现异象,似乎亮度突然增加数倍,锋尖更是光芒耀目,剑吟声如同云天深处传来的隐隐殷雷。

真拼老命了,这一剑如果没有更强劲的内力,绝对阻不住长啸直入的可怕冲刺,除非能及时闪避。

"铮!"永旭一剑封出,震偏对方刺来的剑尖,立还颜色以"飞星逐月"回敬。他的剑也出现异象,锋尖似乎隐现一道非虚非实的尺长电虹,随剑吞吐如同活物。

"锵!"年轻人一剑急封,锋刃接触,火星飞溅。

罡风骤发,双方的剑气发挥威力。

年轻人被震得侧射丈外,脸色大变,左足先着地,身形一挫几乎滑倒。身形在一挫一滑间,左手疾扬,一把飞刀以令人肉眼难辨的奇速,射向转身移位作势跟踪追击的永旭,一闪即至。

永旭的剑一振,叮一声飞刀应剑震成十数段碎屑。

"你的飞刀相当可怕。"永旭凛然地说:"你不是一个讲武林规矩的人,我不会饶你的。"

年轻人冷哼一声,站稳举剑迈出两步,剑式变了,先指天后指地,左手的剑诀虚划一周天,然后剑身斜横肩外,刷一声从下面画一半弧向前拂出,举步欺进。

永旭一惊,剑从上方画一半弧拂出,虎目生光庄严地说:"你要用大罗剑对付我。虚云逸士狄前辈失踪多年,居然调教出你这种为虎作伥,不守武林规矩的门人子弟,在下要替狄前辈教训你。"

年轻人脸色一变,讶然问:"你知道大罗剑?你知道狄前辈?"

"当然知道,七年前在下曾经与家师拜望他老人家,此后即不知他老人家的下落。咦!你称他老人家为前辈?你想欺师灭祖?"

年轻人长叹一声,收剑说:"在下不是他老人家的门人子弟,却受业于他老人家。既然他老人家是你的长辈,在下不能和你动手。"

"你是大小罗天的人?"

"以前是,现在不是了。"年轻人黯然地说:"大小罗天的人,整整追杀了我四年之久,我已经不耐烦了。"

"哦!你是……"

"我姓辛。你真不知道狄前辈的下落?"

"哦!我想起来了,你姓辛……哎呀!你就是追云拿月罗前辈所说的辛文昭。"永旭欣然地说,收了剑:"三年前兄弟伴师行脚京师,见过追云拿月,他语焉不详,说话诸多顾忌,他老人家十分推崇你的。有关大小罗天的事,江湖朋友知者不多,咱们交个朋友,如何?"

"你是……"

"兄弟周昶,字永旭,江湖匪号称神龙浪子。家师与狄前辈交情不薄,九年前别后,行脚天下即不再听说他老人家的踪迹,你也不知道?"

"四年前大小罗天被官兵所毁,在下只知道他老人家在我被派赴京师的当晚失踪,此后即下落不明。哦!永旭兄,你这次来九华……"

"来准备搅散宁王网罗天下黑道群豪的毒计,你……"

"我想见见几位旧日一同受苦受难的弟兄,三天前我在彭泽知道他们的行踪,因此昼夜兼程赶来了。"辛文昭心情沉重地说:"那个什么江庄主搜遍天下,带了无数高手要置我于死地,有几次几乎遭了他们的毒手。因此,我不想再逃了……"

"对,逃不是办法,你应该反击。"

"这就是我重游旧地的原因,我不能永远逃避,对付那些丧心病狂的人,有如对付恶犬,你只有主动打他,他才会怕你。"辛文昭愤愤地说。

"好,我想,我们可以从九华开始。"永旭欣然地说:"你等一等,我处置了那位走狗,咱们一起上山。"

"走狗?你是说……"

"我捉住了一个大小罗天的人,山上还有十个。"永旭一面说,一面走向丢在草丛中的俘虏。

俘虏是个高大的中年人,一双鹰目不住地焕发出厉光,却盯着一旁的辛文昭发怔,眼中有恐惧的表情,赫然是先前扮香客带了六个人上山,叫一个姓段名岳的同伴,教训不戒魔僧的人。

辛文昭一看清对方的脸容,吃了一惊,本能地急退两步,脸色一变。

永旭旁观者清,说:"兄弟已制了他的身柱穴,正打算问口供呢。"

中年人突然说:"辛文昭,放我一马,我负责向江爷解释,保证今后不再追究你以前的过错。"

"你们从来就没有放过我,你们也从没教过我宽恕敌人。"辛文昭定下神说:"因此,我不能放你一马。你李管事也不配在姓江的面前求情,我也不会放过向你们报复的机会。"

"辛兄,你认识他?"永旭问。

"认识,他从前是大小罗天的管事,我只知道他姓李,是个毫无人性的畜生,他一双手曾经杀死了十几个可怜的儿童和小女孩;大小罗天在八年中,虐杀了近两百名儿童和小女孩。"辛文昭咬牙切齿地说:"宁王为了训练一些高手刺客,掳来二百八十名十岁以上十二岁以下的男女儿童,预定训练十年,在我被派出之前,八年中共死了一百六十八名之多,想起来就令人不寒而栗。"

"你要饶他吗?"永旭问。

"杀!"辛文昭凶狠地说,接着神色一弛长叹一声:"这四年来,我像一头在猎围中的狐,只有凭机智苟全性命。这期间,出生入死步步杀机,深深体会到人活着的确不易,要生存,逃避决非上策,只有展开凶狠的反击,才能令对方有所顾忌,因此,这就是我追踪他们的原因所在,我要逐一歼灭他们,才能保障我的安全。李管事,把江庄主的行踪告诉我,我向周兄求情放你一马。"

"在下不知庄主的行踪,只知道他亲自带人追踪你的下落。"李管事说,眼中有凶狠的表情:"辛文昭,天下各地皆布了眼线,安了百十处秘窟,你躲不住的。听在下的劝告,毙了这姓周的,在下保证替你在庄主面前关说,不追究你叛逆的罪行。这是你最好的归队良机,千万不可错过,你还不动手?"

"既然你坚不合作,辛某不管你的死活了。"辛文昭向后退,转向永旭说:"周兄,该怎办你就瞧着办吧。"

"辛文照,你……"李管事大叫。

永旭一把扣住李管事的下颚,抵住了牙关,探手入怀摸出一颗指头大的灰色丹丸,捏破蜡衣笑道:"这是药王戚野先的安神丹,他的四大神丹中名列第三的不传秘药,专用来医治后天疯癫的奇珍。吞下之后,片刻便体安神弛半睡半醒,有问必答,可以令病人把蕴藏在内心深处数十年的秘密,毫不保留地吐诉出来,从此找出病的根源。阁下,片刻之后,你会把你祖宗十八代见不得人的事全部吐露出来,这比离魂鬼母的离魂大法方便多了,离魂大法对一些意志坚强的人没有多大用处的。"

他将丹丸硬塞入李管事的口中,仍捏住牙关不放,以免李管事嚼舌自杀,向辛文昭说:"辛兄,你也来吧,知己知彼,才有制胜的把握,是么?"

"我问他……他会说?"辛文昭意似不信地问。

"任何人问他都会说,这与离魔大法完全不同。"

"哦!也好,你先问吧。"

"要等片刻药力方能行开,药效可支持半个时辰。"

片刻,李管事的手脚肌肉开始松弛,慢慢地呼吸转弱,躯体逐渐发软,缓缓地闭上了鹰目。

永旭放了扣牙关的手,把李管事的身子摆平,解了被制的身柱穴,李管事像个快断气的人。

接着,眼睑张开了一条缝,似乎已恢复了一些知觉。

"李管事,你的大名是什么? 说吧。"永旭用稳定的嗓音问。

"我叫李顺。"李管事不假思索地答。

"你带了多少人来九华? 谁是主事? 来九华有何要事?"永旭接着问。

"共有十一个人,主事是李天师,我奉命带到向他报到,负责收拾那些不肯投效的黑道朋友。"

"今早你下山传口信给谁?"

"传李天师的口信给姬庄主,要他们挹秀山庄的人立即上山相机行事。"

"挹秀山庄的姬庄主,也是宁王府的人?"

"我不知道,我只负责传口信,可能是李天师请来的人,据李天师说,挹秀山庄的人,艺业比大小罗天的人强得多。"

"昨晚九华精舍怎样了?"

"被群豪放火烧了,我们从地道脱身的。李天师为了这件事很不高兴,把五灵丹士骂了个狗血喷头。这些黑道人不易对付,因此天师决定提前发动,因为大邪的好友二邪三眼天尊今午定可赶到。三眼天尊两年前便投效天师,这次去请挹秀山庄的人前来炫露实力,他负责说动大邪的人投效。"

"大魔那一面,你们收买了些什么人?"

"我不知道。"

"挹秀山庄的人中,有没有一个廖麻子?"

"不知道,我们不知道挹秀山庄的底细。"

"姬老庄主是不是练了太乙玄功?"

"不知道,不可能的,他的剑术也平常得很。"

永旭摇摇头,向辛文昭低声说:"浪费了一颗灵丹,这位仁兄所知道的事少得很。辛兄,你问吧。"

"李管事,江庄主目下在何处?"辛文昭接着问。

"目下坐镇湖广武昌府,不肯回南昌,他发誓要将叛逆辛文昭那四个小畜生擒住剥皮抽筋化骨扬灰,宁王为了这件事很不高兴呢。"

"哦!四个人都没抓住?"

"没有。最后一次发现辛小畜生的地方是四川,庄主猜想那小畜生可能逃向云贵,也可能逃往交趾去了。"

谁差遣你们来九华的?"

"是李天师向庄主要人,庄主便派我们来了。"

"庄主会不会来?"

"庄主不会来的。大小罗天之败,罪魁祸首应该是李天师,要不是李天师向庄主要人到山东杀费大学士,怎会有辛文昭叛逃的事发生?庄主建立大小罗天训练人才,预期十年,真不该早两年将人派出的。功败垂成,庄主恨死了李天师,但李天师是宁王面前的红人,庄主不得不敷衍他,所以派了我们十一个人来。"

辛文昭整衣站起说:"不必问了,周兄,兄弟要跑一趟武昌。"

"去找江庄主?江庄主是谁?也许我知道他的底细呢?"

"我只知道他叫江庄主,宁王的心腹,大小罗天的主事人,虐杀一百六十八名男女童的元凶。"

永旭转向李管事问:"江庄主的真姓名是什么?"

"不知道,大家都不敢问,也许大总管甘飞知道他的底细。"

永旭不再多问,一掌拍在李管事的天灵盖上,站起说:"辛兄,你到武昌,我上九华,咱们就此分手。"

"周兄,你对付得了大小罗天十名高手的围攻吗?"辛文昭关切地问。

"如果是三天前,兄弟有两个帮手,破他们的十人剑阵当无困难,目下……兄弟会小心应付的。"

"周兄,如果你能助我到武昌对付江庄主,我助你在九华搅散他们的网罗毒计,如何?"辛文昭满怀希望地问:"说实话,兄弟对付不了江庄主。狄前辈还来不及将大罗剑的绝招大罗三绝教给我,我便被派到山东行刺去了,我会的江庄主都会,只有你才能克制得了他。"

"这个……"

"周兄,宁王兴兵造反迫在眉睫,兵马攻城掠地并不可怕,怕的是先期派赴各地的密谍刺客作内应,而那位江庄主就是密谍刺客的主事人。周兄,你能袖手不管?"辛文昭抓住永旭的臂膀猛摇:"你说,我这要求过分吗?"

"好吧,一言为定。"永旭欣然地说:"这位李管事已证实你的身分,我完全信任你。辛兄,你今年贵庚?"

"虚度二十一春,你……"

"我少你一岁,咱们兄弟相称。先找地方隐身,今晚我们上山,闹他个鸡飞狗走,如何?"

"永旭弟,我听你的。"辛文昭兴奋地说:"永旭弟,不要怪我用暗器不讲武林规矩,那是八年血泪训练出来的坏习惯,现在想改真不容易,但我答应你一定改……"

"是的,辛大哥,一定要改,用暗器会误伤的,到底不太光明。走吧,我想听听有关大小罗天的事。"

"咱们一面走一面说,说来话长,总之,那是一场恐怖的噩梦,至今我仍然感到毛骨悚然。"辛文昭一面走一面说:"我家在郑州,十岁那年跟族中子弟赶庙会,被那些刽子手抓来了。从郑州到达大小罗天,沿途共死了二十三名男女儿童。他们从天下各地掳劫有禀赋的儿童带来训练,正德二年正月初一开训,共有两百八十名,沿途死了多少,天晓得。所有的教头,都是武林中被逼来的高手。第七年狄前辈光临,他老人家大义凛然,亲授我侠士之剑,教我明辨是非,教我处世之道。可惜第二年我被派至山东行刺致仕大学士费宏,我总算知道了他们的底细,及时脱身远走高飞,从此亡命海角天涯,多次逃出他们的追杀魔掌,总算留得命在。永旭弟,你很难想像那种惨无人道的训练是如何可怖,不分昼夜不论时刻皆有杀身之祸,直至我被派外出的一天为止,两百八十名可怜虫,只剩下一百十一名幸存的人。"

"辛大哥,你认识一个姓段名岳的人吗?"

"段岳? 知道,他是第二队的人,很不错。"

"难怪他把不戒魔僧整惨了,虽然他比你相差很远。"

"他来了?"

"在山上。还有一位姓娄的受伤必定是死路一条。"

"姓娄……唔,对,娄毅,他还是我的队友呢。"辛文昭凄然长叹:"唉! 他怎么不找机会逃走? 永旭弟,见了我那些弟兄,希望你不要太早下杀手,我希望能说服他们挣脱魔掌重获自由,请答应我好不好?"

"我会给你机会的,辛大哥。"永旭诚恳地说。

入暮时分,两人出现在登山小径上。

辛文昭仍是那一身落魄装,但包裹已不在背上。

永旭则换了本来面目,左颊有一条刀疤,右耳前有一块胎记,也穿了褐衣,佩上了剑。

两人走在一起,同样高大健壮,同样打扮,的确像两个落魄的江湖混混。

头天门在望,沿途满山翠竹,暮色四合,道上已不见行人香客。

前面十余步外竹影摇摇,路旁钻出五个人;老仆李忠、天罡手赵恒、侯刚、凌云凤姑娘、小童紫电。

姑娘迎面拦住去路,噘起小嘴双手叉腰,摆出母老虎凶巴巴姿态,气呼呼地叫:"神龙浪子,还我公道来。我知道你的化装易容术了得,所以绰号叫神龙,但你瞒不了我的,我连你藏身的地方都找到了,在此地等你来。"

辛文昭哼了一声,说:"永旭弟,你们是对头吗?我打发他们走路。"

"不,我打发他们。"

永旭上前冷冷地说:"姑娘,不要欺人太甚,在下不与你计较,请勿相逼。"

"你……"

"在下不屑与你们打交道……"

"不由你不打交道。"姑娘大声叫嚷:"山上发生的事,我们都打听清楚了,我找你要人。"

"什么?你找我要人?"

"当然找你要人。"姑娘理直气壮迫近他身前:"你和我两位兄长称兄道弟,你怂恿他们上山惹事招非,同时落在绿衣仙子手中,你逃得性命,却把我两位兄长断送了,我怎么不该找你要人?"

"你……你简直……"

"你脱身的经过难辨真假,一定是你用诡计诱我两位兄长入壳交给妖道的。两位兄长定然被妖道所逼任由他摆布,因此我必须找你要人。只有一个办法可证明你的身分,那就是把我两位兄长救出来,不然你杀了我们灭口好了。"

凌云凤姑娘改变策略,不再软求而用放泼的手段来对付永旭,倒真把永旭缠住了。

她未带剑,叉着腰挺着酥胸往永旭面前挤,秋水明眸中赫然有泪水,那情景真够瞧的,任何人也无法翻脸发威。

永旭无可奈何地向后退,哼了一声说:"你不要血口喷人。好,你已经打听过了,知道你两位兄弟挺身而出,向天下群豪表示身分的情景吗?你碧落山庄的声威果然不凡,真唬住了不少人呢?"

"你不知道他是被迫的吗?你……"

"见了鬼了!被迫?他俩那兴高采烈的自负神态,会是被迫出来的?你到底在搞什么阴谋诡计?"永旭神色冷峻,站定不再后退:"告诉你,你们阻止不了我的,你如果认为在下当真怕你碧落山庄,那就打错主意了。"

他悠然停下来理论,便落入家凤的圈,他如果不听解释一走了之,姑娘也无奈他何。

"你说的也许有些道理。"家凤正色说:"但我问你,如果你落在妖道手中,妖道用死来威胁你,用歹毒的药物来控制你,你怎办?一死了之,是不是?"

"这个……"

"你会不会暂时忍耐,候机自救?"

"可是……"

"这不是比青天白日更明白的事吗?我可以告诉你的是,碧落山庄的子弟,出外游历前后不足百日。敝山庄远在湖广武陵深处,那是人间胜境世外桃源,山庄的子弟决不会在荣华富贵下低头,决不会助任何人兴兵造反荼毒苍生。"

"哼!你要我否认眼见的事实?"

"只有一个办法可以证明你是否错了。"

"你是说……"

"把我两位兄长与靳叔从妖道处弄出来,离开那些丧心病狂的人,由他们亲自表明态度。"家凤毫不放松套住他:"二哥,这不算过分的要求吧?是你把他们断送了的,不是吗?"

"你……"

"我们的人都到了,一切听你安排。"

"这样好了,我尽力而为。当然,我不能逃避责任,我会尽全力援救他们。"他让步地说。

"谢谢你,二哥……"姑娘雀跃地说。

"你不要说早了。"永旭语音仍冷:"我怕他们会拒绝我的好意,也许把我打个半死送给妖道做见面礼呢。你们可以走了,我……"

"你不交代我们该做些什么事吗?"

"我不信任你们。"他率直地说:"易地而处,你们同样会不信任我,咱们各行其是,互不干扰,免去诸多顾忌,辛大哥,走!"

说走就走,两人身形疾掠而出。家凤本欲拦阻,天罡手却摇手示意不要再说。两人走后,天罡手说:"小姐,咱们也走。"

"赵叔,往下该怎么办?"家凤问:"总算说动他了,大概今后他不至于敌视我们,现在……"

"守在妖道的秘窟附近,相机策应,走!"天罡手郑重地说:"今后,切记不可暴露身分,我们的处境凶险万分,如非万不得已,决不与任何人冲突,走吧。"

# 第十七章　魔邪内讧

　　九华精舍被毁,天师李自然将聚会处迁至九华街的吉祥老店。

　　这是一家小型的客栈,专门接待带家眷的有身分香客,规模虽小,但设备却是第一流的,十余间上房各有门户,与独院相差不远。

　　妖道包下了这间客店,因为只有这间客店像样些,同时得力的助手已陆续到达,声势浩大,不怕有人前来讨野火找麻烦。

　　身分已经暴露,也用不着偷偷摸摸故示神秘啦!

　　天一黑,吉祥老店灯火全无,一些神秘客三三两两离店,隐没在茫茫夜色中。

　　二更初,摩空岭的两栋茅屋内外戒备森严,四处皆有警哨,暗桩把守在小径两侧,隐身在树上与草丛中,任何外人接近皆难逃眼下。

　　草堂中灯火通明,上首席地坐着五位首领人物。

　　中间,是两个相貌狰狞的老人,佩长剑的是五岳狂客屈大风,腰上插了尺八鹰爪的是狂枭庞申,黑道中大名鼎鼎的宇内双狂,大河南北的黑道魁首。

　　右首是大邪神行无影郎君实,脸色有点不正常。

　　下一位是醉仙翁成亮,三残之首。

　　次一位是三怪笑怪马五常,脸上挂着令人莫测高深的怪笑。

　　下首,围坐着黑道的知名人物,招魂鬼魔缪勇,天凶星路威,地杀星戎毅、勾魂鬼使公羊无极、凌霄客丘衡。

　　对面的角落,坐着眉心有一颗青毛大痣的二邪三眼天尊公冶长虹,花甲年纪依然龙马精神。

大邪干咳了一声,清了清嗓子说:"兄弟真不明白,穷儒春甲兄为何不见踪迹?按理他早该到达九华了。还有火灵官景兄,怎么只派了五位门人前来相助,自己却不来助兄弟一臂之力?委实令人费解。"

招魂鬼魔哼了一声说:"火灵官景兄大概早就来了,那晚咱们进攻九华精舍,奋勇杀入用雷火筒纵火的人就是他。哼!大概他不屑与咱们打交道,不然那天晚上由他主持大局,咱们哪会有伤亡?他不来就算了。"

"那晚杀入九华精舍的人,不是景兄。"三眼天尊接口:"是两个老花子,一个是该死的北丐,另一个力道骇人听闻,身分不明,必须从北丐口中方能查出那人的根底,这人将是咱们一大祸害。"

"你怎知道是北丐?"凌霄客问:"公冶兄那时还在数百里外呢。"

"兄弟打听出来的。"三眼天尊若无其事地说。

"北丐总算帮了咱们一次大忙,如果那晚真是他的话。"天凶星说,眼中有疑云,紧盯着三眼天尊:"他既然暗助咱们,为何将是咱们一大祸害?他也算是亦正亦邪的浪人,不错吧?"

"兄弟不是指北丐是祸害,而是说与他同行的花子。"三眼天尊加以解释:"不是兄弟长他人志气,灭自己的威风,那家伙的艺业,比咱们高明多多。因此,兄弟请诸位留意这个人,发现之后,可用暗器给他致命一击,他不死,咱们将有大麻烦。"

"你别忘了咱们与妖道李自然的仇恨。"招魂鬼魔不悦地说:"没有他相助,那晚咱们可能会栽在妖道手中。公冶老弟,你到底在帮谁说话?"

三眼天尊鬼眼一翻,神色凛然地说:"缪兄,事到如今,兄弟不得不说实话了。"

"你要说些什么?"招魂鬼魔怒声问。

"在座的人,除了凌霄客丘兄与勾魂鬼使公羊兄之外,便是缪兄你与路兄戎兄不知内情了。"三眼天尊冷冷地说:"郎兄,该说了吧?"

大邪脸色不正常,嗫嚅着说:"公冶兄,你就直说吧,反正早晚要说的。"

"你们葫芦里卖什么药?"招魂鬼魔不耐地大叫。

"公冶兄卖的是荣华富贵药。"勾魂鬼使冷冷地接口:"这件事,兄弟已从叶大嫂处知道了。公羊兄,今晚兄弟代表江湖四异出席盛会,任何决议兄弟皆不能做主,必须回去与其他三异商量,因此,你们怎么办兄弟皆无意见,兄弟不能即席答复任何应诺。话讲在前面,免得伤了和气,咱们是替郎兄助拳来的,事先并未打算过问其他的俗务,兄弟只做江湖道义以内的事。譬如说:要咱们对付大魔的人,兄弟义不容辞,要咱们四异打头阵,兄弟可以代表四异答应下来,至于其他……"

"公羊兄,你个人意见如何?"三眼天尊问:"既然公羊兄已从叶大嫂处知道底细,那就说说你的意见……"

"兄弟毫无意见。"勾魂鬼使抢着接口。

"你们到底在说些什么?"招魂鬼魔暴躁地问。

地杀星抚摸着腰间的双刃斧,哼了一声说:"缪兄,你还没听出端倪吗?"

"我听出个屁!"招魂鬼魔怪叫:"我这人直肠直肚,不懂玩弄阴谋诡计,请那位仁兄开门见山,三言两语把事情说清楚好吗?"

"缪兄,请稍安勿躁。"三眼天尊换上了笑脸,一脸奸笑:"首先,诸位请先回想咱们的处境。咱们黑道朋友在江湖鬼混,抚心自问,付出的精力的确不小,出生入死刀头舔血,到底得到了些什么?"

"你说的都是些废话。"天凶星不耐烦地说。

"事关一生荣辱,怎算是废话呢?"三眼天尊笑得更奸:"你,天凶星戎兄,半生闯荡,至今仍是两手空空,无家无业,除了天凶星的名头,你还有些什么? 八年前,你被黄山的天都老人捉住送进徽州府大牢,整整囚禁了一年之久,几乎把老命都送掉了。你,缪兄,五年前被四海狂生追得上天无路……"

"去你娘的!"招魂鬼魔跳起来咒骂:"狗东西! 你敢侮辱老夫?"鬼魔指着大邪怒吼:"姓郎的,你居然装聋作哑,任由这小辈侮辱老夫？冲江湖道义,老夫在这里与你平起平坐,你忘了你自己的身分了?"

五岳狂客屈大风冷冷一笑道:"缪兄,何必生那么大的气,定下神听公冶老弟说完,兄弟再还你公道,如何?"

"好吧？你小辈说好了。"招魂鬼魔怒冲冲地坐下说。

"其实,兄弟说的是实情。"三眼天尊不慌不忙地说:"这说明了一件事实,咱们黑道朋友即使声威远播,同样没有好日子过,付出的代价太大,所获却又少得可怜,与其在江湖中混日子,不如轰轰烈烈干一场。"

"你的话已经没有江湖味了。"天凶星冷冷地说。

三眼天尊不理他,继续鼓其如簧之舌:"目下天下汹汹,正是我辈飞腾奋发之时,江西的宁王已尊称国主,天下即将风云变色,特派李天师为专使,专诚招请天下英雄豪杰共襄大举……"

招魂鬼魔再次蹦起,怒叫道:"别做你娘的清秋大梦,老夫不是造反的材料,浪迹天下何等自在,你居然要老夫去替那什么龙子龙孙打江山？真是异想天开。哼！老夫走也。"

天凶星和地煞星也一跃而起,三人向门外闯。

门口人影乍现,姬老庄主迎门而入,姬少庄主跟在后面,两支剑闪闪生光,姬少庄主的豪曹剑更是光华四射,两人含笑而立,状极悠闲。

"坐下吧,缪兄。"大邪无可奈何地说:"外面足有十八名一等一的武林高手严阵以待,何苦给自己过不去呢？既来之则安之,是不是?"

"你……"招魂鬼魔气结地怒叫:"老夫上了你的恶当了,不该这样待我的。"

"缪兄,公冶兄的话,难道不值得三思吗?"大邪诚恳地说:"闯荡江湖终非了局,何不轰轰烈烈干一场？李天师并不要求咱们到王府去听候差遣,每人发给五百两银子安家费,带一块信记在江湖走动等待时机,并不过问咱们的所作所为,其实咱们仍然是江湖人身分,咱们并无任何损失,缪兄何不三思?"

"如果老夫不答应……"

"那是姬庄主的事,兄弟无能为力。"大邪苦笑着说。

地杀星回座坐下悻悻地说:"既然上了贼船,那就做贼好了,反正在下什么都不在乎了。"

招魂鬼魔与天凶地杀两星,领教过姬老庄主的艺业,但勾魂鬼使却不知姬老庄主的来历,冷冷一笑道:"那两位仁兄堵住门,大概以为自己了不起呢,放肆!走开!"

他一面站起一面说,最后一声叱喝,大袖向门口一指,罡风乍起,雾气飞腾。

姬老庄主父子不见了,原处站着天师李自然,哈哈一声长笑,大袖一挥,罡风回头返奔,雾气无影无踪,从容踏入门内说:"公羊道友,江右秘坛杜香主托贫道带口信,请公羊法主至宁王府一晤。"

"你……"勾魂鬼使脸上变了颜色。

"杜香主在南昌建坛两载,法主难道一无所知?"

"在下不知。"勾魂鬼使说。

"江右香坛主已答应为宁王效力……"

"哼!本会决不为朱家子孙效力。"

"公羊道友如果不信,何不与贫道至南昌一行便知真假了。"

"在下不能答应……"

"那么,你我已经有了厉害冲突,贫道已别无抉择,只好对……"

勾魂鬼使突然身形疾转,人似乎成了朦胧虚影,全室灯火一暗,狂风大作,虚影幻化一道轻烟,随风飘向窗口,青烟四面怒涌。

李天师一声狂笑,桃木剑一指,灯火摇摇中,一道青烟裹住了已到了窗台的轻烟,冲出窗外去了。

"哎……"窗外传来了惊叫声。

李天师失了踪,门口仍然站着姬老庄主父子。

窗外,一名大汉揪住浑身抽搐的勾魂鬼使,熟练地上绑。

李天师站在一旁说:"公羊法主,恐怕你得跑一趟江西了,以你法主的身分号召湖广的香坛,贵会的弟子必定望风影而从,省了贫道不少力气呢。"

勾魂鬼使已成了俘虏，咬牙切齿地说："李自然，你不要得意，跟着宁王起兵，你将死无葬身之地。宁王志大才疏，贪黩无厌，成不了大事的，时势未成，起兵妄动等于是自掘坟墓，本会最近苏州之败，便是前车之鉴。要成大事，必先收人心；宁王为人短视，招收江右所有的绿林草寇与残忍的湖匪水贼，以打家劫舍抢偷勒赎手段筹措财源，阴养刺客除歼地方名流清官，已引起天下公愤，怎能成得了大事？浊世狂客江通江五爷，就比你聪明得多。放了我……"

"江庄主目下仍是宁王的亲信。"李自然冷冷地说："他也许比贫道聪明……"

"他当然比你聪明，你们眼看起兵在即，他却在湖广隐伏，只派了几个人助你，他是不会全力为宁王效忠了，他不会踏入江西一步了，他要另起炉灶，为自己打算，不陪你们做白日梦了。"

"胡说，你想离间分化吗？少做你的清秋大梦。"李自然凶狠地叫："告诉你，你如果拒绝与贫道合作，贫道要你生死两难。"

"好吧，你如果能令宁王把浊世狂客从武昌召回江西，在下便开诚布公与你合作，不然免谈，有什么恶毒手段，你亮出来好了。"

"贫道答应你的条件，但首先你得替贫道把其他三异召来，九华事了再言其他。"

"在下恐怕无法左右他们……"

"你会设法解决的。"李自然狞笑着说，举手向大汉示意："解绑！公羊法主，希望你放聪明些，你如果想溜出九华，贫道立即行文各地，着手铲除江南贵会的各地秘坛，对付拒绝合作的人，贫道的手段会令你大开眼界，不信且拭目以待。"

"在下已经在拭目以待了。"勾魂鬼使冷冷地说，不住活动手脚。

当他们返回堂中时，屋内鸦雀无声，姬老庄主与几名手下，已将情势完全控制住，招魂鬼魔几个反对的人，已经在威逼利诱下低头。

以后的事就简单了，由李自然说了一番同心协力，以谋取荣华富贵裂土封茅的大道理，取出花名册，点上香烛行效忠大礼，依次具名画押盖指模,一众群豪身不由己上了贼船。

妖道亲自携带花名册,又说了一番共勉的狂言,说好了在十五日群雄大会的一天,于举行庆功宴时发给安家费分派任务,要大家安心等候消息。最后提出警告,不许任何人向大魔的人挑衅报复,大魔要邀请的人尚未全部到达,大概在三天之内,大魔的人便可加盟,今后都是自己人,过去的江湖恩怨可不必再提了。

这三天中,众人不可出外走动,今晚的事更须严守秘密,不然将受到可怕的惩罚,警告众人切勿以身试法,因为所有的人目下已是宁王府的护卫身分了。

一切停当,已经是三更将尽。

送走了妖道一群人,招魂鬼魔在门外转身,向大邪咬牙切齿地说:"郎小辈,老夫瞎了眼,算是栽在你手上了。你给我好好记住,总有一天,你会为今晚的事后悔八辈子,你会后悔不该降生到世间来。"

老凶魔激动地说完,飞掠而走。

大邪急跟而上,惶然叫道:"缪前辈,请留步听晚辈解释……"

老凶魔已走了个无影无踪。天凶星拦住了大邪,冷冷地说:"姓郎的,你知道你的处境吗?"

五岳狂客踱近,哼了一声说:"戎老弟,你又想怎样? 想窝里反吗?"

"屈兄,难道你不认为姓郎的这种手段,犯了江湖大忌吗?"天凶星大声说:"咱们这些人,全是冲江湖道义与朋友的交情,抛下了自己的事,前来赴汤蹈火替他助拳卖命,他怎能这样对付我们? 他要造反就自己去好了,拖朋友下水不合道义。名单进了宁王府,日后如果造反失败,名册落在官府手中,咱们这些人往何处藏身? 咱们的家小怎办?"

"所以,咱们必须全力以赴,只许成功不许失败,成功了,诸位都是开国的功臣,失败了就是亡命的叛逆,你明白了吗?"五岳狂客摆出教训人的嘴脸:"你去警告招魂鬼魔,他这种态度不许再次发生,不然他将永远永远地后悔。"

"我明白了。"天凶星有点警悟:"姓郎的前一阵子,态度不是这样的,直至他接到你宇内双狂之后……"

"不错,老夫与三眼天尊公冶老弟,在一年前便已取得协议,公冶老弟是两年前投效宁王府的,只瞒住郎老弟而已。"五岳狂客毫不脸红地说:"戎老弟,不要不知好歹,浪迹江湖不是了局,咱们把富贵荣华往你怀里推,你该怀有感恩之心才是。人生一世,草生一春;如不趁机轰轰烈烈干一番事业,为下半辈子以及儿孙造福,未免太过愚蠢了。"

"简直在做梦,阁下知道后果吗?"天凶星悻悻地问。

"哼!人生在世,哪能没有风险?问题是你是否尽了力,有信心的人就不在乎后果风险。"

"高论,在下记住就是。"天凶星冷笑着说:"秘密是守不住的,这件事绝对瞒不了人,咱们今晚在场的人也许上了贼船不敢再有所表示,但其他的江湖朋友,将会不耻你们的所作所为,会有人向你们讨公道。阁下,担心你们自己吧,不要荣华富贵没到手,自己的脑袋却做了别人的溺器……"

"对,这才是由衷之论。"右面五六丈外的黑暗松林中,传来震耳的嗓音:"公道自在人心,这种卑鄙的胁迫手段,会为自己带来灾祸的。"

踱出了两个黑影,并肩缓步而来,星光下,一般高大,一般健壮,步伐齐一从容不迫,无形的杀气慑人心魄。

除了大邪一些死党之外,妖道的人皆已走了,草屋中的人尚无动静,但松林附近的警戒纷纷现身赶到。

五岳狂客一怔,厉声问:"什么人,竟敢在老夫面前胡说八道?"

天凶星冷冷一笑,一牵地杀星的衣袂,徐徐退至一旁袖手旁观。

屋内的人闻声奔出,十余名高手两面一分。

两黑影在两丈外止步,左首的黑影说:"阁下,不要问区区是什么人,区区要知道今晚的毒谋是谁主事,在下要向他讨公道。大邪,你站出来说话。在下晚来一步,你们侥幸成功了,但不要得意得太早。"

大邪迈出两步,冷冷地问:"阁下认识咱们吗?"

"哈哈!幸好不认识,不然岂不被你出卖了?"黑影朗声说,又腰而立毫不在乎强敌环伺:"你出卖朋友的代价是什么?"

"你是大魔欧阳老兄的助拳朋友?"大邪问。

"就算是吧。"

"欧阳兄的好友万里追风魏兄来了吗?"

"没听说过。"黑影不假思索地答。

"两位尊姓大名?来了多久了?"

"亮出名号,你们想灭口是不是?"黑影瞥了四周一眼,二十余名高手合围已成:"来了多久无关宏旨,问题是你们的阴谋已经暴露了。天凶星说得不错,对付卖友求荣的江湖败类,江湖朋友是不会客气的。你说吧,你得了宁王府多少好处?"

"你……"

"三眼天尊出卖了你,你不想报复?"

三眼天尊大怒,疾冲而上叫:"小子牙尖嘴利,饶你不得,打!"

说打就打,在八尺外一掌登出,用上了劈空掌力,突下毒手用上了霸道的三阴绝户掌,功力已发出七成,彻骨奇寒的阴柔掌劲,如同山洪骤发。

右首的黑影冷哼一声,踏出一步以令人目眩的奇速拔剑,信手一挥,彻骨掌劲应剑而消。

接着,剑虹如惊电破空而至,罩住了三眼天尊。

五岳狂客先一步看出危机,大喝一声一闪即至,大袖以雷霆万钧之威,抽向黑影的左胁腰,逼黑影收招自救,围魏救赵攻其所必救,抢救赤手空拳的三眼天尊,这一着相当有效,可是却忽略了一旁负责打交道的黑影。

负责打交道的黑影是永旭,他和辛文昭到晚了一步,原因是在吉祥老店侦查妖道的动静,浪费了不少时间,等发觉妖道早已倾巢而出,已失去了大好机会。

等两人突破警戒网接近草屋,只听到妖道临行的威胁性警告,知道妖道胁迫群豪的毒计已获初步成功,只好眼睁睁目送妖道带了挹秀山庄的二十余名高手撤走。

五岳狂客的身法比三眼天尊快捷得多,冲出抢救的时机计算得十分准确,这一袖稳可得手。

人影一闪即至,永旭的右手排开无俦罡风疾探而入,一把抓住抽来的大袖,"带马归槽"斜身迫入,左掌吐出真力山涌。

黑夜中双方都快,招一发便决定了胜负,已没有变招应变的机会,"噗"一声闷响,掌登在五岳狂客的右胁下,劲气迸发。

"哎呀!"五岳狂客惊叫。

"嗤!"裂帛响声刺耳,大袖被永旭撕断了。

五岳狂客踉跄后退,身形不稳,黑影来势如电闪,"砰"一声大震,胸口被永旭一脚踹了个结结实实。

老狂魔再也撑不住马步,大叫一声仰面便倒,像倒了一座山。

这老狂魔功臻化境,一向目中无人,见三眼天尊遇险,救人心切不惜偷袭辛文昭助三眼天尊脱困,却未料到永旭的功力更胜几分,速度更快更凶狠,发觉不对已来不及了,快速的打击快得令人目眩,挨了一掌一脚当堂出彩,直跌出两丈外去了,永旭这一脚重得像个千斤大铁锤,踹在胸口上的确不好受。

另一面,三眼天尊做梦也没料到辛文昭会用剑斗掌,三阴绝户掌碰上了刚猛无比的剑气,掌力被剑气震散,剑虹毫无阻滞地排空直入,想躲已来不及了,要不是五岳狂客突然掠出援救,辛文昭百忙中收了三成劲自保,这一剑必能在三眼天尊的胸口刺一个透明窟窿。

剑穿越掌风,透过护身奇功,哧一声轻响,锋尖在三眼天尊的右胸近胁处刺入半寸左右。

"哎……"三眼天尊滚倒、滚转、跃起时触动了创口,惊叫着侧跃丈外,顶门上飞走了一魂两魄,心胆俱寒,惶然叫:"这家伙剑上有鬼!"

辛文昭并未追袭,冷然退回原处。

"咱们上!"有人大叫。

人影去势如电射星飞，两人的身影眨眼间便隐没在松林深处，像是鬼魅幻形，一闪即逝。

追出的狂枭知难而退，扶起五岳狂客骇然问："屈兄，你受伤了？"

"兄弟禁受得起……哎！好像气机有点阻塞，肺腑受了震动。"五岳狂客呲牙咧嘴说："庞兄，这……这两个是什么人？好快的身法，好霸道的脚劲掌力，会不会是大魔请到的大力鬼王苟精忠那老狗？"

"是两个年轻人。"狂枭说："大力鬼王已年届花甲了。大魔能请到如此高明的高手，李天师恐怕不会如意，你们歇息去吧，我去知会李天师一声，要他早作防备，不然恐怕要误事。咦！天凶星呢……"

"他俩刚走。"大邪摇头苦笑："穷儒与火灵官都误了期，我担心他俩已听到了风声……"

"砰！"身侧不远处传出一声爆炸，声浪不太大，但火星飞溅，散布约两丈方圆，青紫色的火焰臭味四溢，热浪袭人。

一名黑衣人不幸站得太近，被几颗火星溅及双脚，立即发狂般尖叫，蹲下来拼命脱裤子。

有人在旁急叫："不要撕破，沾上肉就糟了，那是火灵官的飞磷毒火。"

大邪毛骨悚然地大叫："景兄，请听我说……"

夜空寂寂，没有人回答。

岭旁的小径中，穷儒与一个穿红袍，带了一个特大号革囊，手握特长判官笔的人，并肩向下走。

那是江湖道上，以火器威镇江湖的火灵官景雷。

"景兄，兄弟的话没错吧？"穷儒冷冷地说。

"大邪这狗娘养的竟敢欺我？"火灵官咬牙切齿地说："景某不是善男信女，哼！他会后悔八辈子，这畜生欺人太甚，我与他势不两立，我要找他。"

"景兄，不必操之过急，咱们慢慢商量对策，决不许这些狗东西活着离开九华。"穷儒阴森森地说。

"富兄，你怎么知道他们的阴谋的？"火灵官问："幸而一来就碰上了你,不然岂不被他牵了鼻子走?"

"我也是从一位怪人口中知道……"穷儒将碰上永旭示警的经过说了:"如果我所料不差,刚才教训五岳狂客与三眼天尊的两个人中,就有那示警的怪人在内。在外面包围聚会处示威的人,正是挹秀山庄那群狗东西,我会对付他们的,哼!"

"好,咱们联手,如何?"火灵官同。

"那还用说?以你的霸道火器,与兄弟的机谋,咱们闹他个天翻地覆。"

"富兄,咱们下一步棋该如何走法?"

"找机会先宰大邪出怨气……咦!谁?"穷儒止步惊问,剑随喝声出鞘,且向侧一闪转身向敌。

火灵官也警觉地侧闪,转身,判官笔向前斜指,两人的反应皆十分迅疾。

身后三丈左右的大树后,踱出浑身暗黑的永旭和辛文昭。

永旭呵呵笑,说:"富前辈,咱们打不得。"

"咦!是你!"

"不错,在下这时的口音,与那天与前辈会晤时相同。前辈与景前辈不上当,可喜可贺。"

"富某不胜感激。"穷儒居然抱拳行礼:"兄台艺业惊世骇俗,可否将大名见告?"

"前辈……"

"如果不便,不敢勉强。"

"在下就是三方面都要追搜的周姓书生。"

"你……你杀了江淮……"

"富前辈,你相信吗?"永旭正色问:"那天恨天无把率人围攻区区,有两位仁兄握有景前辈的霸道火器雷火筒,在下已将雷火筒夺获,按理在下决不会轻饶欲将在下置于死地的人,但前辈可以去问问看,在下是否伤了人?江淮八寇身手聊可列入二流高手之林,要杀他们不过是举手之劳,何用去而复返杀人灭口?在下如果是生性好杀之人,九华山这几天不成为血海屠场才是怪事。"

"老弟,你把在下的两具雷火筒弄到何处去了。绝不是去而复来杀几个小草寇灭口的卑鄙凶手,这点我信得过你。"

"抱歉,景前辈,雷火筒已经毁在九华精舍,恕在下无法完璧归赵。"

"哦!你就是与北丐联手的人?"穷儒问。

"是的。"

"老弟,李天师正全力准备对付你呢,把你列为最危险最可怕的对头,听说你把李天师准备用来对付三猛兽的人吓走了,那人是谁?"

"目前身分尚未证实,在下正在查。"永旭说:"三猛兽是不是青狮、白象、碧眼麒麟?"

"正是他们。他们是早年山东响马白衣军的骁将,齐彦名手下的勇士。齐彦名兵败狼山,十余万大军围攻两三百名响马,官兵死伤数千之众,而三百余名响马却逃走了一半,三猛兽便是那时的漏网余孽,从此流落江湖,他们的真才实学,连大名鼎鼎的黑道至尊玉面神魔也奈何不了他们。这三位仁兄与大魔有交情,大邪那狗东西把火灵官景兄请来,主要是对付三猛兽的,只有火器或可应付得了这种刀枪不入力大无穷之辈,妖道所说那人必定比三猛兽高明,老弟竟然把那人吓走,委实令人佩服。"

"老弟真是碧落山庄的人?"火灵官问。

"不是。"永旭断然否认:"在下与那两位姓李的年轻人,仅是初相识结伴游山而已。诸位今后作何打算?"

"咱们决定惩罚大邪这无义畜生。"穷儒咬牙说:"挹秀山庄的人,富某也不会放过他们。"

"两位千万小心挹秀山庄的人。"永旭诚恳地说:"如果在下所料不差,姬家的人才是对付三猛兽的正主儿。两位人孤势单,形势不利,如果两位与大魔并无深仇大恨,何不向大魔及早提出警告?"

"这个……"

"大邪不仁,可不能教咱们无义。"火灵官迟疑地说:"老弟的心意在景某仍然不胜感激,但咱们不能向大魔有所表示。"

"好吧,咱们都小心些就是,祝两位一切顺利,告辞。"永旭说,行礼告别。

两人一走,火灵官也动身,一面走一面向穷儒问:"富兄行脚天下,见多识广,能看出他们的来历吗?"

"看不出来,那位不说一句话的人很年轻,是个深藏不露的高手。至于姓周的书生,化装易容术十分高明,据兄弟所知,他该是年轻的小伙子,兄弟委实想不起江湖中哪一位年轻人,能一照面便把艺臻化境的五岳狂客,一脚踢得几乎爬不起。"穷儒一面说,脚下一紧。

两人谈谈说说向下走,身后蓦地传来一声怪笑,有人说:"两位,别走啦! 贫道算定有人要走这条路。"

两人迅速转身,看到路旁的竹丛钻出一个人影。

"五灵丹士!"穷儒讶然叫,迅速拔剑。

"你已拔不出剑了,哈哈!"五灵丹士大笑着说:"你们已钻进贫道的摄魂大阵,倒也倒也! 哈哈!"

火灵官首先向下一仆。

穷儒的剑果然无法拔出,摇摇晃晃向下倒。

五灵丹士欣然上前,笑道:"妙极了,是火灵官和穷儒。没料到在这种小地方布网,居然捉住了两条大鱼,得来全不费工夫。"

正要俯身伸手擒人,身后突然有人说:"辛大哥,小弟猜得不错吧? 这两个老江湖太过自恃,大摇大摆一面走一面聊天,必定会碰大钉子。瞧,这不是躺下了吗?"

"这老道在山上居然捉到了大鱼,真是交了狗屎运。"辛文昭说:"古人说缘木求鱼,似乎真有其事呢。"

五灵丹士早已转过身来,看到永旭和辛文昭并肩站在路旁,抱肘而立有说有笑状极悠闲,相距在两丈外,面貌不易看清。

"你们已进入贫道的摄魂大阵,快要倒了。"五灵丹士狞笑着说。

"不急不急。"永旭用手指指点点:"大概你这牛鼻子妖道,每隔三丈摆了一具泄迷魂香的喷管,人倒地的地方,应该位于第三管附近。

呵呵！咱们兄弟俩尚未到达第三管附近,吸入的迷魂香不够多,倒不了的。在下一次上当一次乖,今后决不会被人出其不意迷翻了。"

"你们站在那儿不动,吸入的迷魂香更多……"

"真的？咦……我真要倒啦！来扶我一把吧。"永旭一面说,一面摇摇欲倒。

"倒也……"五灵丹士欣然叫。

永旭向下一蹲,手触地悄悄抓起一团干泥,重新站直摇头道:"不行,露水太重,倒下去会弄脏衣裤的,不倒也罢,我又不是鱼,何必学那两个老江湖进人家的网？还是站着舒服些。"

五灵丹士一怔,讶然叫:"咦！你们弄到了贫道的独门解药？好家伙……哎唷……"

叫声含糊,似乎张不开嘴。

老道连退三步,用手捂住嘴,抓了一手泥,上唇破裂血出,被泥团恰好击在嘴上,泥屑四溅。

"怎么啦？老道,滋味如何？"

五灵丹士大怒,急怒之下火速拔出桃木剑,口中念念有词,桃木剑向前一指,蓦地风生八步走石飞沙,青烟随剑涌腾,异声随剑和手的挥动而发,似乎鬼哭狼号风雷隐隐,用左道邪术下毒手了。

永旭一手按住辛文昭的肩膀,淡淡一笑说:"道行不差。"

五灵丹士已看不见两人的身影,青烟已圈住了永旭和辛文昭,片刻,大概认为差不多了,手舞足蹈,向两人徐徐接近。

蓦地,青烟中传出永旭清晰的语音:"老道,小心脚下失闪,你脚下好像有一条毒蛇呢。"

五灵丹士一怔,本能地低头下望。

糟了,右踝就在这瞬间被什么东西缠住了,凶猛的劲道传到,身不由己被拖得仰面砰然倒地,跌了个晕头转向,还来不及有所反应,身躯被可怕的劲道快速拖了两丈左右,脖子被一只铁钳似的大手扣住了,拇指扣入喉左的气管缝中,像一枚大铁盯硬往里压,喉管似要破裂啦！呼吸已完全阻塞。

"啊……啊……"老道嘎声叫,双手死命地扣顶大手的腕脉,要解脱被扣的咽喉要害。可是,一切徒劳,片刻间便痛得快要失去知觉。

永旭松了手,解掉老道脚上的绳钩,向辛文昭说:"咱们钓到的鱼也不小,得好好问口供。大哥,你制住他准备带走,我先救这两位大意的老江湖。"

辛文昭一把揪住老道的衣领向上拖,啪啪两声先搋两记正反阴阳耳光,然后粗手粗脚地卸脱双肩关节,再在老道的右膝踢了一脚,迅速一丢。

老道嘎声狂叫,躺在地上像条病狗。

永旭从一只小玉瓶内,挑出一些药末撒在两个老江湖的鼻孔内,吹口气让药末进入肺腑,捂上嘴只留鼻孔呼吸。

片刻,首先醒来的是穷儒,挺身坐起叫:"怎么一回事?妖道呢?"

"妖道在这里。"辛文昭说:"他再也无法使用妖术害人了。"火灵官接着苏醒,悚然地说:"在道路上装设迷魂香,这妖道果真是阴险恶毒,他真该死。咦!周老弟,是你救了我们?"

"碰巧而已。"永旭微笑着说:"这个妖道其实身手相当了得,他的妖术比李自然差远了,至少他不会呼风唤雨撒豆成兵,但他却喜用妖术陷害人。"

火灵官突然拔出判官笔,手一伸便点在永旭的胸口上,歉然地说:"周老弟,请勿妄动,我不希望用这根喷火笔对付你。"

永旭毫无戒心,无法躲开,沉下脸说:"景前辈,你这是什么意思?"

"景某不是恩将仇报的无耻小人,事非得已,老弟台务请海涵。"

"你……"

"请将妖道交给在下。"火灵官说:"在下一定要从妖道口中,拷问出他们的阴谋来。"

"在下也要从妖道口中……"

"抱歉,老弟台必须割爱了。富兄,去把那妖道提过来,带着人先走一步。"

"在下不会给你。"辛文照缓缓拔剑:"千万不可轻试,在下的剑是很锋利的。"

"哦!你不管周老弟的死活了?"

火灵官沉声问,哼了一声:"看来,咱们这些黑道朋友,都是些只知有己不知有别人的恶恶棍。"

辛文昭无可奈何地收剑,抓起五灵丹士抛给穷儒说:"你们走吧,希望咱们今后不再碰头。"

穷儒将妖道扛上肩,飞掠而走。永旭摇头苦笑,无可奈何。

他知道火灵官喷火笔厉害,贴在胸口万难脱身。

火灵官说声抱歉,再说一声谢谢,迅速地退后三丈,纵跃如飞追赶穷儒去了。

# 第十八章　鬼母离魂

"这些家伙没有一个是好东西。"辛文昭恨恨地说。

"这两个老狐狸误了我的大事,无法从妖道口中追查李驹兄弟的事了。"永旭不胜懊恼地说:"和黑道人物打交道,真得处处留神,今晚算是栽在他们手上啦!走,到别处狩猎去。"

"该到何处狩猎?"辛文昭问。

"吉祥老店。"永旭说。

"还是到大魔的秘窟走走吧,替他们透露一些消息,对我们也许有利呢。"

"也好,最好能把万里追风姓魏的弄到手。"

大魔处的落脚处在小天台顶,那儿俗称青龙背,天台晓月,是九华十景之一。

这一带人迹罕至,极少香客登临。

大魔的朋友如果从徽州黄山一带赶来会合,走的就是这条路,从陵阳镇上山,三十余里可直达青龙背。

因此,李天师一群走狗是无法在九华街一带拦截的,必须派人至青龙背以南的山路,等候从徽州一带赶来的人。

但这条路不好走,半途拦截也许得不偿失,所以比对付大邪要困难得多,这就是妖道不急于下手的原因所在。

两人乘夜赶往青龙背,沿羊肠小径一步步向上攀。

妖道已降伏了大邪一群黑道群豪,不会同时计算大魔,因为大魔的朋友尚未到达,所以沿途不至于发现拦截的人。

路太窄而且少人行走，晚间不易觅路，但两人不在乎，一前一后摸索而上。

永旭是识途老马，在前面开路。

辛文昭跟在后面，一面走一面问："永旭弟，你有何打算？"

"先向大魔的人告警，找机会把万里追风弄到手。"永旭语气肯定，智珠在握。

"为何要把万里追风弄到手？"

"如果我所料不差，那位老兄定是妖道派在大魔处的奸细。"

"怎见得？"

"记得大邪误认你我是大魔的助拳朋友，向我询问万里追风来了的事吗？"永旭详加分析："早些天挹秀山庄的人拦住了大邪，要求大邪平心静气谈谈，就曾经问大邪三眼天尊来了没有。我猜想这个万里追风姓魏的，身分与三眼天尊相同。"

"要是我们无法说服大魔的人，怎办？"

"那就向妖道进行致命的袭击，把他那些得力的人一一打发掉，他就无法用武力胁迫大魔就范，最后只好把重要的主事人亮出来对付大魔，我就知道他是不是我要找的人了。哼！我会逼他现出原形的。"

"你要找的人到底是谁？"

"不久自知，我已经与他交过一次手了。"永旭郑重地说："大哥，从现在起，咱们要冒充是大魔的朋友，不要说溜了嘴。"

"我根本就懒得说话，打交道的事完全由你负责。"辛文昭微笑着说。

小径沿山脊线向上盘升，真不好走，两侧的林木太密，枝丫伸出挡住了道路，必须分枝拨草而行。

正走间，前面突传来一声低沉沉的叱喝："站住！"

前面的永旭闻声止步，说："有何见教？"

"亮名号！"对方说，并未现身，大概是伏在树叶中，声音来自四五丈外。

"在下姓周,兄弟俩应召前来赴约。"

"退回去,白天再来。"

"咱们……"

"你耳背了不成?"对方的口吻有怒意:"情势混乱,必须防止意外,即使是至亲好友,也得等天亮以后再来,赶快走。"

"可是……"

"你走不走? 附近最少也有十件霸道的暗器对着你们,再不走你就后悔莫及。"

"好吧,咱们天亮后再来。"永旭不得不让步:"请转告欧阳老兄,宁王府的爪牙,已将大邪的人以威逼利诱手段,一网打尽,你们必须小心上当。"

"承告了,这些事咱们事先已得到风声,因此小心提防,两位天亮后再来吧。"

"万里追风姓魏的匹夫,是宁王府的奸细,你们必须提防这个该死的家伙。"

"真的? 你阁下的消息……"

"消息绝对可靠。小心了,告辞。"

两人沿来路下山,走了里余,永旭说:"传警的事已经办妥,咱们去吉祥老店,不能由原路走了,咱们从左面绕山腰走安全些。"

"你认为会有人伏击?"辛文昭问。

"不但会有人伏击,甚至会有人追击。"永旭肯定地说。

"追击?"

"不错。万里追风不是笨虫,他必定带有不少心腹爪牙,谁敢保证刚才那位仁兄不是他的心腹? 就算不是吧,消息必定传出,传到万里追风的心腹爪牙耳中,他们便会追不及待赶来灭口了。"

"那么,咱们何不等他们来送礼?"辛文昭说:"能弄到几个奸细,也许会有用处呢。"

"这……咱们必须改变身分随机应变。"

"冒充宁王府的人,如何?"

"好,走远些准备。"永旭欣然同意。

不久,四个黑影快步而来,在这危险的山脊小径急走,居然脚下稳健无所顾忌。

走在前面的黑影挟了一柄托天叉,重量不轻,突然止步扭头低声问:"老七,是不是这两个家伙?"

永旭与辛文昭一步步向下走,慢吞吞地一步一探似乎十分小心,生怕失足跌下山去,浑然不知后面有人赶到,也许是山风荡起的松涛声影响了耳力。

"不知道,问问看就知道了。"第二个黑影低声回答,口音赫然是先前阻止两人通过的人。

挟虎叉的人急走两步,叫道:"两位留步。"

"咦!吓了我一跳。"永旭转身装模作样拍拍胸口说:"有何贵干?你们是……"

"在下姓尤,有事下山。两位贵姓大名?"

"在下兄弟姓辛,在宁王府干一份差事,到这附近走走,你们是……"永旭说,口音变了,居然带了些少江右土腔。

第二个黑影站在姓尤的身后,附耳向姓尤的说:"姓不对,口音也不对,但……身材轮廓却十分相像。"

"先擒下他们再说,准备了。"姓尤的低声说,转向永旭问:"两位可曾见到两个人过去吗?"

"人?别开玩笑。"永旭说:"半夜三更,这附近鬼打死人,猛兽出没山径危险,会有人走动?咱们如不是上命所差不得不卖命,鬼才愿意到这一带玩命呢。"

"没有人走动,也好。"姓尤的一面说,一面走近:"尤某认为你们姓周,不错吧?"

"呵呵!你真是个活神仙,区区就是姓周……"

两人几乎同时动手,同时冲进。

姓尤的托天叉向前一拂,抢攻下盘,要扫断永旭的双脚。

永旭则巨爪疾伸,无畏地探进。巨爪半分不差抓住了叉尖向后带，扭身喝道："先制他的昏穴！"

姓尤的握不住叉，连人带叉向前冲。

两人所立处地势稍平坦，双方所立处高低相差有限。

姓尤的几乎与永旭擦身而过，速度太快，竟未能抓住在相错时丢叉抱住永旭肉搏的机会，发疯似的向后面的辛文昭撞去。

辛文昭闪在一旁，左手抓住姓尤的叉柄，右掌闪电似的劈在姓尤的左耳门上，姓尤的立即向下挫倒，手脚略一抽搐便失去知觉。

同一瞬间，永旭已扑近第二个黑影，黑影的右手扣住了剑把，尚未拔剑出鞘，也没有拔剑的意图，大概还不知变化的结果，做梦也没料到姓尤的一照面便完了，看到永旭的身影冲到，还没看清是敌是友，左右耳门便挨了两记重击，仰面便倒。

这瞬间，辛文昭叱喝似沉雷："接叉！"

永旭向下一挫，双手着地。

托天叉间不容发地飞越他的顶门，无情地贯入第三名黑影的胸口，合作得十分完满。

"啊……"第三名黑影凄厉地狂叫，叉的锋尖贯入右胸，锋尖直透背部，狂叫着砰然倒地。

第四名黑影够聪明，向下一仆奋身急滚，滚入下坡的矮林，骨碌碌滚落下面去了。

辛文昭发叉后飞跃而进，却被尚未挺身而起的永旭低声喝住了："不要追，留一个活口传信。"

两人各带了一个活俘，匆匆撤走。

他们走的山腰，没有路，只能在黑暗的树林中摸索而行，肩上扛了一个人，相当辛苦。辛文昭一面走一面说："永旭弟，留一个活口，岂不走漏了消息？"

"让他们去找妖道算账岂不甚好？"

"但……这会迫妖道提前向大魔发动。"

"相信大魔已经得到风声了。"永旭肯定地说："刚才那位阻止咱们通行的仁兄说得不错，附近最少也有十种歹毒的暗器指向我们，这表示附近有不少暗哨。那位仁兄必定是万里追风的心腹，如果附近没有人，岂肯轻易叫咱们走路？因此，他必定设法摆脱其他的人，找来党羽随后赶来灭口。人已被我弄到手，不信就问问看便可分晓。"

"那就问吧，天色不早了呢。"

"三更已过，今晚活动的时刻不多了。"永旭将俘虏放下说。

将两个俘虏弄醒，问清了姓名，永旭甚感困惑。

两俘虏一个叫神手姜洛，一个叫五方土地郑孝宗，只是江湖上小有名气的黑道二流人物，大魔为何把这种小人物请来助拳？但问清内情，不由恍然。

原来这四个家伙都是万里追风的死党，真才实学并不差，在江湖上鬼混极少用真才实学与人拼搏，有意隐瞒身分，这样就不会引人注意，名正言顺地跟着万里追风跑腿，干些放哨巡逻的琐事，暗中可以大肆活动，等候机会助万里追风干重要的大事。

姜、郑两人果然是赶来灭口的人，消息已经传给万里追风了，据两人的口供，万里追风还布了不少得力爪牙在大魔身旁，只等大魔一到，便威逼利诱双管齐下，要先期制服或诱骗胁迫随来的首要人物，其他的人便容易上钩了，再以妖道李自然的实力相逼，大魔这群人岂敢不乖乖驯服？

问完口供，永旭再次把两个俘虏弄昏。

辛文昭问："我们该怎办？把这两个家伙放了？"

"我有处置他们的主意。"永旭胸有成竹地说："把他们送给绿衣仙子，那妖妇是大魔的得力臂膀，而且她与妖道结怨极深。"

"你知道那妖妇的隐身处吗？"

"知道，走！"

不久，他们到了一处向阳的山坡，满山都是翠竹，密密麻麻遮天蔽日，幸而是粗大的楠竹，高度有五丈以上，因此种竹的人每年都得整修，砍枝除树以便取竹，下面仍可走动，些少杂草并不碍事。

谁也没料到浓密的竹林内别有洞天，竹林深处竟然建了一座小竹棚，距竹棚尚有百十步，便看到淡淡的雾影。

两人从东面接近，在黑沉沉伸手不见五指的竹林中一步步摸索而行。

看到了薄雾，永旭说："不能再走了，小心埋伏，妖妇的邪术相当讨厌。"

"哦！这雾有鬼？"辛文昭问。

"雾本身没有鬼，这就是潮湿山林中的平常薄雾而已，可虑的是妖妇利用薄雾设下的禁制，有些小玩意是可以致命的。"

"那……该怎办？"

"咱们不能和她玩猫捉老鼠的把戏，要她出来接人。"永旭一面说，一面将俘虏放下："你发鬼啸，我砍竹发声逗引。"

辛文昭放下俘虏，仰天发出一声凄厉的怪啸，山谷为之震鸣，十分刺耳惊心。

永旭则拔剑砍竹，接二连三砍断了不少大竹，但竹林太密，砍断了的大竹无法倒下。

砍竹声清晰入耳，里外都可听到。

不久，永旭收剑低声说："撤，看妖妇来接人。"

两人伏在五六丈外，屏息相候。

片刻，两丛鬼火冉冉而来，暗绿色的光芒大如海碗，无声无息飘出雾影，停在砍得七零八落的竹丛前。

辛文昭暗暗心惊，附耳问："兄弟，到底是人是鬼？我好像看不见形影呢。"

"穿了墨绿色紧身衣裤，脸部有面罩，脚下轻灵而且熟悉地势，黑夜中是很难看得到的。准备了，咱们先吓她们一跳，来人是妖妇的两个侍女。"

两个侍女各持了一盏特制的小绿灯，绿芒朦胧，远看的确像是鬼火。

侍女看到了被砍断的竹丛，一怔之下，绿芒一闪即逝，向下一蹲隐起身形，用听觉侦察附近的动静。

但风吹竹梢不断发出刺耳的怪声，耳力大打折扣。

蓦地，两女中的一个突然惊叫一声，向侧一窜，抖手向后打出几枚针形暗器，在飞针触竹的怪响中，挺身而起剑已出鞘！

"咦！你怎么了？"另一名侍女讶然问。

"有……有人揪……揪我的耳朵。"受惊的侍女惊魂未定地说。

"人？在哪里？是不是竹枝拂在你的耳朵上？"

视界约可远及两丈左右，附近毫无动静。

"这……绝不是竹枝，是……是一双温暖的手。"受惊的侍女肯定地说："你……你没听到动静？"

"没有。我看，你是疑神疑鬼，这里怎会有人来作弄我们？也……也许真……真有鬼……"

"胡说，世间哪会有鬼？你瞧这些被砍的竹子，总不会是鬼砍的吧？我们不是听到砍竹声而来查看的吗？"

"可是，人呢……咦……"

丈外，地面冉冉升起一个高大的黑影。

受惊的侍女反应惊人，左手一伸，飞针破空射向黑影，人也挺剑前冲。

黑影突然后退，恍若电光一闪，眨眼间便消失在视线外，隐入淡淡的雾影中。

挺剑冲上的侍女砰一声响，撞在一株巨竹上，剑失手坠落、人亦反弹而退，踉跄倒地。

另一名侍女大骇，拔剑娇叱："什么人？出来说话。"叱声中，缓缓后退戒备着用目光搜视左近。

右方两丈左右，出现庞大的黑影，用怪异的嗓音说："我是鬼，你怎么了？来啊，收剑说话。"

"你是……"

"送两个奸细给绿衣仙子，拿去吧？"

原来黑影共有三个人，难怪庞大得不像是人。

砰噗两声大震，两个昏迷不醒的俘虏，被抛跌出丈外。

左方黑影又现，嗓音更刺耳："他们是万里追风的死党，而万里追风正奉了妖道李自然的指示，要引大魔上钩做宁王府的走狗，好好问吧！再见了。"

两黑影几乎同时消失不见，只听到飒飒风声逐渐远扬。

被击倒的侍女动弹不得，躺在地上叫："快解我的玄玑穴，不可追赶。"

永旭与辛文昭回到山脊附近，天色已是不早。

辛文昭跟在后面，一面走一面说："绿衣仙子的侍女，似乎修为有限，这妖妇恐怕也是浪得虚名的人，并不如传闻般可怕，怎能与宁王府的高手论短长？"

"大哥，不要轻估了妖妇的造诣。"永旭郑重地说："论胆气，女人毕竟是女人，碰上了不测的事，难免会大惊小怪乱了章法，刚才要不是我出其不意揪那位侍女的耳朵，吓了她一大跳，她们岂会如此好相与？妖妇不但妖术的根基不差，真才实学也出类拔萃，日后碰上了她，千万不可大意。"

"现在我们该怎办？"辛文昭问。

"天色不早，这时回到九华街，也没有什么事好做了，且先歇息歇息，下午再见机行事。"

奔波了一夜，他俩的确需要歇息一番养精蓄锐了。

山脊一线附近全是茂密的松林，两人找到一株巨大的古松，爬上树找地方躺下来歇息，不久便梦入南柯。

同一期间，不少黑影从另一条山脊移动，接近绿衣仙子隐身的竹林，在山腰附近分为四批，从四面接近竹林中的棚屋，不久，便到达淡雾弥漫的外围警界线。

正北方向响起一声呼哨，所有的黑影皆潜伏不动。

棚屋西面是上坡，向上延展四五里，便可抵达山脊线，沿山脊上行两里地，便是永旭和辛文昭歇息的山脊松林，因此棚屋附近发生事故，声音如果很大，传到山脊该无困难。但呼哨声并不大，声浪无法传到山脊。

距砍断的竹丛右方约百十步，六个黑影潜伏在雾影外，一个黑影低声向同伴说："彭前辈，为何不进？"

"也许离魂鬼母改变了主意，所以发讯命咱们在外围等候。"彭前辈低声回答："妖妇的邪术比天师差不了多少，道行深厚相当难缠。你是不是不在意这些薄雾？"

"咱们不是带了防香防毒的药物吗？"

"但黑夜中陷阱可怕。"彭前辈有耐心地分析："我猜想鬼母那一面可能有了意外损失，所以将潜伏待机的讯号传出，反正天快亮了，天亮后再瓮中捉鳖岂不更好？"

"可是，妖妇按例在黎明前移动匿伏处……"

"这次不会。"

"为什么？"

"大魔午间可能赶到，走的就是这条路，她会在此地等候大魔到来。如果她离开，必定是向大魔的来路迎去，恰好撞入天师在前面布下的天罗地网，与大魔同入网罗。不要沉不住气，好好乘机养养精神，准备大显身手，不要让大小罗天的几个黄口小儿占了先去。"

"彭前辈，东面由谁负责截击？"

"好像是招魂鬼魔的死对头不戒魔僧，老凶僧不肯与大小罗天的年轻人走一路。五灵丹士无缘无故失踪，老凶僧像是失群的雁，没有好手搭档，他十分泄气呢，所以鬼母让他带人负责最轻松的一面，妖妇不会向下逃的。"

"南面呢"

"南面有碧落山庄的人负责。"

"哦！那姓李的小辈身分……"

"离魂鬼母已经证实他们的身分了。"彭前辈说："果然不出五灵丹士所料，那叫李义的老家伙，正是飞天大圣靳大海。"

"他们肯替天师效忠卖命？"

"吃了天师的易心丹，还能不卖命？你等着瞧吧，日后碧落山庄的千幻剑李庄主现身，李驹兄弟……不，该说是李家驹兄弟，不向他老子递剑才是怪事，吃了易心丹的人，是六亲不认的。天师这次前来九华，意外地弄到了碧落山庄的两个少庄主，真是天大的喜讯。"

"彭前辈，不要高兴得太早了。不是晚辈有意泼冷水，而是这件事弊多利少，至少大邪那群人，就不愿与碧落山庄的人共事。黑白不相容，黑道朋友对碧落山庄有成见，虽然最近十余年来千幻剑已不在江湖走动，但彼此敌对的形势并没有多少改变。"

"这些事与咱们无关，你又何必杞人忧天？好好闭目养神吧！等会儿可能有空前激烈的恶斗呢。"

不久，东方发白。

满山鸟鸣，薄雾似乎更浓了，整个山区的低洼部分，都被晨雾所笼罩，竹林更是一片迷蒙，丈外不见景物。

东面，突然传来一声惊心动魄的惨号。

呼哨声此起彼落，远处有人大叫："妖妇从东面溜走了，追！"

"东面三里外是绝谷，她走不了的。"有人高叫。

惨号声惊醒了在松树下练气的永旭和辛文昭。

永旭一蹦而起，向辛文昭说："妖妇碰上对头了，我们下去看看，也许用得着我们，走！"

"大雾迷天，怎样走法？"辛文昭问。

"循声追踪，咱们走一步算一步。"

当晨雾开始消散时，已经是辰牌末巳牌初。

暖洋洋的阳光透入林下，隐藏的人无所遁形。

一条小溪从南面奔泻而下，两侧山势峻陡，草木丛生攀越困难。

沿溪上行，六七里外进入一处山谷，奇峰拔起，沿途全是绝壁飞崖。

谷底是一座高入云际的山峰，峻陡的山腹山腰一带只生杂草不长树木，人如果往上爬，不仅无所遁形，而且一不小心，便会失足滑倒，不滚至谷底决难中途停止，相当危险。

绿衣仙子带了四名侍女，两名侍女带了两个俘虏，那是永旭奉送的礼物。

她们昨晚早就发觉住处被围，处境凶险，不得不利用晨雾脱身，在众多高手的追逐下，逐渐进入绝谷。

追击的人，全是一等一的追踪高手，想摆脱谈何容易？等发觉谷底已无出路，想退出已无能为力了。

走在前面的侍女到达山脚下，扭头不安地叫："小姐，这里是绝谷。"

绿衣仙子一身绿劲装，向右一指说："向右走，必要时冒险攀上去脱身。"

向右沿山脚急奔，绕了两里地，后面已可清晰地看到追来的人影。

"上去！"绿衣仙子断然向侍女下令："把这两个该死的畜生毙了，快。"

两待女将俘虏的天灵盖拍破，五个人开始向山上爬升，手脚并用小心翼翼一步步攀升。

任何轻功奇技，在这种山陡草滑，高有四五里的山峰上，可说毫无用处，惟一可靠的是小心与耐力，窜跳奔跑皆无用武之地。等她们爬上半里地，追的人已从山脚循踪向上爬升，紧追不舍。

追得最快的人，是九个年轻人，另一名大汉落后百十步。

九个年轻人下面三十步左右，是李驹兄弟与靳义。

至于其他的人，皆在下面百步以上，无法跟上。

女人的先天体质本来不如男人，爬五里峻陡的山壁，的确需要超人的体力与耐力。

当绿衣仙子与四侍女接近山脊线时，四侍女已经浑身汗湿，脸色发青手脚无力，只能吃力地慢慢手脚并用向上爬。

断后的绿衣仙子也差不多了，劲装被汗水所湿透，那诱人犯罪的身材更为诱人了，曲线毕露凹凸分明，真够瞧的。

下面一二十步，九个年轻人正奋力向上爬，虽然也到了脱力境界，但比绿衣仙子那贼去楼空的困境要好得多。

绿衣仙子银牙紧咬，吃力地向上爬，恨声向四侍女说："我阻他们一阻，你们上去后火速调息以恢复精力，再掩护我上去。"

"妖妇，你别做梦。"爬得最快的年轻人说。

绿衣仙子左手抓实一把草，双足斜贴蹬实了两个小坑孔，扭身探囊取出一把针形暗器，一声娇叱，抖手发出三枚金针，向下面的九个年轻人射去。

风是由山下向上吹的，荡魄香派不上用场，真力已尽，金针的速度有限，阳光下金芒耀目，像是向下抛坠。

最前面的年轻人身躯贴得牢牢地，右手一抄，接二连三接住了三枚落下的金针，笑道："还有什么歹毒的牛黄马宝，你就一起抖出来好啦！"

其他八名年轻人左右一分，纷纷向上分头上攀。

下面不远，李驹兄弟与靳义，正从右面十余步的斜坡，加快向上爬。看速度和距离，很可能比八名年轻人要快一步到达山顶。

山顶光秃秃，似乎草木不生。

他们在下方，看不见山顶的景况，其实山顶山脊线向南延伸，形成一串宽阔的起伏峰峦线，里外顶线下降，松林密布杂树丛生。

十余个人影，正大踏步从松林的北面出现，谈笑着向山顶缓缓而来。

第一名侍女首先爬上山顶。

右侧十余步外，李驹也同时登上山颠。

侍女刚想拔剑迎向李驹，突然看到里外的人，欣然大叫道："枯竹姥姥，快来救家小姐。"

声落，李驹到了，大喝道："小女人，丢剑投降！"

侍女咬牙切齿一剑挥出，剑似乎太沉重，挥得出去却收不回来。

李驹身形也不灵光，但比侍女却强多了，大袖一挥裹住了剑，喝道："撒手！"

侍女丢了剑，斜冲五六步几乎摔倒。

第二名侍女到了，恰好被接着上来的李骅截住。

"我跟你拼了！"第二名侍女说，罗巾四面急挥。

靳义到了，大叫道："快退！荡魄香。"

风是斜吹的，荡魄香威力有限。

所有的人皆接近力尽境界，谁也不敢冒险硬拼。

李驹兄弟俩闻声后撤，两侍女也无力上前追逐。

飞掠而来的人群渐近，枯竹姥姥更是遥遥领先。

绿衣仙子上来了，八个年轻人也上来了。

李驹掏出怀里的小玉瓶，说："这是旭弟的辟香妙药，对付荡魄香想必有效。"

绿衣仙子靠近四侍女，向冲来的八个年轻人娇喝道："站住！你们不想来一次公平决斗吗？"

李驹收了玉瓶，向八个年轻人叫道："诸位，让她的人前来一起上，给她们一次公平决斗的机会。"

"好吧，等她们的人到来再说。"为首的年轻人同意。

最后上来的第九名年轻人到了，哼了一声说："霍昆仑，你说些什么？你听谁的指使？"

同意李驹的年轻人躬身恭敬地说："小弟希望调息以恢复精力……"

"胡说！动手。"

"是。"霍昆仑驯顺地答，立即拔剑。

绿衣仙子与四侍女向后退，脚下踉跄。

"大敌将至，还不赶快调息恢复精力？"李驹高叫："段兄，妖妇的荡魄香厉害，她用荡魄香相阻，不难拖延至大援到达，而阁下浪费剩余的精力，岂不任人宰割？"

段兄意动，断然叫道："结阵，赶快调息，我负责缠住妖妇。"

声落手扬，一枚双锋针破空而飞，射向三丈外的绿衣仙子，劲道依然十足。

绿衣仙子怎敢停留施放荡魄香？风向不对，所以脚下加快，向赶来的人退去。双锋针从绿衣仙子的身左飞过，落到草丛中去了。

不久，中年大汉登上山顶，随之而上的是不戒魔僧和五名高手，一个个气喘如牛，大汗彻体，脸色苍白有气无力，登上山顶便走不动了，全都坐下来调息。

最先赶到的人，是个鸡皮鹤发形容枯槁的老太婆，挟了一根六尺竹杖，有一双阴厉的三角眼，在十余步外便用刺耳的老公鸭嗓子叫："路姑娘，怎么一回事？你们为何如此狼狈？"

"姥姥，宁王府的恶贼，追得我好苦。"绿衣仙子懊丧地说："这些人的艺业可怕极了，暗器更是霸道。"

"你好好调息，老身送他们去见阎王。"枯竹姥姥阴森森地说，三角眼中厉光闪闪，冷冷地扫视前面的人。

后续的人到了，老老少少共有八名之多。

第一个调息完峻的是李驹，大汗已收，脸色已恢复红润，整衣而起泰然披好袍袂，缓缓向老太婆走去。

其次起立的是李骅，然后是九个年轻人。

中年大汉气色甚差，显然未曾恢复疲劳，坐在地上叫："段岳，小心老怪婆，她是江湖上大名鼎鼎的枯竹姥姥，摧枯力举世无双绝学十分可怕，不要和她一比一拼内家真力，那不会有好处的。"

段岳举手一挥，偕一名同伴大踏步而进，超越了李驹兄弟，向老太婆步步欺近。

老太婆阴森森地哼了一声，用她那刺耳的嗓音说："全是些年轻人，而那些颇有名气的人，却坐在后面龟缩不出，也许老身真被人看成废物了。那不是离魂鬼母和不戒魔僧吗？"老太婆向在远处调息的人群一指："还有大名鼎鼎的黑道枭雄巧手翻云彭长安呢。你们都上吧，何必叫这些年轻人枉送性命？"

老太婆身后蹿出两个中年人，超越老太婆迎向段岳和另一年轻人，右首的中年人手按剑把，冷冷地说："二比二，咱们江右双豪陪你们年轻人松松筋骨。拔剑！"

段岳脸上毫无表情，徐徐拔剑。他的同伴拔剑的手法，速度与表情完全相同。

"亮你们的名字，年轻人……"

段岳两人以行动作为答复，但见剑芒如电光一闪，两人同时进击，走中宫无畏地突入，以空前猛烈的威势发起抢攻，剑一动风雷骤发，无边杀气突然麇临。

"铮铮！"四剑倏然接触，接着人影在飞腾的剑影中相错而过，段岳两人的剑虹扭曲着一分一聚，前冲丈余突然停止，风止雷息，一接触生死已判。

段岳的剑一拂，一串血珠随剑洒落，剑式是朝天一柱，一双精光四射的大眼，凌厉地盯视着老太婆，用奇冷的声音说："你上吧，老太婆。"

"砰砰！"身后，江右双豪摇摇晃晃双双栽倒，手仍死握住长剑，在地上略一挣扎，肌肉开始放松。

枯竹姥姥脸色大变，三角眼惊疑地打量眼前的两个年轻人，心中怦然，一丝寒气从丹田向上升。

段岳两人并肩而立，剑虽然锋尖上指，但剑诀已经引出，似乎随时皆可发动攻击，随时皆可向对面相距丈余的老太婆行致命的突袭。

后面的绿衣仙子一字一吐地说："姥姥，千万小心，他俩人的剑势，已完全控制着你了，任何移动皆立可引发雷霆一击。"

"我知道。"枯竹姥姥冷静地说："他们的神意已聚集在我身上，杀气已控制了我的一举一动，可是，他们却忽略了我的移神大法，所以我开口说话他们仍未能抓住进击的契机，这是他们的经验不够……"

话未完，段岳两人突然闪电似的冲进，双剑破空而至，以排山倒海似的声势发起突击。

　　老太婆一声沉叱，枯竹杖涌起重重杖山，但杖动无声，奇异的潜劲如怒涛汹涌，一头披散的白发飞扬而起，三角眼中凶光暴射。

　　"啪啪啪……"竹杖与剑的接触声如连珠花炮爆炸，可怕的彻肤潜劲直迫丈外，地面走石飞沙，三个人影快速地纠缠片刻，突然在一声爆响中三面一分。

　　空间里，奇异的气流声依然在耳。

　　段岳与同伴斜飘丈外，脚着地再退了两步，脸色一变，然后吸口气重新迫进。

　　枯竹姥姥在原地退了三步，身躯挫得低低地，满头白发无风自摇，老脸上略现苍白，右手的枯竹杖微现颤抖，徐徐挺身站直腰干说："如果你们的练气修为再深两分，便可抗拒老身的摧枯大真力了。老身承认，你们敢拼斗的勇气，给予老身莫大的威胁，这次……"

　　"再上去两个。"后面的中年人叫。

　　霍昆仑向一名同伴挥手，两人突然一跃而上。

　　枯竹姥姥也竹杖一振，五个人几乎同时发起抢攻。

　　同一瞬间，枯竹姥姥身后的两个灰袍老人，如电光一闪般投入斗场，两支长剑幻化长虹契入，风雷隐隐中，七个人行石破天惊的致命一击。

　　"铮铮……"剑交接声如虎啸龙吟，罡风四射，人影飞旋扑击快速如电，火星不时飞爆而散，好一场空前猛烈的可怖恶斗，棋逢敌手功力悉敌。

　　"都上！"中年人站起怒吼。

　　五个年轻人几乎在同一瞬间，飞跃而至投入斗场。

　　老太婆身后的四名老少，也不约而同撤兵刃冲到。

　　双方行将接触，快速移动的人影中，突传出枯竹姥姥的情急沉喝："退！他们的剑阵可怕！"

　　人影向四面八方飞射，老江湖毕竟经验丰富，说撤便撤，有惊无险地飞掠而出。

一声暴叱，九个年轻人几乎同时发射暗器追袭。

枯竹姥姥远出丈外，虎扑着地向侧一滚，十余枚暗器间不容发地从她的背部上空掠过，危极险极。

"哎……"一名中年人中了一飞刀，狂叫着重重地摔倒在地挣命。

幸而九个年轻人均认定枯竹姥姥是最强悍的劲敌，因此所有的暗器，几乎皆以她为目标，绝大部分均向她集中攒射，其他的人十分幸运，仅有一个人被飞刀射倒了。

"撤！到树林中与他们拼命。"

枯竹姥姥大叫，首先向里外的松林掠走。

绿衣仙子与四侍女慢了一刹那，被李驹兄弟抢先一步拦住了。

"快追！"中年人下令："一定要毙了老虔婆，她是大魔的长辈，饶她不得。"

段岳与八名同伴，已追出百步外去了。

枯竹姥姥独自断后，掩护五名同伴撤走，一面情急大叫："路姑娘，行法自救……"

绿衣仙子已没有行法的机会了，李驹兄弟一声长笑，双剑来势似奔雷，手下绝情。

丑陋如鬼的老太婆离魂鬼母已经到达，狂笑道："泼妇，你的邪术老娘全替你破了。"

绿衣仙子大概知道碰上了克星，知道自己的道行比离魂鬼母差了一大截，怎敢使用邪术？邪道人物皆知妖道李自然的邪术十分可怕，而离魂鬼母却又比妖道更高明三两分，绿衣仙子比李自然差得远，碰上离魂鬼母，那会有好结果？法一破性命难保，惟一可以苟延性命的方法，就是凭真本事硬功夫杀出一条生路来。

绿衣仙子不敢硬接李驹兄弟的剑，用上了闪避的神奇身法，从剑下逸出丈外，左手泄出了江湖朋友心惊的荡魄香，一面向四侍女狂叫："你们快走！把消息告诉大魔……哎……"

她一面叫一面闪避狂风暴雨似的剑招，一时分神，左外肩被李驹一剑割了一条小缝。

　　四侍女根本脱不了身，被十余名高手围住了，四侍女只有三支剑，全靠荡魄香布成一道自保的香阵，除了离魂鬼母之外，谁也不敢贸然突入擒人，而鬼母却要盯着绿衣仙子，等候绿衣仙子施邪术以便破解。

　　因此，四侍女虽说身陷重围，短期间却暂保无虞。

　　"铮铮！"绿衣仙子接了李驹兄弟两剑，心惊胆跳地八方游走。

　　她发现李驹兄弟根本不怕荡魄香，双剑的压力却令她招架乏力，闪避的身法虽然可暂保无恙，但拖久了便难说啦！

　　离魂鬼母点着鬼头杖，跟在一旁狞笑道："泼妇，你这功臻化境的邪道至尊，竟然挡不住碧落山庄两个年轻小伙子，你凭什么敢称邪道至尊？泼妇，你不是曾经活捉了他们两人吗，怎么如今却被他们杀得手忙脚乱？你听着，老娘给你一次活命的机会，赶快投邪，带老娘去见大魔，这是你惟一的活命机会，千万不可错过了。"

　　"哎……"绿衣仙子惊叫，右大腿内侧挨了一剑，裤脚裂了一条缝，鲜血沁出，脚下有点不便了。

　　"本姑娘宁可死！"绿衣仙子尖叫，左手打出一把金针，用的是满天花雨手法，不但袭击李驹兄弟，也袭击外侧的离魂鬼母。

　　离魂鬼母冷笑一声，左手大袖一拂，数枚金针翩然坠地，落在草中金芒闪闪。

　　李驹兄弟双剑齐拂，射来的金针纷纷飞散。

　　"着！"李驹叫，反手就是一剑，指向对方的心坎要害，绿衣仙子眼看难逃大劫，这一剑太快了。

　　"要活的！"离魂鬼母及时大叫。

　　谁也没留意两个人影从绝谷登上山顶，他们是循众人的踪迹赶来的。

　　登上山顶，两人伏在草中，像蛇一样爬近斗场，谁也没留意附近来了不速之客。

　　李驹的剑一顿，及时止势，但已晚了一刹那，锋尖无情地刺中绿衣仙子的左乳下方，距左期门不足三分，入体约半寸，绿衣仙子的胸脯太饱满了，自然较易受伤。

"哎……"绿衣仙子惊叫，惊怖地后退。

后面站着支杖而立的离魂鬼母，伸左手得意地狞笑道："手到擒来……"

人影像幽灵幻现，神乎其神地从鬼母身后现身，左手一把揪住鬼母的发髻向后拖，右手一掌急下，劲道惊人，啪一声拍在鬼母的脸部，骂声传出："老虔婆，你早该做真正的鬼母了。"

离魂鬼母的五官应掌下陷，脑袋成了扁的了。

来人左手向后一带，将鬼母的尸体摔掉，右手接住了倒撞而来的绿衣仙子，笑道："站稳了，赶快裹伤。"

"咦！"有人惊叫，是围攻四侍女，却又不敢冲近的不戒魔僧，目光落在另一位突然出现的不速之客身上，眼中有惊骇的表情。

那是辛文昭，站在十余步外抱肘而立，虎目炯炯脸上不带表情，穿着打扮，神色态度倨傲表情，均与大小罗天的九个年轻人相同。

魔僧曾经在九华街尾，被大小罗天的段岳折辱，见了大小罗天的人，心里便一千个不舒服，一看辛文昭的神色，的确吃了一惊。

魔僧转头用目光找寻九个年轻人的领队中年人，但他失望了，中年人已随九个年轻人，向南追逐枯竹姥姥，早已消失在里外的松林内啦！

这个年轻人是怎样来的？

难道也是大小罗天的人？

接着，魔僧看到了躺在地上，脸部变了形气息早绝的离魂鬼母，也看到脸貌丑陋，高大健壮的另一个人，正是毙了鬼母的凶手，不由倒抽了一口凉气，脱口叫："你……你杀……杀了离魂鬼母？是真的？她真死了？"

"大概是吧。"

杀鬼母的丑陋年轻人扭头向魔僧咧嘴笑答："她现在是名实相

符的鬼母了。"

对面，李驹兄弟似乎呆了，忘了抢救鬼母。

李驹垂下剑，讶然问："你是谁？你的口音在下好耳熟。"

"你是贵人多忘事啦！"丑陋的年轻人说："你为何甘心做妖道李自然的走狗？你把碧落山庄的声誉断送得好惨。你带了走狗们滚蛋吧，在下不愿看到你那副嘴脸。"

"阁下贵姓大名？你知道碧落山庄？"李驹沉声问。

# 第十九章　鹰犬动魄

李驹兄弟初闯江湖，见闻有限，不但毫无江湖经验，见识也浅薄。对这位出其不意击毙了离魂鬼母的丑陋年轻人，虽然听出口音厮熟，却猜不出对方的身分。

而在一旁调息的绿衣仙子，却恍然大悟，这妖妇外表看来像个二十来岁的青春少妇，其实却是年近花甲的老太婆。

她浪迹江湖半甲子，可说是人老成精，一听李驹说丑陋年轻人的口音好耳熟，便猜出来人是谁了。

来人是永旭。他年轻气盛，修养不到家，再次看到李驹兄弟那傲然自得的神色，难免心中有气。

也忘了家凤姑娘要他带李驹兄弟前去对证的嘱托，不悦地要李驹兄弟滚蛋。

李骅虎目怒睁，哼了一声说："阁下，为何不答复家兄的话？难道你不敢通名吗？"

"在下的姓名算不了什么，既没有可傲人的家世，也没有唬人的师门做靠山。"永旭冷冷地说："你们两位是碧落山庄的武林世家子弟，一露了脸就抬出贵山庄的名头唬人，的确抬高了不少身价，唬住了不少武林高手。在下有自知之明，何必再报出名号自讨没趣？"

"你倒会损人。"李驹恶狠狠地说："你杀了离魂鬼母……"

"不错，这鬼婆恶迹如山，不杀她的话，往后不知还有多少人死在她手上。"永旭抢着说。

"那么，只有一个办法可以了结这件事。"李驹挺剑迫进说："你得替她偿命。"

"你简直无耻。"永旭火暴地咒骂,拔剑出鞘。

辛文昭大踏步上前,冷冷地说:"交给我,我得看看碧落山庄的绝学有何惊世骇俗的玩意。"

永旭却挥手道:"大哥,这是小弟的私事,你去打发那几个仁兄滚蛋,能杀就杀。"

"好,我要他们肝脑涂地。"辛文昭说,举步向最近的不戒魔僧走去。

他的双手自然地垂在胯旁,他宽阔的皮护腰上上面有掩护,明眼人一看便可看出,皮护腰里面必定盛了不少暗器。

不戒魔僧心中有鬼,情不自禁地退了一大步,沉声问:"你是谁?你认识杨教头杨廷芳?"

"杨廷芳?当然认识,他……"

"那……你是大小罗天的人?你……"

"纳命!"辛文昭沉叱,左手一扬。

不戒魔僧鬼精灵,大概已知道大小罗天的底细,那些小伙子天不怕地不怕,不理会武林规矩。

每个人都对暗器学有专精,发射暗器从不按规矩先发声招呼,所以不戒魔僧心中早有警惕。

他见对方手一抬,便知大事不妙,本能地向下一挫,斜窜丈外,反应奇快。

"嗤"一声厉啸,一枚飞钱贴贼秃顶门掠过,不戒魔僧的顶门出现一条寸余长的血缝了。

"哎……"不戒魔僧身后两丈左右的中年人狂叫,手掩右耳下方跟跄侧闪,指缝有血沁出。

原来划破不戒魔僧头皮的那枚飞钱,飞行的轨迹略降,割伤中年人的右耳下方,几乎刮掉了一层皮肉。

"散开!人交给我。"两名年约半百的灰袍人大叫。

那是黑道中颇负盛名的大豪,有名的枭雄巧手翻云彭长安,拔出威震江湖佛手笔,拉开马步严阵待敌。

辛文昭冷哼一声,手徐徐握住剑把,一声龙吟,长剑出鞘。

辛文昭的脸色徐变,变得出奇地冷酷,一双虎目冷电四射,眉宇间涌起无边的杀气,剑尖向前一引。

他突然脚下一紧,以惊人的奇速向巧手翻云疾冲而上。

"铮铮!"佛手笔封住了两剑。

第三剑到了,更急更狂,更凶猛,力道如山长驱直入,叱喝声似沉雷。

"铮!"佛手笔格住了剑。

但这剑的锋尖已刺入巧手翻云的右肩井,入肉两寸以上。

"哎……"巧手翻云尖叫,浑身在发抖,语音凄厉:"在下认栽……"

"你们太贪心了,太贪心不会有好结果的。"辛文昭冷冰冰地说:"昨晚你们已收服了大邪那些人。贪得无厌迫不及待地又向大魔的人下手,你们的心目中,哪将江湖的朋友放在眼下?你得死!"

死字一落,剑向前一送,锋尖贯穿背骨,同时右脚飞踢,砰一声正中巧手翻云的小腹上。

"啊……"巧手翻云狂叫,仰面跌出丈外,在地上猛烈地抽搐呻吟。

这一记凶狠的屠杀手法,把已受了伤的不戒魔僧,吓了个胆裂魂飞,其他的人也心胆俱寒。

不戒魔僧突然撒腿狂奔,像是丧家之犬。

其他的人也不慢,像一群漏网之鱼,快极。

这群人的领队第一是离魂鬼母,其次是巧手翻云,第三是不戒魔僧,最后才是李驹。

离魂鬼母死了,巧手翻云也呜呼哀哉,不戒魔僧头皮受伤领先逃命,其他的人怎肯留下送死?

只片刻间,便逃出半里外去了。

辛文昭摇摇头,回身踱向斗场。

李驹兄弟正双剑并举,徐徐易位觅机进击。

永旭也缓缓移动,寻找空间进招。

只有一个人惑然旁观,那是仆人打扮的靳义。

靳义的身上没有带兵刃,紧盯着永旭发呆,眼中有重重疑云。

辛文昭长剑徐布,叫道:"二比二,来一次公平决斗,看谁肝脑涂地。"

"大哥,请不要插手。"永旭说:"我应付得了……"

李驹兄弟抓住他说话分神的机会,突然以雷霆万钧之威放手抢攻,双剑齐至漫天彻地,强攻硬压锐不可当,但见剑芒一聚,风雷骤发。

永旭向右移位,避免对方的夹攻,一声长笑,盯住了右方的李驹,剑涌千重浪,铮铮两声暴震,化解了李驹两剑急袭。

快速的移位,摆脱了跟踪迫来的李骅,立还颜色以快打快,在电光石火似的刹那间,攻了李驹五剑之多。

把李驹逼得换了四次方位,一而再反而挡住了李骅的进招路线,兄弟俩无法取得联手合击的最佳机会。

他们三人像走马灯快速移位,险象环生,飞射的剑虹不住吞吐,每一剑皆直指对方的要害。

生死的分野微乎其微,双方都用上了真才实学。

辛文昭随着移动,神色渐变,握剑的手汗湿掌心,他在随时准备加入。

旁观的绿衣仙子与四侍女,皆神色紧张呼吸不正常,忘了裹创,也忘了身外的一切,被三人的可怕恶斗所吸引,忘了处境的凶险。

三人愈打愈快,招式已无法分辨了。

绿衣仙子脸色不太正常,突然向不远处的辛文昭说:"喂!年轻人,你为何不加入呢?"

"我答应不插手的。"辛文昭说:"碧落山庄的剑术名不虚传,只是灵巧有余威力不足,并不可怕。"

"他们二打一……"

"他们抓不住同时出剑聚力一击的机会。"

"怪事。"绿衣仙子惑然地说:"据我所知,碧落山庄的人颇为自负,除非对方人多势众,否则决不会倚多为胜的。怎么今天反常了,居然毫不脸红以二打一? 委实令人百思莫解了。"

"一投入宁王府,便不是江湖人了,二打一又算得了什么?"辛文昭用剑向呆立一旁的靳义一指:"喂! 你快找把剑上啊! 在下等你加入,便可名正言顺地送你去见阎罗王了,上啊!"

"不管他是否加入,先毙了他再说。"绿衣仙子指着地上遗留的尸体切齿叫:"以牙还牙,以血还血,这个老不死交给我。"

靳义发出一声长啸,徐徐退走。

不等绿衣仙子冲近,李驹兄弟已随着啸声,向南急急撤走,轻易地摆脱了永旭的追袭。

永旭并没有将李驹兄弟置于死地的念头,收剑止步。

他向辛文昭说:"不必追了,追上了也留他们不住,彼此的修为相去不远,想留下他们不是易事。"

"是的,如果他们不拼命,真不易留下他们。"辛文昭点头道:"碧落山庄的剑术果然不同凡响。依我看,你的麻烦大了。"

"辛大哥,你的意思是……"

"他们不像是受到胁迫而不得不替妖道卖命的人。"辛文昭慎重地说:"所有的人都逃掉了,他们为何不向你表明态度? 为何不趁机脱离妖道的羁绊一走了之? 可知他们的确是诚心诚意向妖道效忠投靠,自甘坠落无可救药了。你怎能将他们带给那位小姑娘? 除非你能生擒他们,而以他们的造诣说来,要生擒岂是易事?"

"我会设法把他们弄走的。我已易了容,所以不知道是我。"永旭语气肯定地说。

他转向绿衣仙子冷冷一笑:"你把李家兄弟送给妖道,刚才我该让他们兄弟毙了你的,哼! 这笔账咱们以后再好好清算清算。"

"你为何要救我?"绿衣仙子问,水汪汪的大眼在永旭浑身上下转。

"不为什么,看不惯妖道那些人的嘴脸而已。"

"我知道你是谁……"

"知道我是谁,你还不快给我滚蛋?"永旭恶狠狠地说:"把你的荡魄香解药给我,快!"

他一步步迫进,绿衣仙子一步步后退,有点慌乱地说:"为何要给你? 如果我不给……"

"啪!"耳光声暴响。

他以令人目眩的奇速冲上,以不可思议的快速手法,搋了绿衣仙子一耳光,把绿衣仙子打得斜退三四步。

永旭紧迫盯住绿衣仙子移动,阴森森地说:"少用你的勾魂媚眼献宝,你的道行差得太远了。如果不给? 哼! 你说说看。"

"你……"

"我要你后悔八辈子,弄瞎你一双勾引良家父老的媚眼,揪掉你美丽的小鼻子,你信不信? 拿来!"永旭狞笑着说,左手直伸至绿衣仙子仍在淌血的胸口前。

绿衣仙子真被他凶恶的神色吓了一大跳,乖乖地从腰旁的织绣香囊中,掏出一个小瓷瓶放在他掌中,急退两步说:"你凶吧! 总有一天,你会为今天的事后悔……"

"斩草不除根,萌芽又复发;我来辣手摧花。"辛文昭大声说:"青竹蛇儿口,黄蜂尾后针。两般皆不毒,最毒妇人心。放走这恶毒的蛇蝎美人,将是一大祸害,我来埋葬她们……"

绿衣仙子扭头逃命,四侍女更是如见鬼一般逃之夭夭。

片刻间她们便已逃出半里外去了。

"也是个怕死鬼。"辛文昭收剑笑道:"对付这种牙尖嘴利,自命不凡死不饶人的泼妇,不放凶些决难收效的。永旭弟,下一步棋该怎么走?"

"妖道已迫不及待,向大魔的人下手了,对不对?"永旭轻松地说。

"不错,大概大魔已经得到消息了。"

"那么,妖道不会呆在吉祥老店守株待兔罗。"

"是的,他会带了得力臂膀找大魔的人逐一收服,各个击破。"

"我们正好浑水摸鱼。"

"对,往何处摸鱼?"

"走啊!青龙背。"

"大魔如果得到警讯,不会在青龙背等大祸临头的。"

"我知道,他会退到慈云庵一带藏身。但他们往上走,必须经过青龙背,那是九华的主峰。也是双方约斗的天台会场,大魔不会退得太远,他是约斗的主人。他等着瞧吧!沿途保证可以碰上不少江湖上的顶尖高手名宿,这机会不可错过了。走吧!"

他们在长生洞的小吃店进膳,膳罢已经是午牌初。

天宇云层厚,似乎山雨欲来,站在山径上,风生肘腋,云起足下,下望群峰四合,峰顶下云海汹涌不见谷底。

举目四望,宛若置身天宇,四野静悄悄,云茫死寂似已远离尘寰,不知此身何在。

山径窄小,两人一前一后泰然向上行。

辛文昭走在前面,一面走一面说:"要是有人来阻拦不肯让咱们上去,咱们该怎么办?"

"见机行事。浑水摸鱼摸到就要,大小通吃。"永旭说:"至于大邪那些可怜虫,咱们手下留些情不为已甚,他们已够可怜了。"

蓦地——上面传来了震耳的语音:"你们说谁可怜?上来说给老夫听听。"

两人抬头上望,山崖上刻了四个大字:渐入佳境。

崖下坐着一个花甲老人,身材壮实脸色苍老,膝上搁了一根竹杖,灰袍的前袂掖在腰带上,一双老眼依然明亮。

永旭抢先往上走,呵呵大笑道:"前辈居然敢在路旁现身,胆气委实令人佩服。呵呵!前辈知道自己的处境吗?大意足以丧身的。"

"老夫当然知道处境是如何凶险,但除了你之外,知道老夫真正身分的人还没听说过呢!"老人微笑着说:"妖道带了一群高手,穷搜北丐与一个花子打扮的人,要查出那晚夜袭九华精舍的真相。口信已传出了,不论任何人,能活捉北丐的赏银一千两,至于另一个不知身分的花子,赏银是二千两,但必须证实那花子是那晚与北丐联手纵火的花子。呵呵!你到过九华街吗?"

"没有,绕道来的。"

"九华街附近,花子乞儿快绝迹啦!不久前南乞不信邪,大摇大摆出现在十殿附近,你猜怎么了?"

"当然是几乎丢了老命罗。"

"不错,十几个贪图赏银的武林高手,把他追得上天无路,最后滚下山沟逃得老命,真够狼狈的。"

"难怪前辈易了容换了装,不配称北丐了。"

"他们见了花子就抓,不改变自己岂不是跟自己过不去吗?呵呵!"

永旭向辛文昭招手说:"辛大哥,过来见见名震江湖的怪杰北丐。这位怪丐亦正亦邪,是有名的难缠人物,见见他之后,以后在江湖上行走,保证你不会吃亏,至少碰上他不会头疼。"

"久仰久仰。"辛文昭上前行礼:"晚辈辛文昭,前辈请多指教。"

"唔!小兄弟,你的神情,很像……"

"呵呵!他就是大小罗天的辛文昭。前辈是熟悉大小罗天的权威,当然该知道……"

"哎哟!我真是老糊涂了。"北丐站起来拍拍自己的脑袋,接着神色一怔:"辛小兄弟,老天爷,你怎敢公然称名道姓?浊世狂客江通必欲得你而甘心,你……"

"前辈,躲藏解决不了问题。"永旭接口说:"浊世狂客这种人,你怕他他就会逼得你上天无路。惟一的自救之道,是无情地反击。辛大哥助我搅散群豪九华大会,我帮他到武昌找浊世狂客算总账。那混账的东西在天下各地布下了百余处搜索站,自己坐镇武昌随时候讯出动。这里事了,咱们立即到武昌直捣中枢要害。"

"我想,我出现九华的消息,恐怕已经传出了。"辛文昭剑眉深锁,显然有点忧心忡忡。

"呵呵！有你相助,浊世狂客又算得了什么?"北丐拍拍永旭的肩膀说:"哦!你们打算上去?"

"是的,想找大魔谈谈。"永旭说。

"不必去了,你们找不到他的,他也不会接近你们,何不再等一两个时辰?"

"前辈的意思……"

"大魔躲在日照庵附近,已经发出紧急召集讯号,召集朋友们前往聚会,他是破晓时分赶到的。妖道已得到正确的消息,召回党羽的讯息已经传出,大概午后不久,便会前往日照庵附近,与大魔进行谈判了。"

"好啊!等就等。在附近这里么?"永旭问。

"在附近猎些走狗,有兴趣吗? 老夫正担心人孤势单,苦于独木不成林……"

"算咱们两个一份,一切由前辈主持,如何?"

"好,以你两人的实力,加上老夫的智谋,天下大可去得。你知道瘸怪和蒲团尊者吗?"

"知道,晚辈曾经看到他们。"

"这两个浪得虚名的江湖名人,妄想来九华排难解纷,他们与大魔大邪的一些朋友,颇有些少交情。因此不远千里而来,想替他们做调人说客,岂知情势逆转,宁王府的爪牙插上一脚,没有人再肯听他们的话了。"北丐感慨地说:"不止此也,他们已落在妖道的掌握中,很可能落个身败名裂。咱们走,也许还来得及。"

他们到了一处山腰中的小茅棚,那是种山人的休息处所,平时没人在内住宿,他们来晚了。

在棚屋附近有不少凌乱的足迹,三块石头架起的野灶,灰炭尚温。

永旭在附近仔细地察看片刻,肯定地说:"这里曾经发生过打斗,没有人受伤,来人由四面八方接近包围,最少也来了十个人。主人有三个,一个用的是铁拐。"

"那是瘸怪韦松。"北丐说:"可看出结果吗？"

"打斗结束得很快。"永旭用手指抚摸着一株树干上的痕迹说:"这是雁翎刀留下的刀痕。来人必是挹秀山庄的高手,瘸怪三个人即使存心拼死也支持不了片刻,地面找不到血迹与碎布帛。由此可知他们必定被追屈服了。前辈,咱们来晚了半个时辰,他们是向西走的,已经无法追上了。"

"走吧！去看看南乞。"北丐苦着脸面说。

"前辈不是说他被追得上天无路吗？"

"但他的藏匿处我知道,而且知道他有不少帮手,那是几个深藏不露的男女老少,我们走。"

绕过一座奇峰,已接近加官峰的南麓,降下一处山峡。

永旭突然说:"前面有兵刃撞击声,赶两步。"

北丐脚下一紧,说:"前面是一处小谷,距南乞的匿伏处约有六七里,怎会听得到兵刃撞击声？小兄弟,你听错了吧？"

"错不了,就在前面不远。"永旭肯定地说。

山风掠过林梢,风声一阵阵宛若大海波涛,怎能听得到远处的兵刃撞击声？老花子将信将疑,但脚下不放慢。

连修为将臻化境的辛文昭,也有点存疑。

不久,前面狂笑声震耳。

永旭向下一伏,扭头低声说:"就在前面的树林前方,咱们先悄然接近,再看看风色。"

小溪在茂林的右面,溪水潺潺清澈见底,溪旁灌木丛生,野草藤萝密布,极易隐身,但走动却可发出声音。

永旭向右伸手示意绕远些,领先便走。

树林前,是一处坡度不大的山坡,地面爬满了阔叶的葛藤和长可及膝的茅草。

中间站着六个人,排成半弧形,神色冷峻,为首的人像是穷儒,站在最前面的是火灵官。

左首列阵的是百步飞虹乌雷震,和夺命刀荣志。

夺命刀胸前背后血染腰带,出了不少血,从裂开的衣襟可看到创口,脸色苍白,握刀的手不住的发抖,显然受了不轻的伤。

在右面列阵的是枯竹姥姥,另一位是个干瘦中年人。

地上,躺了两具尸体,一看便知是枯竹姥姥的同伴。

这两个死鬼,曾经与枯竹姥姥同时脱出段岳九个大小罗天高手的围攻,逃到此地却遭了毒手。

靠树林一面,不但有大小罗天十个人,更有一大群蛇神牛鬼。

面对火灵官的人,是一个曲线玲珑的中年美妇,左手半伸,握了一具金芒四射的尺长暗器喷管。

那是武林朋友闻名丧胆的蟠龙筒,一次可发射九枚霸道绝伦,专破内家气功的摄魂针,针淬奇毒,中者必死,见血封喉十分可怕。

看了这具蟠龙筒,便知道这鬼女人是大名鼎鼎的神针管三娘。

其他的几乎全是大邪的朋友,招魂鬼魔支着招魂幡无精打采,天凶星地杀星显得垂头丧气,总人数超过二十大关。

不戒魔僧与另一个黑衣大汉,站在指挥九个年轻人的中年人身旁,指手画脚嘀嘀咕咕,不知在说些什么。

另一面,聚集了不少人,为首的人赫然是天罡手赵恒,李家凤姑娘,多臂熊费鹏,老仆李忠和一名侍女。

碧落山庄的人也卷入了漩涡,看情势,他们似乎有意置身事外。

不远处,南乞支杖而立,站得远远的,似在袖手旁观。

其实他所站处在山坡上方,也就是说他站在人群的后面,不戒魔僧这群人想要捉他,必须先击溃火灵官这六个人。

神针管三娘并不敢迫进,冷冷地说:"火灵官,如果你在两丈左右使用,最多可使用三次。而摄魂针可在三丈外收买人命,你考虑过后果吗?因此,你阁下最好退远些,让他们按武林规矩一比一公平决斗。"

"没有什么决斗了。"不戒魔僧突然大叫:"他们必须丢兵刃投降,上香发誓归顺。管三娘,快毙了那玩火的混账东西,他一死,这些人就会乖乖投降了。"

"哼！管三娘,你还没将老夫的毒火弹和无数火器计算在内呢!"火灵官冷冷地说:"叫你的人退,老夫不希望把这一带变成火海屠场。"

"你没有发射其他火器的机会,九枚摄魂针见血封喉,你只要挨上一枚就够了,你不可能脱身了,阁下。"神针管三娘傲然地说:"本姑娘保证你最少也得挨五枚以上,不由你不信。"

"你也得死。"火灵官咬牙说。

"两败俱伤,何苦?"神针管三娘说:"阁下,不要不知好歹,咱们是诚意邀请你们共享富贵的,你……"

"住口! 老夫……"

"管三娘,还不动手?"不戒魔僧大声催促。

"你急什么?"管三娘不悦地说:"本姑娘不受你的节制,你少跟我大呼小叫,要动手你为何不亲自上?"

管三娘不想跟火灵官同归于尽,对不戒魔僧的催促大表不满,谁又不想活呢? 要她和火灵官拼命,她的确没有视死如归的勇气。

不戒魔僧老脸无光,下不了台,转向中年人说:"杨教头,先把那群男女毙了,免得他们碍事。"

魔僧的手指向家凤姑娘几个人,天罡手接口道:"和尚,你怎么把咱们也算上了? 咱们不是已表明态度,不插手你们的恩怨是非吗?"

"谁知道你们存的是什么心? 如果你们真的不愿插手,为何不早早滚蛋离开?"

"在下是江湖人,按规矩在下可以旁观。"天罡手冷冷地说:"管你们自己的事吧! 何必多树强敌呢? 你们的麻烦已经够多了,咱们这几个不相干的人旁观,你又何必计较? 难道你们所做的事,见不得人吗?"

杨教头哼了一声,凶睛怒突沉声道:"你阁下口气倒是够强硬的,杨某不信你不是大魔的朋友。"

"在下……"

"你们一起上。"杨教头向段岳九个年轻人挥手:"把他们全留下,死活不论。"

"弟子遵命。"段岳九个年轻人同声答,同时欠身应喏,同时举步向天罡手一群人举步。

九支长剑同时出鞘,无畏地迈步迫进。

绕过火灵官一群人,逐渐接近。

家凤姑娘首先撤剑,低声说:"赵叔,敌众我寡。"

天罡手脸色沉重,徐徐后退说:"退入左后方的树林,避免剑阵围攻。"

火灵官也挥手示意命同伴后退,独自断后徐徐后撤。

不戒魔僧向招魂鬼魔哼了一声,阴森森地说:"缪施主,你如果再贪生怕死畏缩不前,将永远永远后悔,还不先把他们围住?"

招魂鬼魔脸色难看已极,一咬牙,怨毒地瞪了魔僧一眼,举手一挥,二十余名高手立即左右一分。

蓦地——树林侧方蹿出丑陋的永旭,用了湖广腔的官话大声说:"这里有祸事了,刀光霍霍,剑气飞腾。将有人死无葬身之地,哈哈!在下来得正是时候,有谁需要帮助吗? 在下叫活阎王,帮助有理的一方。"

"是你!"不戒魔僧骇然惊叫。

穷儒大喜过望,急叫道:"小兄弟,你如果助咱们一臂之力,我有重要的物品和消息相酬。"

"快! 快……快毙……毙了他,他……他杀了离……离魂鬼母……"不戒魔僧恐惧地叫,一步步往后退,如见鬼魅。

所有的目光,皆向永旭集中。

九个年轻人停步不进,扭头打量永旭。

家凤也不退了,向天罡手低声说:"赵叔,他那位同伴怎么不见了?"

"在林子里。"天罡手说:"你留心看看,这九个大小罗天的年轻人,与周老弟那位姓辛的同伴比较,神情和气魄是不是很相像?"

"是的,真像。稳重、沉着、自负、剽悍之气外露,与他们的年岁也相称,他们很……"

"他们很危险,流露在外的杀气压得人喘不过气来,所以我要退到林中决战,在宽阔的地方,他们的剑阵威力最少也增加三倍以上。唔!周老弟的胆气,委实令人佩服,他根本不在乎人多。"

永旭不是不在乎人多,他有他的打算。

不戒魔僧昏了头,口不择言叫出他杀了离魂鬼母,可把所有的人吓了一大跳。

论辈分和艺业,这些人中,连招魂鬼魔全算上了,皆比离魂鬼母差上一大截,有谁敢自告奋勇上前拼老命?

杨教头一怔,意似不信地问:"和尚,你说这丑小子毙了离魂鬼母?是用暗器偷袭的吗?"

"不,两……两掌就……就完了。"不戒魔僧讷讷地说,余悸犹在。

"我来对付他。"神针管三娘大声说,向背着手踱来的永旭迎去,蟠龙筒指向永旭。

五丈、四丈、三丈……

火灵官淡淡一笑,向穷儒领首示意。

"大嫂,你要用神针来射我?"永旭笑容满面,向左移位泰然自若。

所有的人,皆纷纷向外退,因为他们两人的移位速度渐渐加快了,神针的威力可达三丈外。

谁敢逗留在威力圈内自找麻烦?挨上一针才冤哉枉也,所以纷纷往外退,以免城门失火殃及池鱼。

神针管三娘哼了一声说:"你既然能够杀了离魂鬼母,本姑娘必须把你看成最强的劲敌,因此……"

这鬼女人十分阴险,话未完,突然疾冲而上。

立即拉近了一丈左右,一声机簧响,灰蓝色的针影破空而飞,以一丈方圆的威力圈向永旭罩去。

快得令人肉眼难辨针影,任何高手也难逃大劫。

永旭早有准备,对方身形一动,针刚离筒,他已同时向前虎扑着地,双手一拨,身形贴地平射。

永旭以令人胆寒的奇速,到达神针管三娘的脚前,置之死地而后生,大胆冒险的人有福了。

针从他的背部上空飞越,仅有一枚摄魂针射中他的右脚快靴,盯在后跟上,未伤肌肤。

变化太快,旁观的人看不清双方是如何接近的。

神针管三娘做梦也没料到他不退反进,大胆得出乎意外,还来不及有所反应,突觉下身一震,身不由己向前一仆,冲势无法止住,似乎双腿已不听指挥,上体重重向前一栽。

她本能地双掌急伸,希望能平安着地保护脸面,以免碰撞地面。

下面是永旭,看样子可能要仆在永旭身上,一切都嫌晚了,永旭已在近身的刹那间,双掌震断了鬼女人的一双小腿。

永旭猛地向侧滚挺身而起,一脚踏在鬼女人的背心上,俯身迅速地夺过蟠龙筒,冷笑道:"抱歉,我不能饶恕要将我置于死地的人,你的摄魂针太歹毒了。"

"啊……"神针管三娘伏地惨号。

她手脚绝望地挣扎,但腰脊无法动弹,被奇重的压力迫得五脏六腑向口腔挤,惨号声摇曳而上。

惟一的劲敌倒了,火灵官大喜过望,向不戒魔僧冲去,大喝道:"纳命! 景某要火化你们……"

"景前辈住手!"永旭大叫:"你如果用火器,九华山全完了,树林一起火,谁也救不了,你想火化地藏菩萨道场吗?"

火灵官一怔,颓然止步。

"咱们拼了这些狗东西。"穷儒怒吼。

杨教头一声怒啸,举手一挥。九个年轻人四面一分,两人一对布成方阵,中间屹立着段岳,长剑徐伸。

正要下令进击,永旭及时大喝:"诸位退! 不可乱闯他们的剑阵。"

"散开! 退!"枯竹姥姥也急叫,她是吃过亏的人。

穷儒飞纵而退,大概知道厉害。

永旭拔剑出鞘,招手叫:"辛大哥,该出来了,早晚你要和他们生死相决的,咱们打发他们走路。"

"不错,是福不是祸,是祸躲不过。"远处的辛文昭现身大步而来,长剑闪闪生光,在三十步外叫:"段岳,霍昆仑你们想不到在这里遇见我吧! 你们奉庄主之命搜遍天下捉我,我来了。"

段岳大吃一惊,骇然叫:"你……你怎么在……在此地? 你好大的胆子……"

杨教头急步迎出,大喝道:"叛逆! 真是你,踏破铁鞋无觅处,得来全不费工夫,还不跪下听候处治?"

辛文昭大踏步而来,冷冷一笑道:"杨教头,你唬不了我的,你不是与李管事李顺一同前来九华,替妖道李自然办事吗?"

"不错,他……"

"他失踪了是不是?"

"你……"

"他已成了白痴,大概不小心掉在山沟里送了命,也许尸体喂了野兽。"辛文昭一面说,一面走近。

"你……"杨教头反而惶然后退。

"杨教头,你是知道辛某的造诣的,因此,你还是乖乖挟尾巴滚蛋,滚到湖广武昌,替我传话给江庄主。"辛文昭直迫至丈内,神色奇冷:"告诉他,他追杀了我四年,辛某已厌倦了被猎的游戏。叫他好好准备,我要以牙还牙找他算八年的血债,替大小罗山下被埋葬的无数同伴报仇,他要用血来偿还……"

"住口! 你……"杨教头怒叫,不退了。

"你叫也没有用,杨教头。本来,你们这些教头并不是刽子手,该死的应该是那些管事,因此,辛某不为已甚,放你一条生路,你走吧!"

"你……"

"你希望在黄泉路上与李管事做伴吗?"

"你们上,毙了他!"杨教头发狂般厉叫,急退两丈外,向段岳发令。

两个年轻人略一迟疑,段岳已疾冲而上,剑化长虹风雷骤发,以可怕的奇速行雷霆一击。

身剑合一猛攻辛文昭的中宫,锋尖刺向七坎要害,恍若电光一闪。

辛文昭从容转身,右半身向敌,剑一拂捷逾电射,铮一声崩开来剑,冷冷地说:"段岳,你忘了辛某在大小罗天名列第一的事了? 想不到你居然敢如此狂妄地走中宫向我进击,真不想活了?"

两个年轻人到了,两面抄他,右面的年轻人说:"辛文昭,我知道你很了不起,在大小罗天你从未在决斗场失败过,但决斗都是一对一,今天……"

"今天是十比一,是不是?"永旭一面说,一面走近:"还有我活阎王呢! 把我算在内好了。"

"你是……"

"我知道你姓娄,叫娄毅是不是?"

"咦! 你……"

"你大概忘了,那天晚上你四个人登山,被我用钩伤了你的右踝。呵呵! 伤口落痂了没有?"

娄毅脸色大变,讶然叫:"那晚是你? 你……"

段岳一声怒叱,三人不约而同进步出剑,三方齐聚,石破天惊。

"滚!"永旭怒吼,与辛文昭同时反击,但见电芒飞腾旋舞,人影飘摇,双方都用上了凶狠的杀着。

"铮铮铮……"

剑鸣声震耳欲聋,火星飞溅三方围攻,要想避免硬碰硬决不可能。

在这令人目眩胆落的瞬间接触,生死的分野微乎其微,双方皆志在必得,凶险不言可喻,功深者胜,无法取巧。

蓦地——传出一声惊叫,闪烁的千百道剑虹突然消失,人影倏分,激动的气流向四面八方迸发,剑吟袅袅不绝。

段岳飞射丈外,右脚着地突向下挫,右大腿外侧鲜血染湿了半个裤管,脸色灰白,举剑的手不住颤抖。

娄毅和另一名年轻人也分向暴退,脸色不正常,颊肉不住抽搐。娄毅的胸襟裂了一条缝,似乎并未受伤,眼中涌起绝望的神色。

辛文昭的剑遥指段岳,毫无表情地说:"亡命天涯四春秋,我的心肠变软了,所以我不杀你。"

"呵呵!你也死过一次了。"永旭用剑指着娄毅说:"我的剑由点变指,冒了好大的风险,你知道为了什么吗?那是冲辛大哥的金面饶你一次。在现身前,他曾经要求我不要下杀手,因为你与他一样,是被掳至大小罗天受苦受难的弟兄。"

"你们都上!"杨教头厉叫。

六个年轻人你看我我看你,无可奈何地举步。

辛文昭虎目怒睁,沉声道:"诸位兄弟,能不能听辛某几句肺腑之言?"

"快上!快……"杨教头狂怒地叫,可是,叫声戛然而止。

永旭远在三丈五左右,左手一挥,暗藏在袖内的小爪钩像流光逸电破空疾射,半分不差勾住了杨教头的右肩。

细小的筋索一带之下,杨教头砰然摔倒,手脚慌乱地乱抓,希望抓住一些草根稳下前滑的身躯。

可是没有用,不但被拉得晕头转向,右肩的彻骨奇痛,更令人受不了。

他双手的力道渐失,虽抓住两把茅草,仍然无法抓牢,身躯凶猛地被拉向永旭的脚前了。

相距仍在丈外,一名年轻人突然沉剑想割筋索。

人影疾闪,辛文昭到了,剑虹一闪。

铮一声爆响,年轻人连人带剑被震出八尺外,杨教头的身躯恰好一滑而过,被永旭一脚踏住了。

"要不要废了他?"永旭向辛文昭问。

"不,放了他传口信。"辛文昭沉静地说。

"好,依你。"永旭说,俯身取下钩,一面收索一面向杨教头说:"杨教头,听清楚没有? 快赶往武昌传信,我活阎王要与辛大哥去追取他的性命。"

杨教头吃力地爬起,以左手掩住右肩的创口,心惊胆跳地说:"在下必……必定把……把话传到。"

"你走吧! 愈快愈好,告诉浊世狂客江通,除非他上天入地,不然我活阎王会把他找出来的,即使他躲进宁王府,也保不了他的老命,滚!"

"咦! 浊世狂客还没死?"枯竹姥姥讶然问。

"那混账东西年方半百,怎会死?"化装为老人的北丐朗声说:"他就是大小罗天的主事人,是宁王训练刺客的主持首脑。这个姓杨的教头,应该知道详情,就把他留下来……"

杨教头打一冷战,扭头撒腿狂奔。

九个年轻人呆了一呆,开始后退。